A
Bíblia dos Chakras

○ ○ ○ ○ ○ ○ ○

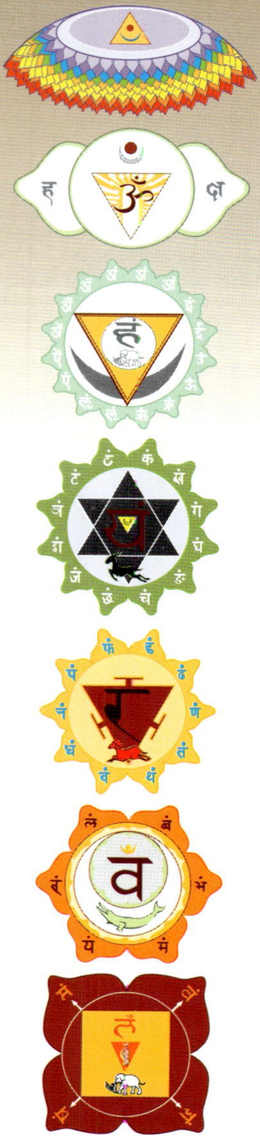

ह
ॐ
हं
वं
लं

A Bíblia dos Chakras

O GUIA DEFINITIVO DE TRABALHO COM OS CHAKRAS

Patricia Mercier

Tradução:
Marcia Fiker

Editora
Pensamento
SÃO PAULO

Título do original: *The Chakra Bible*
Copyright do texto © 2007 Patricia Mercier
Copyright © 2007 Octopus Publishing Group Ltd
Copyright da edição brasileira © 2011 Editora Pensamento-Cultrix Ltda.
1ª edição 2011 (catalogação na fonte 2010).
8ª reimpressão 2023.

Publicado pela primeira vez na Grã-Bretanha em 2007 por Godsfield Books, uma divisão da Octopus Publishing Group Ltd. 189 Shaftesbury Avenue, London 8JY. www.octopusbooks.com.uk

Todos os direitos reservados. Nenhuma parte deste livro pode ser repro duzida ou usada de qualquer forma ou por qualquer meio, eletrônico ou mecânico, inclusive fo tocópias, gravações ou sistema de armazenamento em banco de dados, sem per missão por escrito, exceto nos ca sos de trechos curtos citados em resenhas críticas ou artigos de revistas.

A Editora Pensamento não se responsabiliza por eventuais mudanças ocorridas nos endereços convencionais ou eletrônicos citados neste livro.

Este livro não pretende substituir as recomendações médicas. Antes de seguir qualquer informação ou conselho apresentado, os leitores devem consultar um médico ou outro profissional de saúde para tratamento de seus males. Embora a autora tenha se esforçado ao máximo para fornecer as informações mais precisas e atualizadas, nem o autor nem o editor podem garantir que erros ou omissões não tenham sido cometidos.

Impresso na Malásia

Patricia Mercier afirma o direito moral de ser identificada como autora deste livro.

Coordenação editorial: Denise de C. Rocha Delela e Roseli de S. Ferraz

Dados Internacionais de Catalogação na Publicação (CIP)
(Câmara Brasileira do Livro, SP, Brasil)

Mercier, Patricia
  A Bíblia dos chakras: o guia definitivo de trabalho com os chakras / Patricia Mercier; tradução Marcia Fiker. – São Paulo: Pensamento, 2010.

  Título original: The chakra Bible.
  ISBN 978-85-315-1690-0

  1. Chakra I. Título.

10-10054   CDD-131

Índices para catálogo sistemático:
1. Chakras: Esoterismo   131

Direitos de tradução para o Brasil
adquiridos com exclusividade pela
EDITORA PENSAMENTO-CULTRIX LTDA.
Rua Dr. Mário Vicente, 368 – 04270-000 – São Paulo, SP
Fone: (11) 2066-9000
E-mail: atendimento@editorapensamento.com.br
http://www.editorapensamento.com.br
que se reserva a propriedade literária desta tradução.

Foi feito o depósito legal.

SUMÁRIO

Capítulo 1	O que são chakras?	6
Capítulo 2	O Chakra da Base: **Muladhara**	88
Capítulo 3	O Chakra do Sacro: **Svadisthana**	124
Capítulo 4	O Chakra do Plexo Solar: **Manipura**	164
Capítulo 5	O Chakra do Coração: **Anahata**	196
Capítulo 6	O Chakra da Garganta: **Vishuddha**	230
Capítulo 7	O Chakra da Testa: **Ajna**	264
Capítulo 8	O Chakra da Coroa: **Sahasrara**	300
Capítulo 9	Os novos chakras	330
Capítulo 10	Os Chakras em outras tradições	342
Capítulo 11	Chakras e cura	364
	Glossário	386
	Índice Remissivo	390
	Agradecimentos	400

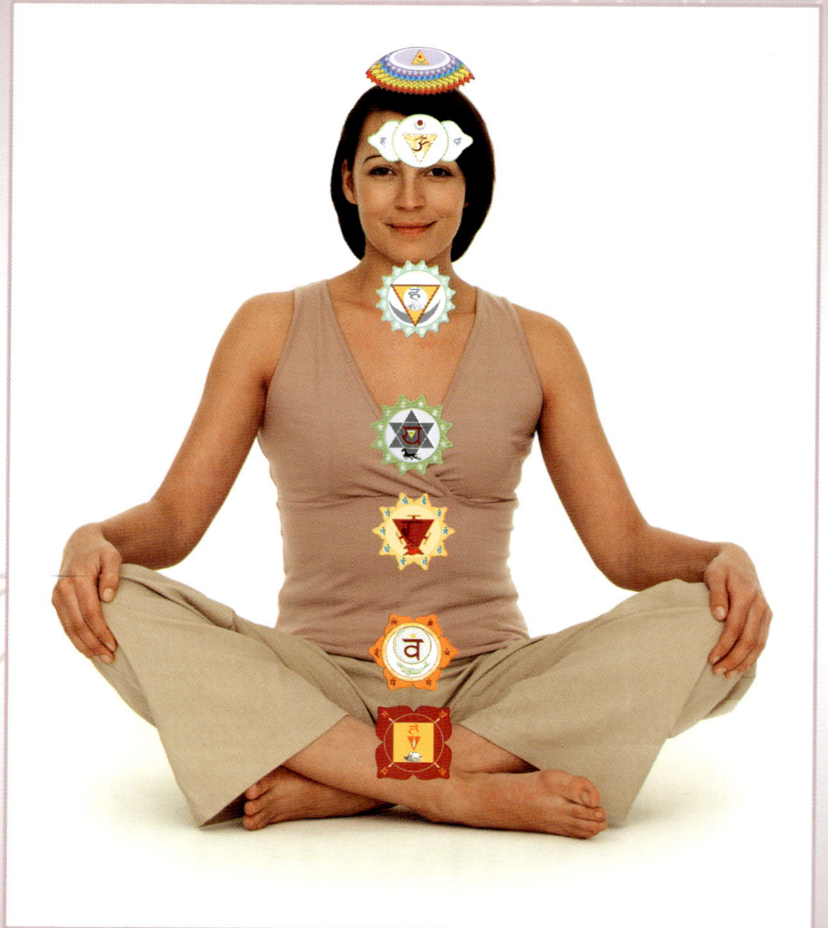

Capítulo 1

O QUE SÃO CHAKRAS?

○ ○ ○ ○ ○ ○ ○

No Capítulo 1, os chakras são introduzidos e o conceito de "energia sutil" é explicado, tanto em relação com outras terapias quanto na maneira em que afeta nossos corpos, mentes e espíritos.

O fluxo da energia sutil em nossos corpos

Nós não somos apenas corpos físicos – por mais que isso nos surpreenda – pois à nossa volta existe um campo de energia eletromagnética pulsante que é descrito como uma aura semelhante ao arco-íris ou como um corpo de luz brilhante. Esse campo de "energia sutil" interage com nosso corpo físico ao fluir por espirais concentrados de energia. Na prática do yoga, esses centros espiralados de energia são conhecidos como *chakras*, palavra sânscrita que significa "rodas de luz".

Há sete chakras principais (além de diversos chakras secundários) que interagem com as glândulas endócrinas e com o sistema linfático do corpo, introduzindo continuamente boa energia e descartando a energia não desejada. É de importância vital para a nossa saúde geral e para a prevenção de doenças que saibamos nutrir nossos chakras da maneira correta.

Como funciona este livro

Este livro começa introduzindo os chakras e as bioenergias sutis existentes dentro e em volta de nossos corpos, geralmente apresentados como as "camadas" da aura (Cap. 1). Seguem informações detalhadas sobre cada um dos sete chakras principais, suas correspondências no corpo físico e como se pode usar a respiração e exercícios de visualização para equilibrar a energia da força vital (Caps. 2-8). As origens dos chakras na tradição indiana são exploradas e vinculadas à prática atual do yoga.

Os chakras são fundamentais para uma compreensão da cura holística e essas sete seções do livro oferecem instruções fáceis de seguir para a utilização de cristais, cores, sons, aromaterapia e diversos outros métodos eficazes de autocura, propiciando uma ampla base de entendimento para iniciantes, curadores e praticantes igualmente.

As seções posteriores do livro exploram os chakras recentemente descobertos: a Estrela da Terra, os Chakras do Hara/Umbigo e Causal, a Estrela da Alma e o Portal das Estrelas, e o Sol, a Lua e os chakras cósmicos (Cap. 9). Os chakras como um todo são inseridos dentro do contexto de outras tradições, tais como o Taoismo, a Cabala, o Sufismo, os ensinamentos incas e maias e o xamanismo; os chakras da Terra e o Planetário também serão apresentados (Cap. 10). Culminando com uma seção sobre os chakras e a cura, o livro explica como ministrar a cura aos receptores (Cap. 11).

Uma aura pode ser vista por clarividentes e pela fotografia Kirlian.

9

O fluxo da energia sutil em nossos corpos

A aura e os chakras

O campo de energia sutil exterior ao corpo pode ser mais bem descrito como uma aura: um arco-íris de luz circundando o corpo. As pessoas sensíveis que conseguem ver as delicadas bioenergias dizem que as cores dentro da aura estão em constante mudança, dependendo de nosso estado de saúde, emoções e desenvolvimento espiritual. Cada vez que vislumbramos um arco-íris, este sempre se encontra à nossa frente e o sol, às nossas costas; uma vez que duas pessoas não podem ocupar exatamente o mesmo lugar ao mesmo tempo, cada pessoa enxerga um arco-íris um pouco diferente. Da mesma maneira, cada um de nós vê as auras das pessoas de maneira distinta, porque olhamos através de nossa própria percepção para o seu campo áurico.

Percebendo a aura humana

Ver a aura humana é uma faculdade que temos desde a infância ou que podemos atingir pela intensa disciplina espiritual. Como um arco-íris, a aura é feita de "gotas" de energia que vibram em diferentes frequências para produzir luz colorida.

Ao procurarmos energias sutis, geralmente somos limitados pelo condicionamento cultural. Quando crianças, nossa chance era maior de ver energias luminosas coloridas em torno das pessoas, mas conforme crescemos, ouvimos dizer que não é possível perceber auras, fadas ou anjos. Entretanto, aqueles que preservam uma consideração saudável pelo mundo natural, costumam conseguir ver energias. Felizmente, há maneiras de treinar nosso olhar. De início, tente detectar as energias em torno das árvores. Elas geralmente possuem um enorme campo de energia que pode ser visto se você olhar *além* das árvores sem for-

O arco-íris principal mostra as cores do violeta ao vermelho; isso é invertido no arco-íris secundário.

çar os olhos (ver pp. 280-81). Outra maneira é pedir a um amigo para ficar cerca de 3 metros de distância contra um muro liso numa luz indistinta, sem nutrir expectativas.

Os chakras como um "esquema" do corpo

Da mesma maneira que o corpo tem órgãos, os chakras são os órgãos do campo de energia luminoso. Eles são discos pulsantes de energia concentrada, com afinidades específicas de cor. A espiral de cada chakra se estreita à medida que se aproxima do corpo físico, e os setes chakras principais "se engancham" diretamente na espinha dorsal.

Os chakras transmitem informações da aura e representam um "esquema" do corpo; eles também guardam informações de dores passadas e traumas, como impressões no campo áurico. Estas afetam nossa saúde física e emocional por meio de sua conexão com as glândulas endócrinas que regulam o comportamento humano (ver pp. 40-1).

Qual é o aspecto da aura?

Os cientistas podem medir o campo eletromagnético próximo à nossa pele, que geralmente é visto em condições de luz fraca como um leve brilho dourado em torno de uma pessoa. Um campo ainda mais leve de energia – a aura humana ou corpo luminoso – se estende para fora, às vezes chegando a 9 metros em frequências mais rápidas e superiores, penetradas pelos chakras em redemoinho. Os ensinamentos esotéricos geralmente atribuem a esse campo de energia diversas camadas (ver pp. 14-5), cada qual com uma correspondência particular com uma cor e uma qualidade. Essas cores progridem pela aura como aquelas do espectro de luz, desde a vermelha até a violeta.

A aura na história

Ao longo dos séculos, em diversas culturas no mundo todo, desde o antigo Egito, Grécia e China até a Índia, Pérsia e as Américas, as pessoas se aperceberam do campo energético humano. Na tradição hindu, ele foi chamado de *prana*; na China, de *ch'i*; ao passo que na Grécia antiga, Pitágoras escreveu sobre a "energia vital" percebida como um corpo luminoso.

Durante as décadas de 1930 a 1950, a pesquisa científica conduzida pelo Dr. Wilhelm Reich permitiu que os curadores mostrassem tanto a existência do campo áurico como também sua correlação com os chakras, como vórtices de intensa energia dentro desse campo. Muitos pesquisadores hoje concordam que o campo energético humano provê uma matriz energética sobre a qual as células físicas crescem. Isso significa que a energia existe *antes* do corpo físico. Eles mostraram que as perturbações no campo áurico finalmente se manifestam como doenças no corpo físico, o que significa que curar qualquer desequilíbrio na aura ajudará o corpo a resistir a doenças.

O espectro de luz

Como seres humanos, nós existimos dentro da 49ª Oitava de Vibração do espectro de luz eletromagnético. Abaixo dessa faixa há um calor radiante quase invisível; a seguir, o infravermelho invisível, as ondas de televisão e rádio, ondas sonoras e cerebrais; acima dessa faixa, está o ultravioleta quase invisível; depois, as frequências invisíveis de produtos químicos e perfumes, seguidos por raios X, raios gama, raios de rádio e raios cósmicos desconhecidos. Se você lembrar que é um Ser de Luz em um corpo físico, estará aberto para compreender como os chakras são vitais para todas as interações da vida na Terra.

Nosso campo áurico e as energias sutis são "coloridos" por nossas forças ou fraquezas pessoais, saúde ou doença, felicidade ou tristeza, amor ou ódio e o grau com que comungamos com nossa vida espiritual.

O halo de um santo ou de Cristo é geralmente mostrado como um brilho áurico em torno de seu Chakra da Coroa.

Sentindo as camadas da aura

O campo de energia humana assume uma forma oval (ou de casulo) em torno do corpo. Os curadores espirituais conseguem distinguir nele diversas camadas que se fundem de uma maneira mágica. Geralmente, a energia se torna mais rápida e mais refinada conforme ela se afasta do corpo.

Quando vistas em conjunto, como um arco-íris de luzes que se movem em círculos, o campo áurico luminoso de uma pessoa espiritualmente avançada irá se fundir com a pura e clara Luz do Espírito (escrita com um "L" maiúsculo para distingui-la da luz no espectro visível).

AS SETE CAMADAS DA AURA

Elas começam com a camada (Corpo de Energia) mais próxima ao corpo físico.

Nome da camada	Cor principal
1 Corpo Etérico (ou etérico inferior)	Vermelho
2 Corpo Emocional (aspecto emocional inferior)	Laranja
3 Corpo Mental (aspecto mental inferior) Esses três "corpos" estão dentro do *plano físico*.	Amarelo
4 Corpo Mental Superior Este "corpo" está dentro do "plano astral"	Verde
5 Corpo Espiritual (modelo etérico)	Turquesa
6 Corpo Causal (corpo celestial)	Azul-escuro
7 Corpo Ketérico/Eu Verdadeiro (aspecto mental superior) Esses três "corpos" estão dentro do *plano espiritual*.	Violeta

Qualidades áuricas

- **Corpo Etérico** Este está associado com o tato/sensação. Se esse nível for forte, você terá um corpo saudável e desfrutará de todos os prazeres de seus cinco sentidos (paladar, tato, visão, audição e olfato).
- **Corpo Emocional** Este é leve e brilhante ou revolto com nuvens sujas de energia. Questões negativas, tais como a "bagagem" emocional não resolvida, podem se estagnar aqui; de modo inverso, se você estiver essencialmente feliz, seus primeiro e segundo corpos de energia exibirão cores claras e brilhantes.
- **Corpo Mental** Este tem relação com conceitos mentais no mundo racional. Ele pulsa num nível muito refinado quando você tem uma mente ativa e vivaz.
- **Corpo Mental Superior** É aqui que nossas auras se fundem e interagem com outras pessoas, plantas, animais, ambientes e o cosmos. Aqui, sentimos o amor dos relacionamentos, uma vez que está fortemente associado com o Chakra do Coração.
- **Corpo Espiritual** Este está associado com a Vontade Divina e age como um modelo etérico para o primeiro nível (Corpo Etérico).
- **Corpo Causal** É aqui que vivenciamos o mundo do espírito, sua influência e o que ele "causa" em nossa vida.
- **Corpo Ketérico** Este nos liga à Mente Divina, nossa verdade superior, nossa superconsciência.

A impressão de um artista das cores revoltas e mutáveis na aura humana.

Energia sutil em outras tradições

Um aspecto central de muitas terapias e disciplinas (especialmente as que se originam no Oriente) é uma compreensão acerca dos diferentes tipos de fluxo de energia; por exemplo, acupuntura, shiatsu, tai chi e chi kung concentram-se principalmente no equilíbrio dos trajetos da energia: os meridianos corporais. A aromaterapia, a terapia do som, os mantras, as terapias de cor e luz, a radiônica, a terapia de pedras e cristais, as essências florais, o Reiki, a cura espiritual ativa e a cirurgia psíquica, entre outros, trabalham com a energia sutil em geral para trazer unidade e saúde ao nosso corpo.

A medicina tradicional chinesa

É tradicional atribuir à acupuntura a ação de normalizar o livre fluxo de energia sutil (ou ch'i) no corpo. Considera-se que o texto mais antigo conhecido da Medicina Tradicional Chinesa, o *Nei Ching*, foi escrito entre 2697 e 2596 a.C. Ele fornece indícios do uso contínuo da acupuntura por imperadores e pessoas comuns durante 4.500 anos. Em anos mais recentes, os pesquisadores descobriram provas da eficácia da acupuntura, especialmente no tratamento da dor.

Ch'i (ou qi) é considerado, na Medicina Tradicional Chinesa, como uma substância energética única que flui do ambiente para o corpo (na Índia isto é referido como prana). No sistema chinês, o ch'i é absorvido no corpo pela pele em portais específicos de entrada formados pelos pontos de acupuntura. Esses pontos se conectam aos meridianos, ou linhas de energia dentro do corpo, e cada par de meridianos está associado com um órgão corporal ou função específica.

Outro aspecto central da Medicina Tradicional Chinesa é o Yin e o Yang: as forças criativas positivas e negativas do universo, que complementam uma à outra quando a nossa saúde e corpo encontram-se em equilíbrio dinâmico. Yin é considerado o princípio feminino, representado por essas palavras-chave: passivo, destrutivo, lua, escuridão, morte. Yang é o princípio masculino representado pelas palavras-chave: ativo, produtivo, sol, luz, criação da vida. Vinculado a esse princípio está a Teoria dos Cinco Elementos, que relaciona a energia e os órgãos internos do corpo aos cinco elementos: Fogo, Terra, Metal, Água e Madeira.

Um "boneco" modelo de um acupunturista mostrando os meridianos e pontos de tratamento.

17

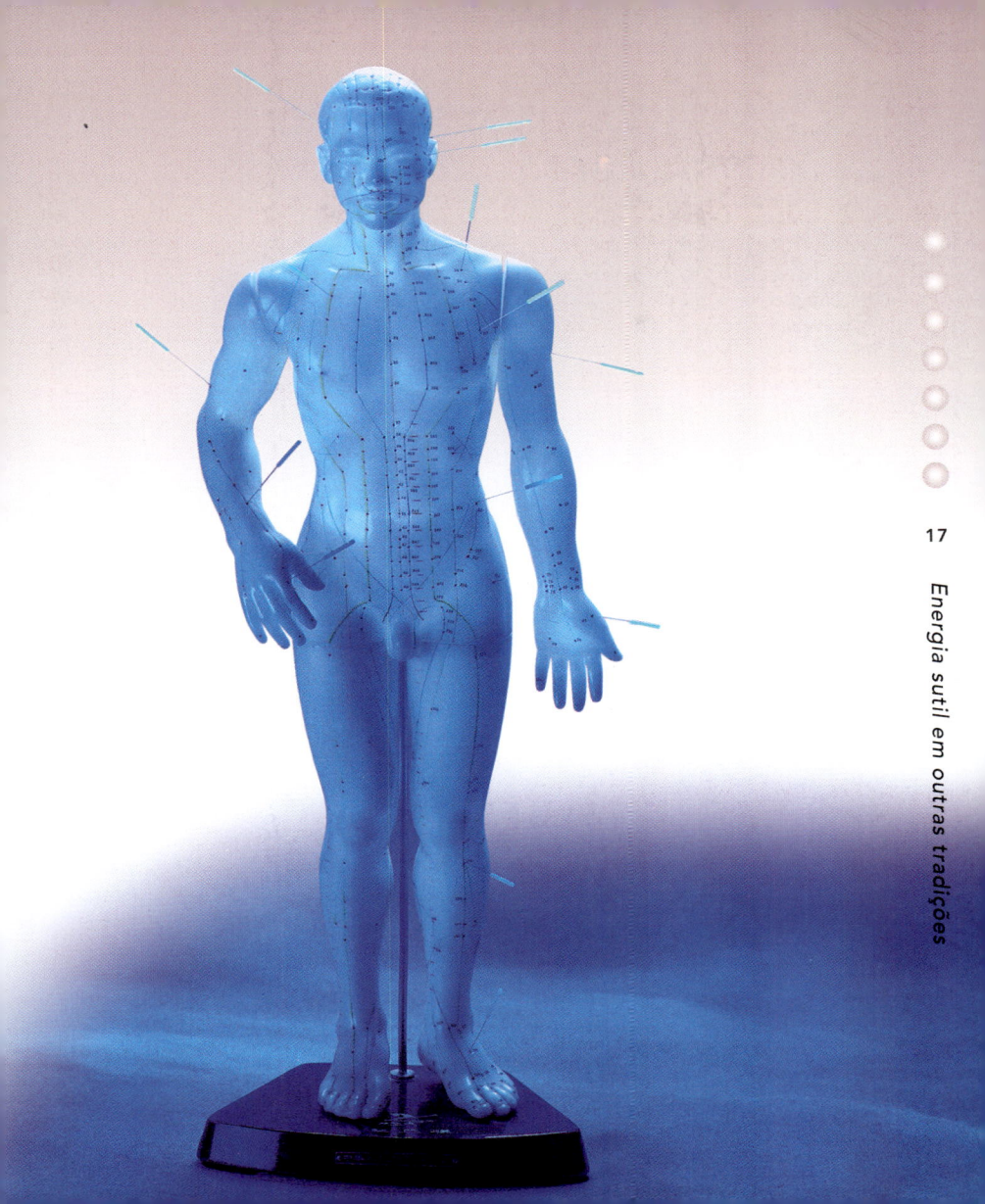

Energia sutil em outras tradições

A homeopatia

A homeopatia é um sistema complexo de tratamento de muitos desequilíbrios corporais e enfermidades; foi desenvolvida por Samuel Hahnemann (1755-1843), um brilhante médico alemão, usando o princípio de que "semelhante cura semelhante" (isto é, dar remédios diluídos que, em grandes doses, produziriam, nas pessoas saudáveis, sintomas semelhantes àqueles que estão sendo tratados). Esse princípio foi encontrado nos primeiros escritos gregos e pode ser considerado um dos primeiros tratamentos realmente holísticos.

Durante suas pesquisas médicas com os preparados homeopáticos, Hahnemann descobriu, para sua surpresa, que quanto maior a diluição, mais eficaz era o medicamento. Nesse processo de "potencialização", ele observou que seus remédios se tornavam tão diluídos que não se encontrava nem uma única molécula da erva ou substância original, restando apenas um padrão vibracional ou "assinatura" para tratar o distúrbio na "força vital" do paciente e produzir a cura.

Mantenha os preparados homeopáticos em local fresco e escuro, tomando cuidado para evitar que as garrafas se toquem e para não manusear os conteúdos diretamente com as mãos.

As essências de cristais e as essências de flores

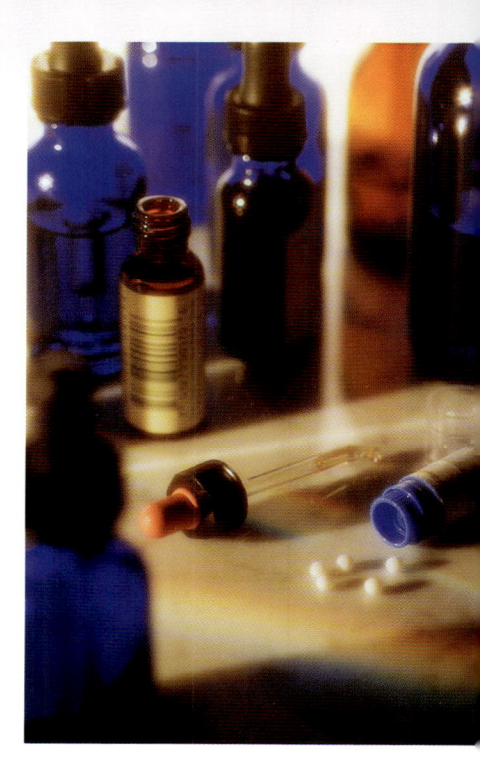

As essências de cristal serão exploradas posteriormente neste livro em conexão com os chakras relevantes e podem facilmente ser feitas em casa (ver pp. 70-1 e 150-51).

Elas são preciosas para se usar nos sintomas físicos de desequilíbrios dos chakras, pois retêm a memória do cristal na água em que foram preparadas e focam o corpo em sua autocura, num nível biomolecular.

Algumas pessoas descrevem as essências florais como tinturas de "consciência líquida". Elas intensificam nosso equilíbrio emocional e espiritual. Por exemplo, as essências florais que têm como alvo o Chakra da Coroa e os corpos sutis também enfraquecem todos os miasmas (vestígios de energia causadores de doenças), de maneira que eles possam ser eliminados desde os níveis celulares profundos, e enviados para fora por meio dos chakras e da aura. A ação das essências florais sobre as energias dos chakras é complexa, e é recomendado que você consulte um profissional qualificado.

A radiônica

A radiônica foi desenvolvida há mais de cem anos, a partir do trabalho da teosofista Alice Bailey (ver pp. 26-7). Ela é baseada na unidade, integridade e no universo interativo de energia vibracional. Por usar o campo energético da Terra, o tratamento pode ser ministrado efetivamente a distância e pode ser aplicado em qualquer ser vivo ou planta, e na Terra. Há diversos instrumentos radiônicos disponíveis, possibilitando que um profissional diagnostique e trate uma gama de desequilíbrios energéticos. Os próprios instrumentos são artifícios passivos, que dependem inteiramente das percepções sutis e energéticas do profissional.

Erica cinerea é usada como uma essência floral para nos dar força interna e resistência ao stress.

Fontes de conhecimento dos chakras: os Upanishads

O conceito de chakras originou-se na cultura hindu; portanto, os chakras são ricos em associações com a religião hinduísta. O termo "hindu" significa "do Indo" e se refere ao rio que corre desde os Himalaias tibetanos através da Caxemira e ao longo da extensão do Paquistão moderno. A história do povo hindu remonta a mais de 5 mil anos e deu origem a uma das tradições espirituais mais profundas do mundo.

As quatro coleções

A informação que temos sobre os chakras vem principalmente dos Upanishads, textos sagrados que formam parte das escrituras hindus, conhecidas coletivamente como os Vedas. A palavra *Veda* significa "conhecimento", e as quatro coleções ou textos védicos mais antigos – Rigveda, Samaveda, Yajurveda e Atharvaveda – são referidos como *sruti,* conhecimento que foi revelado aos grandes videntes. É difícil atribuir uma data aos Vedas porque se supõe que foram transmitidos oralmente por quase mil anos, antes de serem escritos pela primeira vez, entre 1200 e 900 a.C.

Os primeiros Upanishads foram escritos no século VII a.C. No total, existem 108, embora a maioria dos comentadores identifique 13 textos fundamentais dentro desse grupo. O termo *Upanishad* literalmente significa "aqueles que sentam perto" e sugere a prática de escutar de perto as doutrinas secretas de um mestre espiritual.

Textos essenciais dos Upanishads

A principal mensagem dos Upanishads é que a iluminação (e mesmo a imortalidade) pode ser atingida quando se medita com a consciência de que a sua alma é unida a toda a criação. A alma é identificada com o que é real e imortal, e com a respiração vital ou prana. Os textos também exploram o conceito de karma e reencarnação. Os dois Upanishads principais para o ensinamento dos chakras são o Brahma Upanishad e o Yogatattva Upanishad.

Brahma Upanishad Este descreve quatro lugares ocupados pela alma (o umbigo, o coração, a garganta e a cabeça) e diz que cada lugar é caracterizado por um estado específico de consciência: o umbigo ou o centro é a consciência desperta; o coração é o sono sem sonhos; a garganta é o sono com sonhos; e a cabeça é o estado transcendental.

Yogatattva Upanishad Este relaciona cinco partes do corpo aos elementos cósmicos: a terra, a água, o fogo, o ar e o espaço. Cada elemento corresponde a um mantra específico (ou sílaba mística), que causa uma vibração interna, e a uma divindade. O texto se refere aos siddhis: poderes supernormais atingidos por meio do domínio do yoga e dos diferentes elementos.

Os Vedas indianos (Rigveda, Yajurveda, Samaveda, Atharvaveda) são textos sagrados escritos em sânscrito.

A teoria Shakta

Os modelos originais dos chakras, a partir dos Upanishads *Brahma* e *Yogatattva*, foram adaptados no Budismo tibetano na forma da teoria Vajrayana e da teoria tântrica Shakta.

O Budismo Vajrayana almeja ajudar o discípulo a atingir a plena iluminação ou natureza búdica através talvez de uma única vida. Usando técnicas baseadas em escrituras antigas conhecidas como Tantras, o praticante tenta se identificar com os caminhos iluminados do Buda e praticá-los. As técnicas tântricas incluem a repetição de mantras, o uso do controle respiratório, mudras (ou posições de mãos) curativos e o uso de mandalas (símbolos circulares do universo) para a meditação. Na tradição do Budismo tibetano apenas cinco chakras são identificados.

Nadi Pingala

Nadi Ida

Nadi Sushumna

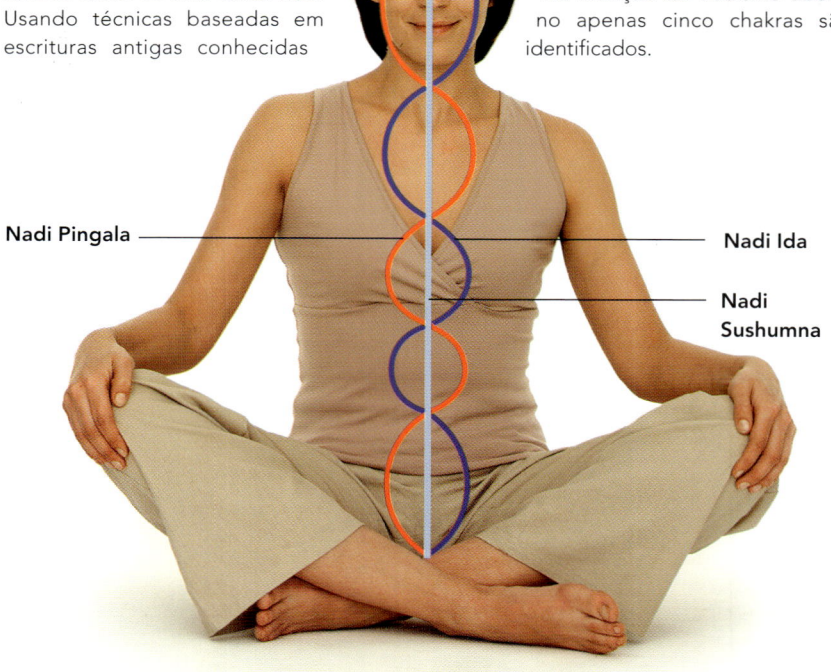

O Shaktismo surgiu como uma seita organizada na Índia no século V d.C. e é a interpretação dos chakras dessa seita que mais influenciou a compreensão ocidental do tema. O Shaktismo descreve os sete chakras principais que reconhecemos hoje. Na teoria Shakta, os chakras são considerados como centros de pura consciência e são pontos focais de meditação. A teoria Shakta estabeleceu sólidas associações simbólicas e correspondências para cada chakra: seu elemento, símbolo visual, som mântrico, divindade, cor e animal. O caminho Shakta também nos ensina sobre a energia da kundalini: a energia que foi liberada durante a criação do mundo; a prática tântrica concentra a nossa atenção no despertar dessa energia na base da coluna para um propósito específico.

As nadis

Os textos tântricos referem-se às nadis (ou canais) de força de energia vital (ou prana), que abrem caminho por todo o corpo e se ligam aos chakras. Segundo a teoria Shakta, os sete chakras estão enfileirados ao longo da nadi básica no corpo, a nadi sushumna, como pérolas ou joias. Acredita-se também que existam duas nadis secundárias em cada laço da sushumna: ida, à esquerda (que contém a força vital descendente ou vitalidade) e pingala, à direita (que contém a vitalidade ascendente). O objetivo é dirigir a energia de cada nadi secundária à nadi central, onde ela então ascende através de cada chakra por sua vez. Quando a energia da kundalini atinge o chakra superior (o Chakra da Coroa), o yogin (ou mestre de yoga que atingiu um alto nível de realização espiritual) alcança um estado de unidade com Deus.

Essa compreensão dos chakras foi popularizada por Sir John Woodroffe, que escreveu sob o pseudônimo de Arthur Avalon, num livro intitulado *The Serpent Power*, publicado pela primeira vez em 1919.

Das estimadas 72 mil nadis, as três principais são ativadas.

Sir John Woodroffe e Carl Jung

Nascido em 1865 na Inglaterra, Woodroffe viajou para a Índia, onde atuava como advogado. Ele se tornou procurador-geral de Bengali e, a seguir, ministro-chefe no Supremo Tribunal de Justiça de Calcutá, em 1915.

Por toda sua vida, ele foi fascinado por sânscrito e pela filosofia hindu, tornando-se o primeiro aluno ocidental do Tantra e, com a ajuda de colegas indianos, traduziu para o inglês quase vinte textos sânscritos originais. Tradutor prolífico e conferencista, fez uma grande contribuição para popularizar a filosofia indiana no Ocidente.

Woodroffe traduziu alguns textos fundamentais sobre o estudo dos chakras, embora, provavelmente, a sua fama se deva ao seu livro *The Serpent Power – The Secrets of Tantric and Shaktic Yoga*, que fornece um guia para a prática da kundalini (a ascensão da energia que jaz dormente no Chakra da Base). Woodroffe usou o termo "poder da serpente" como a descrição mais próxima, na língua inglesa, da kundalini.

Carl Jung e a energia kundalini

A contribuição do eminente psicólogo suíço Carl Jung (1875-1961) foi igualmente grande para a expansão do conhecimento ocidental da kundalini. Ele apresentou um seminário sobre o yoga kundalini para o Psychological Club em Zurique, em 1932, que foi posteriormente reconhecido como um momento de grande importância para o reconhecimento do Ocidente em relação ao pensamento oriental.

Para Jung, o yoga kundalini era um modelo para o desenvolvimento da consciência superior. Para passar por um crescimento pessoal profundo, Jung acreditava que o indivíduo deveria estar aberto às partes de si mesmo que se encontram além de seu próprio ego. Ele se interessava pelas técnicas do Tantra e acreditava que elas lançavam luz sobre a mente inconsciente. Para Jung, o acesso ao inconsciente era essencial para o crescimento espiritual, bem como para a harmonia pessoal.

Muitos outros aspectos do pensamento oriental fascinavam Jung; em particular, ele popularizou entre os ocidentais o estudo dos mandalas e dos yantras (desenhos geométricos usados como ajuda na meditação) como um meio de acesso ao inconsciente. Ele considerava o mandala um arquétipo universal, um símbolo de temas universais encontrados em cada indivíduo. No decorrer de muitos anos, Jung descobriu que pintar e colorir mandalas ajudava-o a evitar o pensamento racional e acessar as imagens e energia e sua mente inconsciente. No contexto da energia da kundalini, Jung viu outro meio de acessar o poder do inconsciente e atingir a autorrealização.

Carl Jung, fundador da psicologia analítica, passou grande parte de sua vida explorando outros campos do conhecimento.

A Teosofia e os Chakras

O conhecimento que o Ocidente tem dos chakras também se deve muito à Teosofia, a escola de pensamento místico estabelecida por Madame Blavatsky em 1875. Em seus livros *The Inner Life* e *Os Chakras* (1927), C. W. Leadbeater foi a primeira pessoa a explorar algumas das ideias-chave que agora temos a respeito dos chakras.

Charles Webster Leadbeater nasceu em 1854 e foi ordenado pastor anglicano em 1879. Ele entrou na Theosophical Society em 1883 e, após conhecer Madame Blavatsky, abandonou a Igreja e seguiu-a até a Índia em 1884. Ao retornar à Inglaterra em 1889 ele começou a estudar vidas passadas e explorar seus poderes espirituais. Leadbeater foi talvez mais famoso por descobrir Jiddu Krishnamurti, místico indiano que se tornou um famoso palestrante mundial sobre os temas da paz e do desenvolvimento da consciência.

Interpretação dos chakras feita por Leadbeater

Trabalhando especialmente por meio de sua intuição, Leadbeater estabeleceu a ideia de que os chakras poderiam ser vistos por meio da visão psíquica – uma ideia não encontrada nas tradições indianas. Ele sustentava que uma pessoa bastante clarividente era capaz de perceber os chakras como discos ou rodas em movimento giratório. Leadbeater também observou que os chakras eram vórtices de energia. Assim, desenvolveu-se a concepção de que energias sutis de muitos tipos estão centradas nos chakras e se movem por eles. Em compensação, em algumas tradições indianas, tibetanas e outras, os chakras são simplesmente vistos como centros de consciência que um praticante pode acessar, a partir

---

O filósofo indiano Jiddu Krishnamurti (1895-1986) faz preleção a uma multidão de pessoas. Ele acreditava que Deus deveria ser diretamente experimentado para ser conhecido.

dos quais os estados de consciência se desenvolvem.

Leadbeater também foi a primeira pessoa a sugerir que os chakras são transformadores de energia, ligando as várias camadas sutis da aura, tais como a etérica, a astral e a mental. Essa ideia agora se tornou um aspecto fundamental de nossa compreensão dos chakras, segundo a qual eles desempenham um papel crucial na manutenção de um fluxo saudável de energia. Garantir que os chakras estejam abertos, claros e em correta rotação tornou-se um foco importante para todos os que trabalham com eles.

Os chakras e as glândulas endócrinas

A fundadora da Sociedade Teosófica, Alice Bailey, foi a primeira a associar os chakras com glândulas endócrinas específicas e o sistema nervoso simpático (ver pp. 40-1). Não há indícios de que os místicos indianos tenham feito essa associação, embora o trabalho pioneiro de Theophilus Gimbel sobre o uso de luzes e cores para a cura levou-o, entre outros, a notar que a posição tradicional dos chakras corresponde às posições e funções das glândulas do sistema endócrino e às posições dos gânglios nervosos ao longo da coluna vertebral.

Chakras principais e secundários

Chakras principais

Dentro dos principais ensinamentos yogues indianos, são atribuídas qualidades específicas aos sete chakras principais; todos os chakras secundários também têm um papel importante a desempenhar, no mínimo para regular o fluxo de energia.

OS CHAKRAS PRINCIPAIS

Chakra	Cor de influência	Elemento	Sentido corporal	Glândula endócrina
Base/ Muladhara	Vermelho	Terra	Olfato	Testículo/ovário
Do Sacro/ Svadisthana	Laranja	Água	Paladar	G. suprarrenal
Plexo solar/ Manipura	Amarelo	Fogo	Visão	Pâncreas
Coração/ Anahata	Verde/Rosa	Ar	Tato	Timo
Garganta/ Vishuddha	Turquesa	Éter/Akasha	Audição	Tireoide/ Paratireoide
Testa/Ajna	Azul-escuro	Espírito	Percepção extrassensorial	Pituitária
Coroa/ Sahasrara	Violeta/ dourado	Espírito	Todos os sentidos	Pineal

Coroa (Sahasrara)

Testa (Ajna)

Garganta (Vishuddha)

Coração (Anahata)

Plexo solar (Manipura)

Do Sacro (Svadisthana)

Da Base (Muladhara)

29

Chakras principais e secundários

Chakras secundários

Os chakras secundários dizem respeito a funções corporais vitais. Localizados em pontos-chave, eles recebem e descarregam a energia sutil para manter o corpo saudável. Os chakras nas solas de nossos pés e joelhos mantêm a nossa conexão ou "enraizamento" na Terra. Os chakras das gônadas interagem com as nossas funções sexuais auxiliados pelos chakras da Base e do Sacro. Os chakras do estômago, fígado e baço interagem com o do Plexo Solar. O chakra do Timo sustenta o do Coração. Os chakras dos seios e clavículas podem afetar o sistema linfático. Os chakras dos olhos e têmporas alimentam o cérebro, mas podem se desenvolver para detectar informação extrassensorial ou enviar cura para outras pessoas. Os chakras das mãos dão e recebem a dádiva do tato para expressar o amor de nosso coração.

Alta-Maior

O chakra Alta-Maior, situado na base da parte posterior do crânio, é o ponto de energia para a memória da raça e os padrões de sobrevivência herdados dos ancestrais, bem como para a memória distante, que possivelmente envolve recordações de vidas passadas.

OS CHAKRAS SECUNDÁRIOS

Vinte e um chakras secundários são normalmente identificados:

- Um na sola de cada pé
- Um atrás de cada joelho
- Um para cada gônada
- Dois para o baço
- Um para o estômago
- Um próximo ao fígado
- Um para a palma de cada mão
- Um em cada seio
- Um em cada lado da clavícula
- Um para cada olho
- Um em cada têmpora
- Um para a glândula do timo (centro do peito)

Chakra do Timo
Embora seja classificado como um "chakra secundário", ele tem um papel de crescente importância na vida moderna (ver pp. 208-09).

Olhos

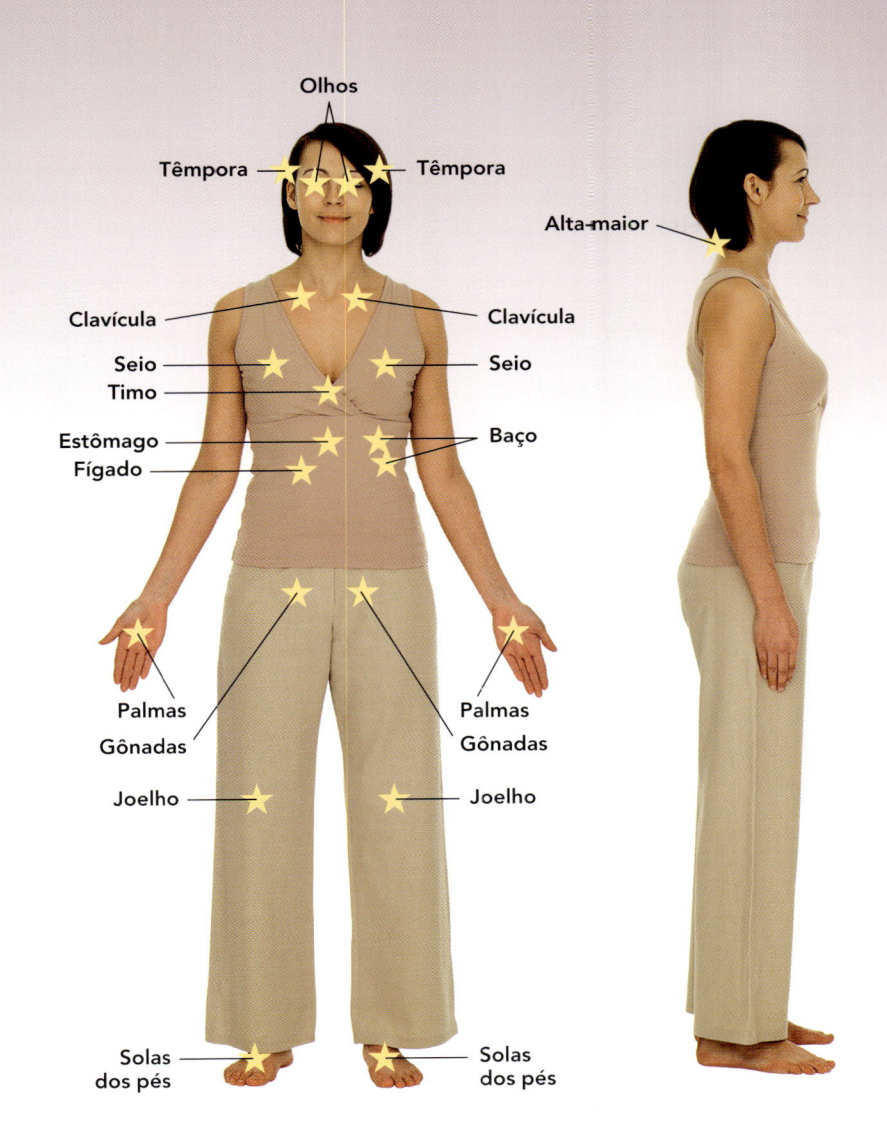

Têmpora — Têmpora

Alta-maior

Clavícula — Clavícula
Seio — Seio
Timo
Estômago — Baço
Fígado

Palmas — Palmas
Gônadas — Gônadas

Joelho — Joelho

Solas dos pés — Solas dos pés

Chakras principais e secundários

Chakras como parte da matriz da vida

Os chakras secundários podem ser considerados os "defensores" da energia sutil do corpo. Os sete chakras principais, que desempenham um papel importante em nosso equilíbrio bioquímico, são considerados "iniciadores" de funções corporais essenciais. Em conjunto, os chakras principais e secundários, o campo áurico e as linhas de energia que atravessam/interpenetram todo o corpo físico e os campos de energia formam a matriz de toda vida humana.

Embora nem sempre possamos ver essas formas de energia no campo áurico e nos chakras, os curadores ao longo das épocas nos informaram sobre a sua existência. O cientista russo Semyon Kirlian descobriu um novo tipo de imagem fotográfica, que foi chamada de fotografia Kirlian em alusão a ele, na década de 1940. Ela hoje nos proporciona provas de que os objetos vivos exibem um fenômeno de descarga eletroluminescente, próxima à pele. Um desenvolvimento dessa técnica, a eletronografia, possibilita imagens visíveis do corpo inteiro e dos órgãos internos. A interpretação dos padrões das fotografias Kirlian fornece indicações a um curador ou praticante da energia bioelétrica de uma pessoa (chi ou prana) e, portanto, da saúde de seu corpo.

À medida que a ciência se desenvolveu, os pesquisadores descobriram energias ainda mais refinadas e mais sutis que estão em jogo dentro de nós, conforme os instrumentos científicos são criados para registrá-las. O físico David Bohm sugere que níveis superiores de ordem e informação podem estar holograficamente embutidos na estrutura do espaço e da matéria/energia. No futuro, iremos aprender mais sobre o modo como as partes de nosso DNA são ligadas pela interface com esse nível holográfico de informação.

A importância do equilíbrio

Cada chakra tem um papel no equilíbrio de alguns aspectos das energias sutis de força vital que entram pela aura e em converter essa energia em uma natureza que seja aceitável pelo corpo. À medida que o faz, chega a uma harmonia ou ressonância com os chakras adjacentes. Além disso, cada chakra libera mensagens de energia pela aura para nosso ambiente imediato e mais amplo. Essas mensagens, em forma de minúsculos impulsos eletromagnéticos sutis, são afetadas por diversos fatores, inclusive as nossas emoções. Por meio de nosso campo áurico e nossos chakras, estamos interconectados com nosso ambiente, tempo, cores, sons, objetos e com o cosmos. A maneira de sentirmos outros Seres de Luz – as pessoas – é quando eles entram no alcance de influência de nossa aura. Com frequência sentimos uma imediata atração ou rejeição – não necessariamente por causa das aparentes

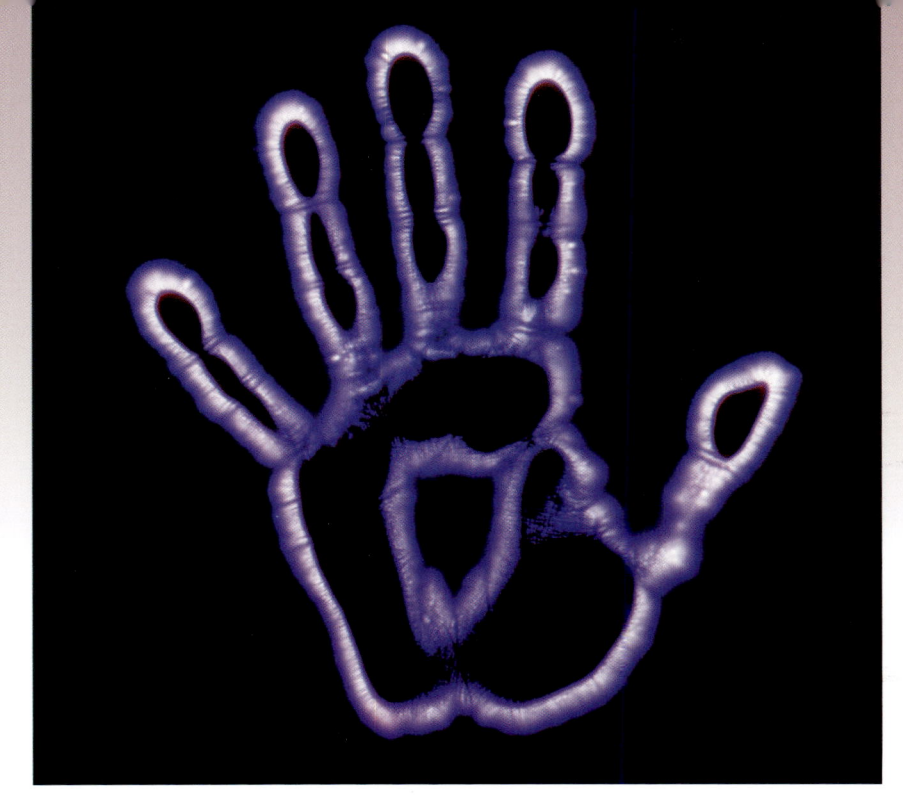

Fotografia Kirlian mostrando uma descarga eletroluminescente em torno da mão.

preferências e aversões cotidianas, mas porque naturalmente nos sentimos melhor na presença de um outro campo de energia harmonioso.

À medida que ler este livro, você começará a ver padrões de comportamento ou de saúde dentro de si mesmo. Dessa maneira, o livro agirá como um espelho, permitindo que você "diagnostique" seus níveis de energia sutil e, se desejar, que conduza o seu próprio campo energético da aura e dos chakras a um estado de equilíbrio. Nas páginas seguintes, vamos abordar a importância de estar em equilíbrio; e como entender melhor e cuidar de seu corpo físico e de suas emoções.

Equilíbrio dos chakras

Ao longo deste livro, você descobrirá várias maneiras de levar equilíbrio aos chakras, à medida que aprender como a cor, as luzes, a aromaterapia, a reflexologia, os alimentos, os cristais, a respiração de cores, o yoga, bem como outras técnicas são usadas.

Entendendo o estado dos chakras

Para equilibrar os chakras, deve-se primeiro ter clareza acerca do estado dos chakras individuais e interpretar isso em termos de fluxo de energia por meio dessas "rodas de

QUALIDADES DOS CHAKRAS

- **Ativo** O chakra está funcionando corretamente, mostrando uma entrada e saída saudável de energia. A pessoa em questão estará normalmente em boa forma e saudável. Diferentes partes de seu campo de energia – os corpos emocional, mental e espiritual – estarão vibrantes também.

- **Subativo** O chakra específico necessita de algum tipo de estimulação, talvez para enfrentar condições adversas no corpo físico ou no campo de energia.

- **Passivo/equilibrado** As energias do chakra estão ou "em descanso" ou em um equilíbrio harmonioso de entrada e saída.

- **Superativo** O chakra está superestimulado, possivelmente por estar tentando eliminar desequilíbrios no corpo físico. Segundo práticas xamânicas profundas, nossos corpos luminosos podem ter uma faixa de energias indesejáveis conectadas a ele. A superatividade de certos chakras pode ser devida à tentativa destes de eliminar impressões antigas que são prejudiciais ao nosso bem-estar (como a impressão do vício ou abuso).

luz". As pessoas que conseguem ver o campo áurico luminoso percebem os chakras como vórtices de luzes em redemoinho, espiralando em contato com o corpo físico em pontos-chave que correspondem a partes específicas do corpo, anteriores e posteriores. As exceções são o Chakra da Coroa, que se abre no sentido ascendente, acima da cabeça, e o Chakra da Base, que abre para baixo desde o períneo. Algumas pessoas descrevem os chakras como "abertos" ou "fechados", mas melhores descrições foram dadas anteriormente.

Exercício para equilibrar os chakras

Eis um simples exercício para ajudar você a começar a equilibrar os chakras de outras pessoas:

1 Peça à pessoa para sentar-se e então posicione-se atrás dela.
2 Use sua mão direita para alongar *gentilmente* a nuca da pessoa, colocando sua mão logo abaixo do osso occipital na base do crânio e fazendo uma pequena tração, enquanto apoia a testa dela em sua mão esquerda. Isso tem o efeito de levar todos os sete chakras principais a um alinhamento vertical central. Infelizmente, esta não é uma técnica que você possa praticar em si mesmo.

A consciência dos chakras

Analisar o que está acontecendo com os nossos chakras pode ser uma maneira poderosa de nos sintonizarmos com nossa mente, corpo e espírito. Para fazer isso, devemos observar quais chakras visivelmente reagem, quando passamos por situações estressantes. No caso de doenças ou problemas recorrentes, devemos nos perguntar se estamos regredindo, em vez de progredir, em nossa vida. Por exemplo:

- Se o Chakra da Base não for forte, a pessoa pode sentir-se infeliz com o tamanho ou forma de seu corpo, ou ter a sensação de que não está no controle de sua vida. Por outro lado, se o chakra da Base é superativo, isso poderá levá-la a explosões de raiva à menor provocação.
- Um fluxo baixo de energia no Chakra do Sacro fará com que a pessoa não tenha nenhum momento de alegria em sua vida. Se esse chakra for superativo, ela poderá provar lágrimas de frustração.
- A inatividade do Chakra do Plexo Solar fará a pessoa sentir-se impotente quando estiver sob pressão e desenvolver uma sensação desconfortável ou de frio na barriga. A superatividade irá torná-la dominadora e "maníaca por controle".
- A sensação de que "o coração quase parou" pode indicar fraqueza no Chakra do Coração, bem como um coração físico fraco. Enrubescer ou ter o pulso acelerado em situações estressantes indica que o Chakra do Coração talvez seja superativo.
- O Chakra da Garganta fraco torna a pessoa incapaz de falar a verdade, podendo levá-la a gaguejar ou tremer. Se for superativo, isso poderá fazê-la falar antes de pensar, às vezes com palavras prejudiciais.
- Não conseguir visualizar e organizar a vida muito bem, indica que o Chakra da Testa está com baixa atividade. Se a pessoa tem pesadelos, ele pode estar superativo.
- A incapacidade de pensar com clareza quando sob tensão significa que o Chakra da Coroa está fraco. Desejar colher todos os frutos da realização Espiritual sem antes ter aprendido a plantar, aguar e cuidar deles, mostra que o Chakra da Coroa está desequilibrado.

Posteriormente neste livro, iremos considerar em profundidade cada chakra sucessivamente.

Ninguém consegue pensar com clareza quando está com excesso de tensão.

A consciência dos chakras

Como os chakras afetam o corpo físico

Recebemos todo nosso sustento da Mãe Terra: o ar que respiramos, a água que bebemos, os alimentos que comemos. Esses nos abastecem de prana, a força vital que pode ser absorvida no corpo através dos chakras.

O nosso corpo é único em seus requisitos para a saúde, de modo que é essencial compreender as energias em jogo, tanto dentro do corpo como em seu campo de energia. Por muitas razões, podemos bloquear as interconexões dos caminhos áuricos de luz e a doença vai surgir. A cura dos chakras ajuda a limpar os caminhos, de modo que a energia positiva pode passar por meio dos filamentos áuricos e nutrir o nosso corpo físico. Uma boa maneira de entender isso é imaginar os caminhos como teias de aranha douradas e incandescentes que integram todos os nossos aspectos: o corpo, a mente, a alma e o espírito. Quando o complexo corporal está plenamente em harmonia com a vida, uma linha central mais ampla de energia, chamada de Linha Sushumna/Hara, se estende para baixo através do campo áurico diretamente para dentro do núcleo da Terra – este é o nosso "cordão umbilical" com a Mãe Terra! Aproveite um momento silencioso para "aterrar-se", imaginando a sua linha central de energia como uma raiz forte que penetra todos os cristais e camadas da Terra. Respire profundamente e relaxe.

Conectando com a natureza e com o seu corpo

Quando não há alimento, ar e água saudáveis, inicia-se uma separação que prejudica ou até mesmo corta essa linha central de energia, e a desarmonia é a consequência. Todos sabemos que nos sentimos melhor num ambiente natural, de modo que devemos tentar passar o máximo de tempo possível na natureza: caminhar, ir ao parque na hora do almoço, ou apreciar a energia de lindas plantas verdes em sua casa ou escritório: elas nos oferecem uma carga benéfica de íons negativos; por outro lado, os íons positivos (presentes em grandes concentrações no ar poluído da cidade) *não* beneficiam nossa saúde.

Agora podemos começar a ver a complexidade das influências sobre nós. Cada um de nós deve descobrir estratégias para nos mantermos saudáveis quando a vida moderna começa a comprometer nosso sistema imunológico. Talvez você aprecie uma ou duas bebidas alcoólicas que aumenta para mais no final de semana, ou você precisa de um café forte para mantê-lo desperto no trabalho. Nos finais de se-

---

Dê longas caminhadas para apreciar a beleza do mundo natural. Inspire as suas essências benéficas enquanto você caminha.

mana, talvez você fume ou use drogas com fins recreativos. Você se senta em frente da televisão e se esquece de levar o cachorro para passear. Você ingere petiscos porque está cansado demais para preparar uma refeição saudável. Pense sobre como o seu corpo está preguiçoso: os seus chakras não são mais "rodas de luz" vibrantes; o seu campo áurico está se fechando. Na próxima semana você irá ao médico com fadiga, dores de cabeça, ou uma dor no peito – *acorde*!

Os chakras e o sistema endócrino

O sistema endócrino é uma parte complexa do corpo humano e ainda está em processo de ser plenamente compreendido. As glândulas sem duto do sistema endócrino proporcionam uma rede de comunicação química que controla um enorme número de processos fisiológicos. Os escritores teósofos (ver pp. 26-7) foram os primeiros a observar que a posição dos chakras no corpo mostra um paralelo com a posição das glândulas do sistema endócrino.

Como funciona o sistema endócrino

Os hormônios são produzidos pelas glândulas do sistema endócrino e agem como mensageiros químicos no sangue, afetando o funcionamento das células. Apenas certas células do corpo, conhecidas como células-alvo, são receptivas a hormônios específicos.

Os receptores hormonais são encontrados expostos na superfície das células ou dentro delas, dependendo do tipo de hormônio. A ligação de hormônio e receptor estimula uma cascata de reações dentro da célula que afeta virtualmente cada função do corpo.

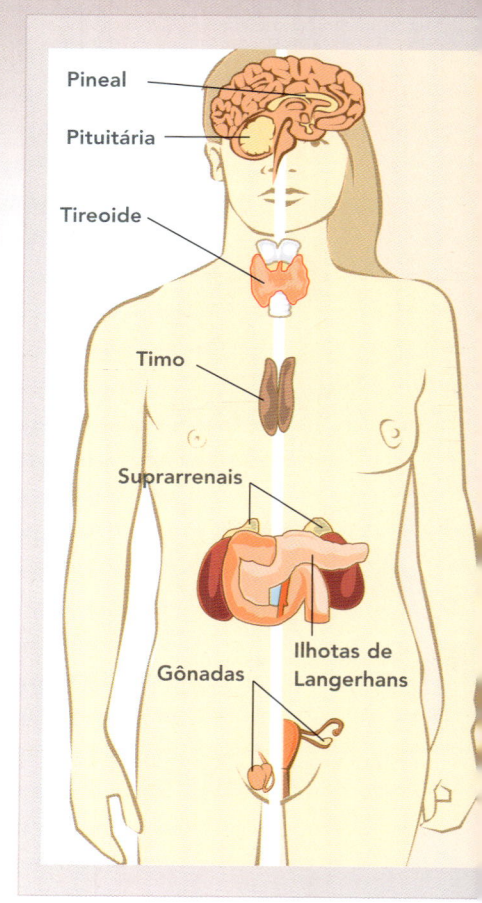

Uma interpretação simplificada das funções da glândula endócrina.

AS PRINCIPAIS GLÂNDULAS ENDÓCRINAS

Cada glândula influencia a produção de hormônios específicos:

- **A glândula pineal** secreta um hormônio que pode ajudar a regular padrões do sono e do estado desperto.

- **A glândula pituitária,** muitas vezes chamada de "glândula mestra", produz hormônios que controlam diversas outras glândulas endócrinas.

- **A glândula tireoide (e paratireoide)** produz hormônios que controlam à medida que as células queimam combustível a partir dos alimentos para produzir energia.

- **A glândula do timo** desempenha um papel importante no desenvolvimento do sistema imune nos primeiros estágios da vida.

- **As glândulas suprarrenais** desempenham um grande papel na regulação da resposta do corpo ao stress, equilibrando o sistema imune e o metabolismo.

- **As gônadas** (testículos nos homens e ovários nas mulheres) secretam os hormônios sexuais, a testosterona nos homens e o estrógeno e a progesterona nas mulheres, que controlam o desenvolvimento sexual, o impulso sexual e a fertilidade.

- **As ilhotas de Langerhans,** células especializadas do pâncreas, funcionam como glândulas endócrinas. Elas secretam a insulina necessária para o metabolismo do açúcar.

Os hormônios secretados por cada uma dessas glândulas exercem um efeito impressionante na psicologia humana e seus desequilíbrios podem causar problemas tanto físicos como emocionais.

Como os chakras respondem às nossas emoções

Os chakras respondem às nossas emoções – e às de outras pessoas, que elas tentam "descarregar" em nós. Cabe a cada um de nós mantermos nosso campo áurico claro e compreender que ninguém mais pode fazer isso – você é a única pessoa que pode "esvaziar sua caixa de reciclagem"; você é responsável por suas emoções. Quem assume essa responsabilidade jamais é capaz de dizer: "Ele me magoa emocionalmente", "Ela me odeia" ou o clássico "Você me fez sentir mal". Seja positivo, aberto e disposto a mudar.

EMOÇÕES E DESEQUILÍBRIOS DOS CHAKRAS

Os clarividentes conseguem ver diversas emoções nos campos áuricos e nos chakras, bem como os desequilíbrios que elas podem causar:

Emoção	Sintoma	Desequilíbrio do chakra
Raiva	Lampejos de vermelho	Plexo Solar
Estado defensivo	Cordões ou armadura	Plexo Solar e Testa
Ressentimento	Cores turvas, sem luz	Coração e Plexo Solar
Tristeza	Névoa	Acima da cabeça, em torno do coração
Ciúmes	Ganchos de energia	Coração e Testa ou Plexo Solar
Histeria	Fragmentação	Todo o campo áurico e numerosos chakras

Observe que as emoções negativas costumam estar centradas em torno do Chakra do Plexo Solar.

Reequilibrando as emoções

Quando um casal está apaixonado, todos os seus chakras se complementam, seus campos áuricos internos se tornam unificados e seu campo externo se funde em forma de um lindo coração dourado. Por outro lado, falamos em termos de "coração partido" quando um relacionamento termina; o Chakra do Coração, anteriormente aberto num amor recíproco pelo parceiro, agora se tornou tão esvaziado de fluxo energético que está subativo. Isso resulta em tristeza e estados emocionais profundos que nos fazem negligenciar o corpo, curvar os ombros e respirar de maneira inadequada; é bastante provável que questões graves de saúde do coração ou pulmões resultem dessa condição. Nessas circunstâncias, podemos fazer muito para nos ajudar, mas um terapeuta especializado em chakras será

Em um relacionamento amoroso, o Chakra do Coração está aberto e cheio de energia.

capaz de reequilibrar as energias de maneira benéfica, possivelmente usando diversos métodos descritos neste livro.

Um método consagrado pelo tempo para acalmar a agitação é a respiração. Diga a si mesmo: "Pare, pare o que quer que se passe em minha mente". Respire profundamente três vezes. Relaxe a sua face, ombros e mãos; a seguir, continue o que estava fazendo *vagarosamente* – agora você não sente mais raiva. A seguir descreveremos uma técnica de relaxamento para acalmar muitas emoções, como a raiva, a tristeza, os medos irracionais e a ansiedade, e ajudar a liberar as tensões que se desenvolvem nos chakras, ou que são resultado de impressões deixadas por essas emoções.

Técnica de relaxamento

Este exercício libera o stress e ajuda a equilibrar os chakras naturalmente, levando você a um estado de harmonia. Você pode praticá-lo todos os dias, se desejar. Mesmo se seu corpo estiver doente, tente fazer esse relaxamento, porque com o tempo ele aumentará os seus níveis de energia.

1. Tome providências para não ser perturbado por cerca de 30 minutos. Estenda um cobertor no chão e deite-se de costas com os pés ligeiramente separados. Use almofadas para apoiar partes de seu corpo, se necessário. Se desejar, você pode gravar essas instruções e usar a gravação para a sua prática, ou tocar uma música suave e bonita.
2. Feche os olhos. Faça três respirações profundas e expire quaisquer sensações de stress, dor e tensão em seu corpo.
3. Você agora vai iniciar um percurso pelo seu corpo, começando com o pé direito. Deixe que ele relaxe, a seguir deixe que o relaxamento se estenda pela perna direita até o joelho, depois até o quadril, relaxando cada parte, músculo por músculo.
4. Faça o mesmo com o pé e a perna esquerda.
5. Relaxe as nádegas, órgãos sexuais, pélvis e parte inferior das costas. Relaxe profundamente dentro do corpo: o plexo solar, o coração e os pulmões. Sinta o relaxamento como uma maciez e um calor que se espalha por todo o corpo.
6. Visualize todas as vértebras da coluna como se fossem as notas de um teclado de piano: começando pela inferior, deixe cada vértebra amolecer numa posição relaxada, como se você estivesse gentilmente tocando a nota de um teclado com os dedos. Percorra a coluna até o pescoço e sinta as ondas de relaxamento percorrendo você. Você pode começar a ver cores rodopiando em sua visão interna.

7 Sinta os braços e as mãos se tornando moles e pesados conforme você relaxa ainda mais.
8 Balance a cabeça suavemente de um lado para o outro para liberar quaisquer tensões persistentes no pescoço.
9 Relaxe todos os músculos da face e do couro cabeludo, e deixe que a atividade em seu cérebro seja reduzida.
10 Desfrute a música suave ou as palavras gravadas, mas tente não adormecer. Mantenha um estado de atenção relaxada por cerca de 20 minutos.
11 Vagarosamente, comece a respirar mais profundamente; a seguir, faça uma respiração muito profunda, visualizando-a plena de uma luz dourada curativa que toca cada parte de seu corpo – dentro e fora.
12 Alongue os braços e as pernas, role para um lado e sente-se devagar.
13 Aprecie o novo *você*, com os chakras equilibrados e o corpo relaxado.

Técnica de relaxamento

Chakras e cura: os alimentos

Nosso corpo necessita de uma variedade de alimentos frescos e naturais para ser saudável, porque aos alimentos desnaturados falta o prana. Já foi provado que os aditivos químicos (tais como o glutamato monossódico) e substitutos do açúcar, conhecidos como "adoçantes" (sacarina e aspartame), são prejudiciais à saúde. Da mesma maneira, o fluoreto, que é comumente acrescentado à água e ao creme dental. Eles devem ser evitados, se você dá valor à saúde em longo prazo. Lembre-se de ler os rótulos de qualquer alimento ou cosmético que você compra, para evitar substâncias químicas nos alimentos que comprometam o seu bem-estar. Se você não conhecer os ingredientes nos rótulos dos alimentos e cosméticos, não os compre.

Há indícios de que a pigmentação colorida dos alimentos naturais (como o betacaroteno nas cenouras, muitos vegetais e algas) exercem um papel vital no nosso equilíbrio, em muitos níveis. Pesquisas recentes sugerem que o alimento digerido é transformado em impulsos de luz e cor, criando um nível de energia vibracional em nosso sangue que as células individuais podem absorver. Para manter condições ótimas de saúde, necessitamos de gêneros alimentícios frescos cujas cores naturais reflitam as cores dos chakras. No quadro a seguir, as cores dos chakras superiores e do Chakra do Plexo Solar são representadas por frutas e vegetais. Para ativar ou equilibrar um chakra em particular, devemos ingerir alimentos de sua própria cor; para acalmar a atividade excessiva, devemos ingerir alimentos que tenham a cor complementar (oposta) desse chakra.

A importância do equilíbrio

Atualmente, um número crescente de pessoas está ingerindo apenas alimentos crus e embora esta seja uma boa maneira de limpar o organismo, pode não ser adequada para todos. O que precisamos atingir é o equilíbrio. Lembre-se de Yin e Yang (ver pp. 16-7).

Berinjelas, repolho roxo, mirtilo e amoras pretas são exemplos de alimentos azuis/roxo.

CORES DOS ALIMENTOS E SEUS BENEFÍCIOS

- **Alimentos vermelhos**: Um Chakra da Base com baixa atividade pode ser recuperado com frutas e vegetais de cor vermelha. Se ele estiver superativo, é possível que você tenha problemas de pele, como eczemas vermelhos inflamados ou psoríase; nesses casos, vegetais de casca vermelha (especialmente pimentas malaguetas e temperos) devem ser evitados.

- **Alimentos amarelos:** Frutas cítricas amarelas são ácidas e estimulam a excreção nos níveis físico e psicológico. Se quiser acalmar o seu Chakra do Plexo Solar, coma bananas (com moderação) ou faça vitaminas com elas.

- **Alimentos verdes:** Vegetais verdes para salada e os levemente cozidos (como a couve e o espinafre) limpam e equilibram o corpo inteiro.

- **Alimentos azuis:** Frutas e vegetais azuis/roxo talvez tenham evoluído a um nível superior e trazem equilíbrio aos chakras superiores.

Laranjas, cenouras, caquis, abóboras e pêssegos trazem equilíbrio de cor para o Chakra do Sacro e nutrem o organismo.

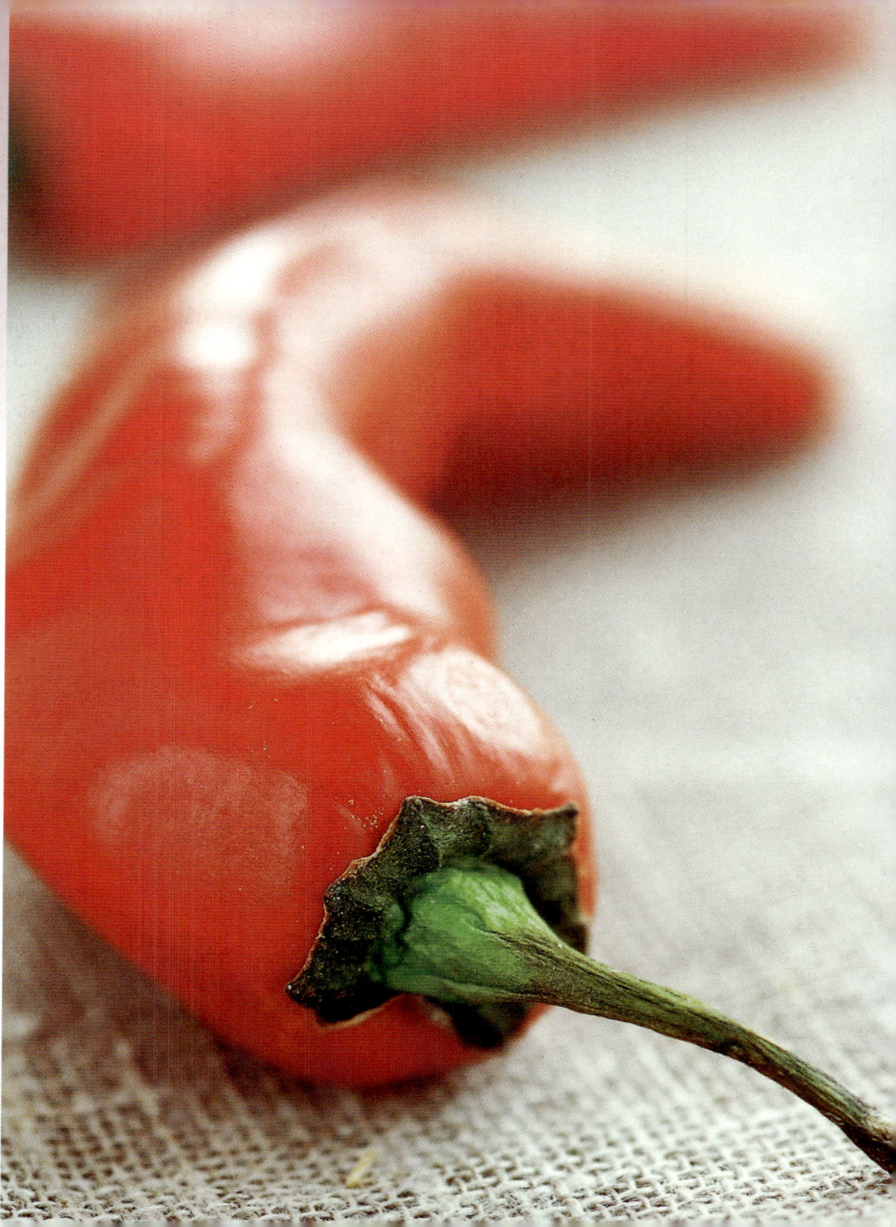

Os alimentos também podem ser classificados em Yin e Yang. Por exemplo, grãos integrais, leite, a maior parte dos vegetais e a proteína vegetal são Yin, ao passo que o alimento processado, grãos desnaturados, a carne e os condimentos picantes são Yang. Segundo os princípios gerais macrobióticos, 50% de nossa ingestão diária de alimentos devem incluir grãos integrais cozidos.

Na prática ayurvédica indiana, o alimento também é classificado em certos tipos de acordo com três atributos ou gunas:
- Inércia/escuridão (tamas)
- Energia/agitação (rajas)
- Ordem (sattva).

Assim, o alimento tamásico é salgado, sem valor, desnaturado; o alimento rajásico inclui proteína de carne e sabores suculentos; o alimento sátvico consiste em laticínios leves e nutritivos, a maior parte das frutas frescas e proteína vegetal e considera-se que contenha o máximo de força vital. Na perspectiva yogue, as dietas com alta ingestão de proteína (carnes), alho e cebolas "põem fogo no corpo", num sentido prejudicial. Tradicionalmente, laticínios magros e gordurosos são ingeridos por um yogue para melhorar a transmissão de energia prânica pelo sistema nervoso e as nadis sutis do corpo.

Pimentas-malagueta (extremo Yang, rajásico) são evitadas por alguns ascetas yogues.

Os primeiros três chakras dizem respeito à manutenção do corpo físico e ao modo como percebemos os alimentos – o Chakra da Base: o olfato; o Chakra do Sacro: o paladar; o Chakra do Plexo Solar: a visão.

Não se torne obcecado com os alimentos; simplesmente ouça as necessidades de seu corpo em qualquer momento, porque o excesso de complacência é tão prejudicial quanto uma dieta ruim. Equilíbrio e variedade são as palavras-chave numa dieta saudável para um corpo e chakras radiantes.

Couve e vegetais verdes folhosos (extremo Yin/sátvico) são purificadores benéficos ao corpo.

Chakras e cura: reflexologia

A reflexologia é o desenvolvimento de uma antiga técnica terapêutica que sugeria que as solas dos pés e as palmas das mãos refletem todo o nosso corpo. Ela usa a pressão da ponta dos dedos nos pés ou nas mãos para aliviar a dor ou os bloqueios energéticos em várias partes do corpo. A reflexologia demonstra que a energia prânica circula em nosso corpo físico. É uma técnica eficaz porque a energia termina nos pés ou nas mãos, em termos do espaço corporal, em que áreas reflexas são encontradas. Se a circulação de energia estiver de alguma maneira bloqueada, ela aparecerá na área reflexa como um ponto dolorido, quando aquela região do pé ou da mão estiver sendo tratada por um reflexologista.

Na reflexologia, o corpo é dividido em dez zonas que correspondem a partes específicas das solas dos pés (e das mãos). Existem algumas áreas reflexas no topo dos pés. A área mais importante de tratamento para manter o equilíbrio dos chakras é o reflexo espinhal, que corre ao longo do arco do pé, desde o calcanhar (calcâneo) até o topo do dedão do pé. Se estiver tratando a si mesmo, pressione cada área reflexa do pé com firmeza por cerca de 30 segundos. Ao mesmo tempo, visualize o chakra do corpo e a cor associada. É importante trabalhar com todas as áreas reflexas para trazer equilíbrio. Repita o procedimento no outro pé.

REFLEXOS DOS CHAKRAS NOS PÉS

- **O Chakra da Base** está em direção à parte posterior do osso calcâneo do calcanhar, relacionando-se às gônadas (testículos e ovários).

- **O Chakra do Sacro** é onde os ossos calcâneo e navicular se encontram, e se relaciona com as glândulas suprarrenais.

- **O Chakra do Plexo Solar** está na parte posterior do osso cuneiforme e se relaciona com o pâncreas.

- **O Chakra do Coração** está no centro do metatarso e tem relação com a glândula do timo.

- **O Chakra da Garganta** fica entre as falanges (ossos dos artelhos), o metatarso e tem relação com as glândulas da tireoide e paratireoide.

- **O Chakra da Testa** está onde a primeira e a segunda falange se tocam, associa-se à glândula pituitária.

- **O Chakra da Coroa** está no topo da primeira falange (dedão), relacionando-se com a glândula pineal.

Um reflexologista geralmente usará pressão nesses reflexos individuais dos chakras, bem como tratará dos mais comuns, que se relacionam ao corpo físico. É uma maneira muito eficiente de levar o chakra a um estado de equilíbrio e é algo que você pode aprender a fazer em si mesmo com facilidade.

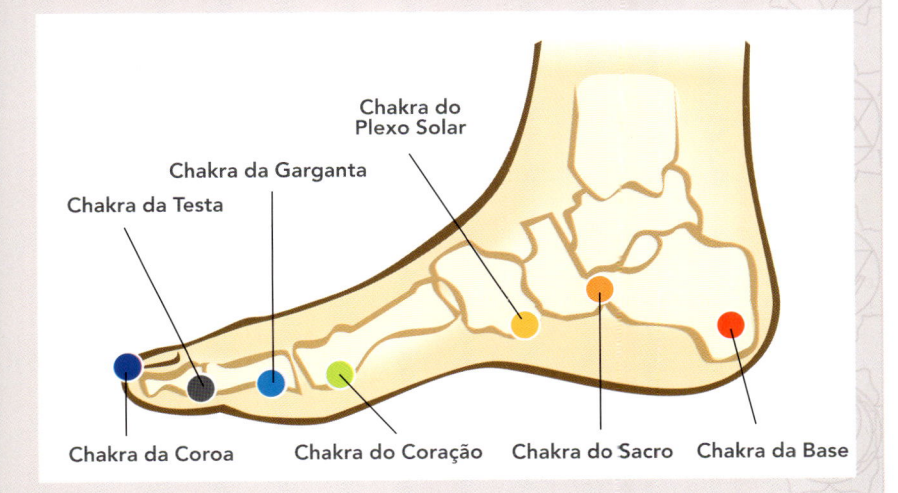

Chakra do Plexo Solar
Chakra da Garganta
Chakra da Testa
Chakra da Coroa
Chakra do Coração
Chakra do Sacro
Chakra da Base

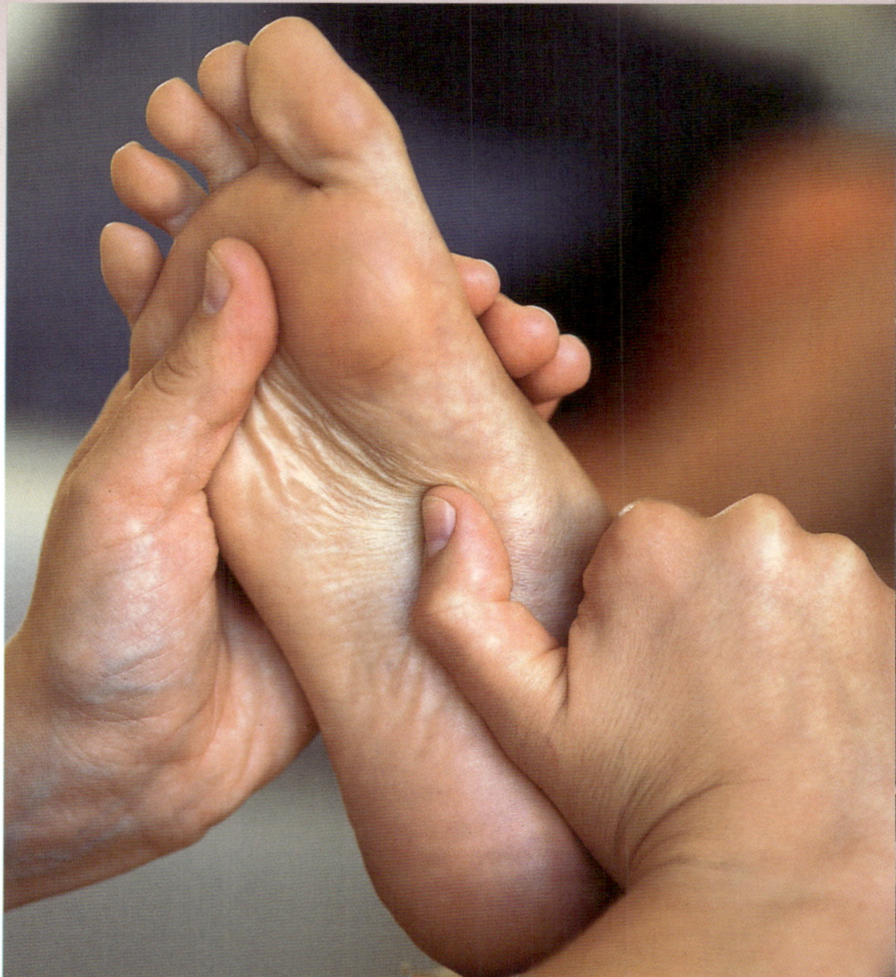

Autotratamento nos chakras

Eis um exemplo de como tratar seu próprio Chakra da Garganta usando a reflexologia.

1. Observe o estado e a forma de seus pés – eles refletem todo o seu corpo. Da perspectiva da reflexologia, se eles estiverem doloridos ou deformados, isso indica que o seu corpo não está funcionando de maneira adequada e que você deveria consultar um profissional da saúde.
2. Mergulhe os seus pés por dez minutos em água morna, acrescentando três gotas de óleo essencial de hortelã.
3. Procure no desenho a área reflexa do Chakra da Garganta, identificando-a no seu pé direito. A seguir, procure a base do dedão na área da segunda falange – o reflexo do pescoço está um pouco abaixo dela. O reflexo da tireoide é encontrado na metade inferior da segunda falange, ao passo que as áreas reflexas da paratireoide encontram-se no topo e na parte mais baixa.
4. Perceba qualquer ponto sensível nas regiões anteriormente mencionadas, conforme você aplica uma firme pressão com as pontas dos dedos durante alguns minutos. A reflexologia sempre trata do pé inteiro; entretanto, você pode terminar a prática desfazendo qualquer rigidez na área relevante com a massagem.
5. Remova toda energia indesejada aplicando movimentos leves e de varredura com ambas as mãos, desde a canela até os dedos.
6. Sacuda as mãos vigorosamente antes de passar para o pé esquerdo e repetir o procedimento.

Áreas reflexas e cores dos chakras

Uma maneira de dar cor às áreas reflexas dos chakras é visualizar fortemente a cor, canalizando-a para as áreas, enquanto você segura os pés. Você não precisa, necessariamente, de um treinamento de cura para fazer isso – apenas imagine ser um canal puro por meio do qual a energia curativa irá fluir. Uma alternativa é usar um cristal de quartzo claro sem lapidação na ponta (cerca de 5 cm de comprimento é o ideal): mantenha a ponta do cristal contra a área reflexa do chakra e novamente canalize a cor por meio dela.

Quando você usar cristais em qualquer tratamento de reflexologia, não se esqueça de limpá-los antes e após o uso, colocando-os em uma tigela de água limpa ou usando algum outro método apropriado, conforme será mostrado posteriormente.

Para massagear melhor seu próprio pé, sente-se e mantenha-o sobre a coxa oposta.

Chakras e terapêutica: cinesiologia

A cinesiologia é um método de diagnóstico e terapia. O modo mais famoso é conhecido como cinesiologia aplicada, na qual os profissionais utilizam o teste do músculo para ajudar a definir o que vai mal com o corpo ou quais desequilíbrios estão presentes. Atualmente, muitos profissionais da cinesiologia são quiropráticos, osteopatas, médicos e dentistas qualificados, com uma formação médica. A cinesiologia concentra-se substancialmente nos aspectos físicos do corpo e no sistema nervoso.

Uma técnica moderna é a cinesiologia de assimilação, que trabalha com as propriedades de energia sutil de óleos essenciais e cristais, baseada no conceito de que a saúde dos corpos etéricos e dos chakras controla a saúde do corpo físico, das emoções e da mente. Outra técnica é a cinesiologia energética, que identifica e corrige desequilíbrios dentro da matriz músculo/meridiano/órgão, usando o antigo conhecimento chinês de fluxo de energia por meio dos meridianos da acupuntura.

Testando os chakras pelos músculos

O teste dos músculos é uma técnica que "diagnostica" o desequilíbrio dos chakras. Embora seja necessário consultar um profissional qualificado para tirar proveito da cinesiologia, você pode aplicar um simples teste muscular com a ajuda de um amigo.

1 Estique o braço a sua frente na altura do ombro.
2 Estabeleça a sua resposta forte pensando em algo agradável enquanto seu amigo tenta empurrar seu braço para baixo lateralmente. Seu braço deve mostrar-se forte.
3 Verifique a sua resposta fraca pensando em algum evento traumático. Seu braço deve se mostrar fraco quando seu amigo o empurrar para baixo.
4 Coloque uma mão na área apropriada do chakra, com o outro braço esticado em frente na altura do ombro. Agora peça ao seu amigo para tentar empurrar seu braço para baixo novamente.
5 Se ele abaixar com facilidade, o chakra está fraco; se ele permanecer forte, o chakra está funcionando de um modo positivo.

Outra maneira de fazer o teste muscular de seus chakras é tocar um ponto de um chakra no seu corpo com o dedo mé-

---

Um profissional de cinesiologia usando um entre muitos modos de fazer o teste do músculo num cliente antes do tratamento.

dio de sua mão dominante (a mão com a qual se escreve). A seguir, pensando de maneira intensa na localização e condição do chakra, deixe que os dedos polegar e indicador de cada mão se toquem formando um "O" e pressione-os firmemente. Agora se pergunte: "Este chakra precisa ser equilibrado?" e separe os indicadores e polegares. Com um pouco de prática, você será capaz de sentir alguma resistência, indicando que o chakra está forte; ou os afastará com facilidade, o que indica que o chakra está fraco.

Sempre identifique qual é o chakra mais baixo que revela fraqueza e trabalhe com ele, uma vez que aí está a raiz do problema.

Chakras e cura: aromaterapia

A aromaterapia é um tratamento baseado no uso de substâncias líquidas voláteis extraídas de plantas (conhecidas como óleos essenciais) e outros compostos de plantas aromáticas para estimular o humor e a saúde. As técnicas de massagem com o uso de óleos essenciais pode beneficiar os chakras purificando-os de energias não desejadas e reequilibrando-os.

Lavendula spica (*mostrada aqui*), Lavendula officinalis e Lavendula vera *têm tido um uso terapêutico há milhares de anos.*

Massagem dos chakras

Um aromaterapeuta bem treinado estará informado acerca de quais óleos essenciais terão uma ressonância harmônica com os chakras individuais. Se você estiver tratando a si mesmo ou a um amigo, consulte a p. 58 para estabelecer quais óleos deve usar. A seguir, coloque uma colher (chá) de 5 milímetros de óleo de base carreador em um pires e acrescente uma ou duas gotas de seu óleo essencial concentrado escolhido.

Se você estiver aplicando aromaterapia em outra pessoa, é melhor obter algum treinamento ou seguir cuidadosamente as instruções de um livro abrangente sobre o assunto, tal como o *The Aromatherapy Bible*, de Gill Farrer-Halls (2005). Não é necessário tirar a roupa para receber as massagens da aura e dos chakras.

1 Ponha apenas uma gota do óleo essencial combinado com o óleo carreador nas palmas das mãos e depois esfregue-as.
2 Trabalhando apenas com o campo áurico, e não no corpo propriamente dito, faça uma varredura com as palmas de suas mãos na frente e atrás do receptor. Faça isso até você perceber uma mudança em seus níveis de energia.
3 Uma alternativa é concentrar-se numa área do chakra no campo áurico, permitindo que suas mãos se movam de uma

maneira relaxada em um padrão de espiral. Normalmente, os chakras são purificados de energias não desejadas por meio de movimento espiral no sentido anti-horário e retornam ao equilíbrio pelo movimento espiral no sentido horário.

4 Sempre lave as mãos em água fria antes de purificar ou tratar de outra pessoa, para remover energias não desejadas.

> **Advertência:** Nunca ingira óleos essenciais. Para massagear a pele, sempre os dilua em óleos de base carreadores. Se sua pele for sensível, faça um simples teste na pele antes: componha a mistura na diluição recomendada e aplique algumas gotas na dobra interna de seu cotovelo. Espere 24 horas para ver se ocorre alguma reação alérgica.

> **Nota:** Durante a gravidez, ou em crianças com menos de 12 anos, não use óleos essenciais (ou faça ingestão de ervas) de modo algum, exceto sob a recomendação e a supervisão de um profissional.

ÓLEOS PARA MASSAGEM

Os óleos essenciais são extremamente fortes e são sempre misturados com uma base ou óleo "carreador", quando usados para a massagem. Nunca use óleo de bebê, uma vez que a maioria deles é feita de um mineral petroquímico. Para massagem em peles secas, use o óleo de amêndoa-doce com a adição de 10% de germe de trigo (verifique primeiro se não há alergia a nozes ou trigo) ou óleo de abacate. A palavra "natural" num rótulo não é suficiente: você precisa realmente ter certeza de que está adquirindo um "óleo essencial puro". Óleos baratos vendidos para "difusores" ou vaporizadores nunca devem ser usados na pele.

Quando usados em massagens, os óleos essenciais são sempre diluídos. Para adultos, uma regra geral é 2,5% de óleo essencial para 97,5% de óleo de base. Para determinar isso, meça o seu óleo de base em mililitros e divida por dois: a resposta dá o número de gotas de óleo essencial que você deve acrescentar. Por exemplo, 20 ml de óleo de base requerem no máximo 10 gotas de óleo essencial.

ÓLEOS ESSENCIAIS APROPRIADOS PARA MASSAGEM DOS CHAKRAS

Chakra	Qualidades do Chakra	Óleos essenciais
Chakra da Base	Base/Estabilizar a Energia da Terra	Patchouli, mirra, madeira de cedro
Chakra do Sacro	Transmutar a energia sexual	Sândalo, jasmim, rosa, ylang-ylang, champaca
Chakra do Plexo Solar	Converter a energia solar e prânica	Sálvia, junípero, gerânio
Chakra do Coração	Fluxo de amor incondicional	Rosa, melissa, néroli (óleo da flor da laranjeira)
Chakra da Garganta	Autoexpressão, comunicação, vontade	Camomila, lavanda, alecrim, tomilho
Chakra da Testa	Equilibrar o eu inferior e superior, PES	Olíbano, manjericão
Chakra da Coroa	Amor divino e supraconsciência	Ylang-ylang, pau-rosa, tília

Difusores de óleo

Você pode combinar os excelentes aromas dos óleos essenciais com o poder do calor e da luz usando um difusor ou vaporizador de óleo. Coloque um pouco de água no reservatório, acrescente até cinco gotas de óleo essencial puro e acenda uma pequena vela embaixo. Coloque-o num lugar seguro e, à medida que a água evaporar, o ambiente será preenchido por um aroma maravilhoso. Uma alternativa é colocar algumas gotas de óleo essencial puro num pires de água em cima de um irradiador.

Escolha um aroma para produzir uma atmosfera relaxante, terapêutica, estimulante ou sensual. Durante uma convalescença, usar um difusor com alguns dos óleos com aromas de ervas – por exemplo, sálvia, tomilho, alecrim, melaleuca ou pinho – pode inibir bactérias aeróbias, tais como os vírus de resfriado e gripe. Isso também pode ajudar pessoas com respiração difícil, mas para diversos estados de saúde sempre procure orientação médica.

Acender um difusor pode deixar o ambiente repleto de aromas maravilhosos.

Chakras e cura: Reiki

O Reiki é uma técnica de cura espiritual que usa as mãos como canais de energia. Ele foi "redescoberto" no Japão pelo Dr. Mikao Usui (nascido em 1865), que originalmente teve o treinamento de um monge budista. Ele viajou por todo o Japão, China e Europa, estudando diversas disciplinas espirituais, numa época que o Japão estava começando a se abrir para o mundo ocidental.

Em março de 1922, durante um longo retiro na encosta de uma montanha, o Dr. Usui teve uma grande revelação espiritual enquanto uma intensa Luz Divina entrava no topo de sua cabeça. A sua consciência foi grandemente expandida e diversos símbolos de cura foram transmitidos a ele como imagens de luz. Assim, teve início um período em que ele proporcionava a cura, usando os símbolos que havia recebido para os mais necessitados – especialmente milhares de vítimas do grande terremoto de Kanto – até a sua morte em 1926.

Ki, a energia vital ou força vital

No Japão, considera-se que o *ki* (energia de força vital) tem sete constituintes diferentes. O sétimo é o Reiki, que organiza todas as outras formas. Ele pode ser traduzido como "força da alma" ou um poder espiritual com a capacidade de promover todos os processos da vida. O ki divino (dos quais vem todos os tipos de ki) entra no corpo pelo Chakra da Coroa e prossegue pelo Chakra da Testa.

O Reiki transmite o ki de mestre a discípulo em estágios de iniciação que são conhecidos como "graus". Durante essas iniciações, a energia do Reiki é passada a todos os sete chakras principais, bem como para as mãos. O Reiki é atualmente um método popular de terapêutica espiritual, embora poucas pessoas saibam que, quando ele foi transmitido pela primeira vez pelo Dr. Usui a futuros professores, ele era essencialmente um caminho de iluminação pessoal.

As mãos como canais de energia

Conforme é ensinado nos tempos modernos, as imposições de mão no Reiki, usadas para curar, são (quase sem exceção) sobre ou acima das localizações dos chakras. Os alunos são ensinados que o Reiki passa por meio de seu Chakra da Coroa e subsequentemente aos chakras secundários nas palmas de suas mãos. Um curador então se torna um canal pelo qual a energia curativa do Reiki pode fluir, conforme ele coloca as mãos dentro do campo áurico ou sobre o corpo da pessoa que recebe a terapia. Os curadores são treinados a não dirigir essa energia, mas simplesmente permitir que ela flua para onde é necessária, como a intenção dos mestres de Reiki.

Reiki é uma energia bela e suave, para se dar ou receber.

Chakras e cura: Reiki

Equilíbrio dos chakras com o Reiki

Os iniciados em Reiki podem equilibrar todos os sete chakras do receptor usando a técnica a seguir, à medida que canaliza a energia do Reiki. Alguns têm uma maneira especial de se preparar para aplicar a terapia; o treinamento de Reiki geralmente aconselha que você esteja numa disposição calma e pacífica, tenha lavado as suas mãos e limpado psiquicamente o seu espaço de trabalho. Então, com os olhos fechados, coloque as mãos na posição Kanji Um, na frente do seu Chakra do Coração, fazendo uma prece ou dedicação, se quiser. Então "evoque" o seu alinhamento com os mestres do Reiki (invocando seus nomes, em voz alta ou em silêncio, e pedindo-lhes que estejam presentes) e peça-lhes para guiarem você no procedimento que se segue. "Evoque" quaisquer outros seres que possam prestar assistência a você. Agora abra seus olhos e dirija-se à cabeça do receptor.

1 Coloque ambas as mãos sobre a coroa do receptor, pedindo que a Luz Divina flua através de você para a cabeça dele.

2 Vá para o lado esquerdo do receptor e coloque a sua mão direita no Chakra da Testa e a sua mão esquerda no Chakra da Base. Mantenha essa posição por um ou dois minutos.

3 Erga (não deslize) as mãos para colocar a mão direita no Chakra da Coroa e a mão esquerda no Chakra do Sacro. Mantenha essa posição por um ou dois minutos.

4 Novamente erga (não deslize) as mãos para colocar a mão direita no Chakra do Coração e a mão esquerda no Chakra do Plexo Solar. Mantenha essa posição por um ou dois minutos.

5 Vá até os pés do receptor e mantenha as palmas de sua mão esticadas contra as solas de seus pés. Mantenha essa posição por um ou dois minutos.

6 Remova as suas mãos. Leve-as de volta à posição Kanji Um, na frente de seu Chakra do Coração, fazendo uma prece ou agradecendo aos mestres do Reiki e outros seres a quem você possa ter pedido orientação durante a sessão.

7 Deixe o receptor relaxando enquanto você lava as mãos e antebraços em água fria; a seguir, ajude-o a sentar-se. Ofereça-lhe um copo de água e assegure-se de que ele está com a sua base firme no chão (ver p. 111) antes de ir embora.

Nota: Esse equilíbrio pode ser parte de uma sessão curativa mais longa de Reiki.

63

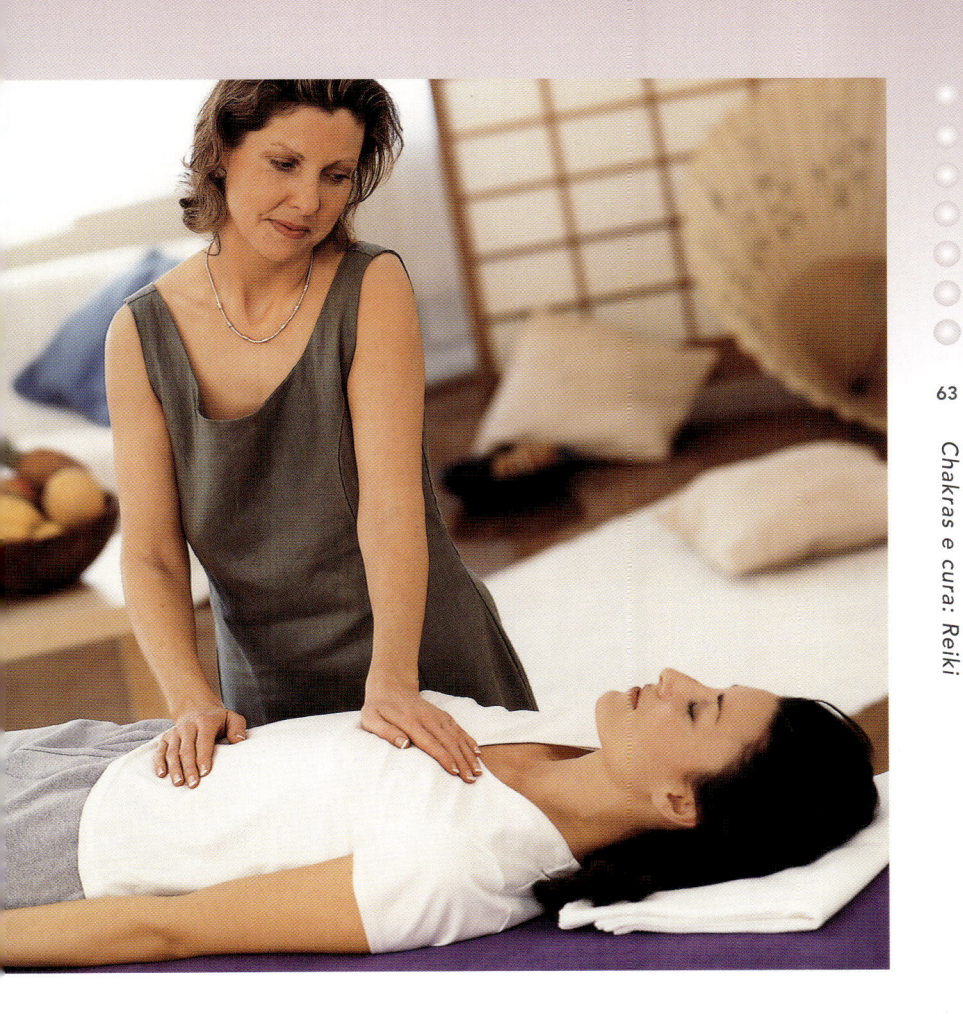

Chakras e cura: Reiki

Chakras e Yoga

O Yoga é um ramo da filosofia da Índia que tem relação com a união do indivíduo e a consciência universal. Nosso conhecimento do yoga é baseado nos Yoga Sutras, textos indianos antigos que descrevem a filosofia e as práticas de yoga. Eles foram escritos em algum período entre o século V a.C. e o século II d.C. e definem um caminho de oito partes (ashtanga) que deve ser seguido para se atingir o samadhi, onde o espírito é liberado e se une ao Espírito Universal.

Tipos de Hatha yoga

Dentro do Hatha yoga existem muitos estilos, tais como Ananda, Ashtanga (ou Power), Iyengar e Sivananda.

Ananda yoga Este estilo usa posturas suaves projetadas para mover a energia até o cérebro e preparar o corpo para a meditação. As aulas também focam o alinhamento adequado do corpo e a respiração controlada.

Ashtanga yoga (ou Astanga/Power) Esse estilo compreende uma série desafiadora de posturas que foca a força e a flexibilidade, ao sincronizar movimento e respiração.

Iyengar yoga Os praticantes desse estilo mantêm cada postura por um período maior de tempo, e acessórios tais como correias, cobertores e blocos de madeira são usados com frequência nas aulas. O Iyengar yoga concentra-se no alinhamento corporal.

OS SEIS CAMINHOS PRINCIPAIS DO YOGA

O termo "yoga", na verdade, descreve diversos caminhos diferentes e nem todos são baseados em práticas físicas. Os seis principais caminhos são:

- **Jnana yoga**: Em que o praticante busca a iluminação por meio do conhecimento, usando o estudo e a meditação.

- **Bhakti yoga**: Um caminho de devoção com base na veneração a um deus ou guru.

- **Karma yoga**: Um caminho para a iluminação baseado na ação abnegada.

- **Mantra yoga**: Um caminho baseado na repetição de sons sagrados.

- **Raja yoga**: Um caminho de oito passos para a iluminação com base em postura, controle da respiração, meditação e afastamento dos sentidos.

- **Hatha yoga**: Esse é o tipo de yoga mais familiar à maioria dos ocidentais. É baseado em posturas físicas, exercícios de respiração, purificação e atenção consciente.

Sivananda yoga Esse tipo tradicional de yoga concentra-se em conectar o corpo ao Plexo Solar, no qual uma enorme quantidade de energia está armazenada. Uma aula típica irá combinar posturas, respiração, restrições alimentares, canto e meditação.

Uma praticante de yoga executando uma simples postura da "árvore".

Como a prática de yoga pode ajudar a equilibrar os chakras

A prática de yoga exerce um benefício específico aos chakras, porque as posturas (asanas) ajudam a liberar o prana. À medida que realiza as posturas de inclinação, alongamento e torção, você ajuda o prana a fluir livremente pelos canais de energia, ou nadis, de seu corpo. O yoga é especialmente útil para a liberação da energia da kundalini (ver pp. 96-7), ajudando-a a subir

POSTURAS ATIVAS E PASSIVAS PARA CADA CHAKRA

Posturas (asanas) ativas

1. Inicie em pé equilibrado
   Pramasana (postura da prece)
2. Chakra da Base
   Virabhadrasana 1 (guerreiro)
3. Chakra do Sacro
   Parivrtta Trikonasana (triângulo torcido)
4. Chakra do Plexo Solar
   Gomukasana (postura da vaca)
5. Chakra do Coração
   Bhujangasana (postura da cobra)
6. Chakra da Garganta
   Dhanurasana (postura do arco)
7. Chakra do Terceiro Olho
   Adho mukta svasana (postura do cão de cabeça para baixo)
8. Chakra da Coroa
   Salamba Sirhasana 1 (postura sobre a cabeça)

Posturas passivas

9. Chakra da Coroa
   Salamba Sarvangasana 1 (postura de inversão sobre os ombros)
10. Chakra do Terceiro Olho
    Halasana (postura do arado)
11. Chakra da Garganta
    Paschimottanasana (postura da pinça)
12. Chakra do Coração
    Janusirsasana (postura da cabeça no joelho)
13. Chakra do Plexo Solar
    Ustrasana (postura do camelo)
14. Chakra do Sacro
    Natarajasana (postura de Shiva)
15. Chakra da Base
    Garudasana (postura da águia)
16. Finalizar sentando-se em equilíbrio (postura do lótus ou postura mais simples)

Para que uma sessão completa de yoga equilibre todos os chakras, trabalhe com todas as posturas, da 1 a 16. Uma alternativa é recorrer à seção apropriada deste livro e selecionar as posturas para um chakra específico. Entretanto, deve-se sempre começar com uma postura em pé (1) e terminar com uma postura sentada ou de equilíbrio, tal como o lótus (16). As instruções para cada postura são dadas na seção apropriada do chakra. As posturas ou asanas nunca são forçadas – alongue-se apenas até onde se sentir confortável. Caso tenha dúvidas, participe de uma aula de yoga ou consulte um professor qualificado.

Nota: Se você tiver problemas de saúde, não tente realizar posturas extremas, a menos que tenha indicação médica e esteja sob a supervisão de um professor qualificado de yoga.

por cada chakra, um a um, ascendendo a coluna até a coroa.

A energia da kundalini pode deixar de ascender se os bandhas, os fechos corporais, não estiverem no lugar (ver pp. 100-02). Ela também não consegue subir se um ou mais chakras estiverem bloqueados, mas a prática regular do yoga kundalini pode ajudar a desbloquear os chakras.

A melhor maneira de praticar yoga é entrando em uma escola conceituada e trabalhando progressivamente em cada aula. Neste livro, mostraremos as posturas que podem ser especialmente benéficas para cada chakra, mas lembre que é importante aquecer o corpo primeiro e sempre procure orientação médica se você tiver algum problema de saúde ou não praticar exercícios físicos há algum tempo.

As posturas ativas limpam energias excessivas ou negativas do corpo inteiro e do campo áurico, ascendendo da Base à Coroa. As posturas passivas então puxam o prana para um nível nuclear mais profundo, harmonizando nossas energias enquanto descemos pelos chakras desde a Coroa até a Base.

Uma aluna se preparando para passar suavemente para a postura Halasana (arado).

Chakras e cura: cristais

Os curadores observam que a maioria das doenças é causada por um desequilíbrio de energias, geralmente um fluxo reduzido de força vital prânica ao longo dos chakras. Os cristais e as pedras preciosas ajudam a realinhar, reequilibrar e energizar os chakras nas funções apropriadas. Com exceção da dor, raiva, desequilíbrios sexuais e alguns estados psicóticos, é incomum encontrar uma energia excessiva presente num chakra, mas os níveis de energia podem ser determinados pela clarividência ou pela busca com um pêndulo (radiestesia) (ver pp. 374-75).

Os nossos chakras têm uma ressonância harmônica com os cristais, e os pesquisadores agora desenvolveram instrumentos que podem medir uma flutuação instantânea de energia elétrica quando um cristal (especialmente o quartzo) se aproxima de um chakra. Se estiver indeciso acerca de quais cristais usar, você sempre encontrará eficácia no quartzo claro, já que ele canaliza todas as cores do arco-íris do espectro por meio de sua matriz cristalina. Aprenda a amar os cristais que você usar, e a Luz interna dentro deles se oferecerá a você.

Como escolher os cristais
Deixe a sua intuição orientar você quando estiver escolhendo os cristais e tente desenvolver alguma clareza de seu objetivo ao usá-los. Por exemplo, você quer que eles decorem o seu quarto, quer mudar as energias do quarto ou deseja usá-los para propósitos de cura?

Não é necessário cristais grandes ou caros para obter sua eficácia. É uma boa ideia ter uma seleção de seixos de cristal (pedras roladas) nas sete cores do espectro, juntamente com "pontas" de dois quartzos claros de cerca de 5 cm de comprimento. De preferência, mantenha-os embrulhados em seda vermelha e limpe o seu campo áurico antes e depois do uso.

Como limpar os cristais
Todos os cristais duros podem ser seguramente lavados com água pura, ou em água com uma pitada de sal. A seguir, coloque-os ou sob o sol ou à luz do luar para energizá-los. Outros métodos de limpeza são: fumaça de incenso, remédios florais, som, meditação, cura pelo Reiki ou colocar o cristal na terra – assegure-se de que cada vez que manusear os cristais você tenha um coração amoroso.

O relaxamento e o equilíbrio dos chakras por meio do uso de seixos de cristal (pedras roladas) pode ajudar a aumentar o fluxo de força vital prânica pelos chakras.

69

Chakras e cura: cristais

Como dedicar os cristais

Quando um cristal chega aos seus cuidados pela primeira vez, segure-o e explore-o para conhecê-lo; a seguir, limpe-o e medite com ele. Depois faça uma dedicação. Por exemplo, diga:

Que esse cristal trabalhe apenas com o poder do Amor Incondicional e da Luz para o propósito universal superior de....*

* Aqui você pode acrescentar "purificar o campo áurico" ou qualquer outra dedicação apropriada.

Produção de uma essência de cristal pelo método indireto.

Como usar os cristais

Depois de limpar e dedicar um cristal, você estará pronto para usá-lo em um trabalho de cura; por exemplo, acalmar ou equilibrar os chakras.

1. Segure-o na mão não dominante próximo ao chakra em questão, de preferência contra a pele, trazendo-o em contato com o corpo. Deixe-o aí por alguns minutos.
2. Agora afaste a mão do corpo 5 cm. Aguarde alguns minutos.
3. Afaste mais a mão a uma distância de 15 cm. Espere alguns minutos.
4. Afaste a mão a uma distância de 30 cm. Aguarde.
5. Afaste a mão a uma distância equivalente ao comprimento do braço. Aguarde.
6. Cada vez que afastar mais a mão, imagine que você está ligado ao cristal por um fio dourado de luz.
7. Finalmente, mova a mão e o cristal para dentro e para fora de seu campo áurico, acima do chakra. Você encontrará a posição que parece mais eficaz. Aguarde alguns minutos, realmente "conectando-se" ao cristal.
8. Quando terminar, agradeça ao cristal e limpe-o, deixando-o pronto para novo uso.

Produzindo uma essência de cristal pelo método indireto

Você pode adicionar essências de cristal à água do banho, ou sorver aos poucos sete gotas da essência três vezes por dia. O método indireto significa que o cristal em si não entra em contato direto com a água – apenas a sua vibração é transferida para a "memória" da água.

1. Limpe qualquer poeira ou sujeira de seu cristal com um pano macio. Limpe-o psiquicamente com a intenção, ou com som ou incenso.
2. Coloque o cristal numa jarra de vidro translúcida e depois coloque a jarra dentro de uma tigela de vidro contendo água mineral. Ponha a tigela na luz do sol por 12 horas para transferir a vibração do cristal para a água. Outra alternativa é colocar um mínimo de quatro pontas grandes de cristal de quartzo ao redor do lado externo da tigela de água, dirigidas para o centro.
3. Se desejar manter a essência por mais tempo, é preciso preservá-la numa solução de 50% de conhaque ou vodca para 50% de essência. Todas as essências de cristal devem ser mantidas em locais frescos e escuros, longe de odores fortes sem que as garrafas toquem umas nas outras.

Chakras e cura: a cor

Já vimos como foi atribuída uma cor a cada um dos chakras principais, começando com o vermelho no Chakra da Base e progredindo pelo espectro até o violeta no Chakra da Coroa (ver p. 28); como já foi dito, essas cores na verdade se combinam de uma maneira complexa, assim como as cores do arco-íris se fundem.

No que se refere à terapia das cores, constatamos que, para induzir um estado de equilíbrio no chakra, este deve ser tratado não apenas com a cor predominante, mas também com a cor complementar, do lado oposto do círculo das cores. Nesse círculo de oito partes, podemos ver que a cor complementar do vermelho é o turquesa; a complementar do laranja é o azul; a do amarelo, o violeta; e a cor complementar do verde é o magenta. Além disso, outras cores podem ser apropriadas em certas circunstâncias.

Terapia das cores

De modo semelhante a outras formas de cura vibracional, a terapia de cores trata um desequilíbrio de energia que pode causar uma enfermidade no corpo – e *não* a própria doença. O tratamento pelas cores é idealmente feito na forma de luz (ver p. 74), não com um pigmento. Para quem não tem experiência com a teoria das cores, é melhor limitar qualquer aplicação de cor ao chakra específico e não exagerar na dose.

Existem numerosas maneiras de fazer terapia das cores, mas uma das mais fáceis é obter garrafas de vidro da cor desejada e enchê-las com 250 ml de água mineral. Deixe as garrafas sob a luz do sol por no mínimo três horas; a seguir beba aos poucos a água, que agora contém a impressão energética daquela cor, no decorrer do dia.

Se você se dispuser seriamente a usar a terapia das cores, descobrirá que ela se baseia em uma fascinante combinação de antiga sabedoria e de pesquisa de ponta, e seria apropriado estudar com um professor ou ler um dos excelentes livros do recentemente falecido Theophilus Gimbel, o pioneiro da terapia das cores e professor internacional de terapia pela luz no Reino Unido.

Despejar água numa garrafa colorida, antes de colocá-la ao sol.

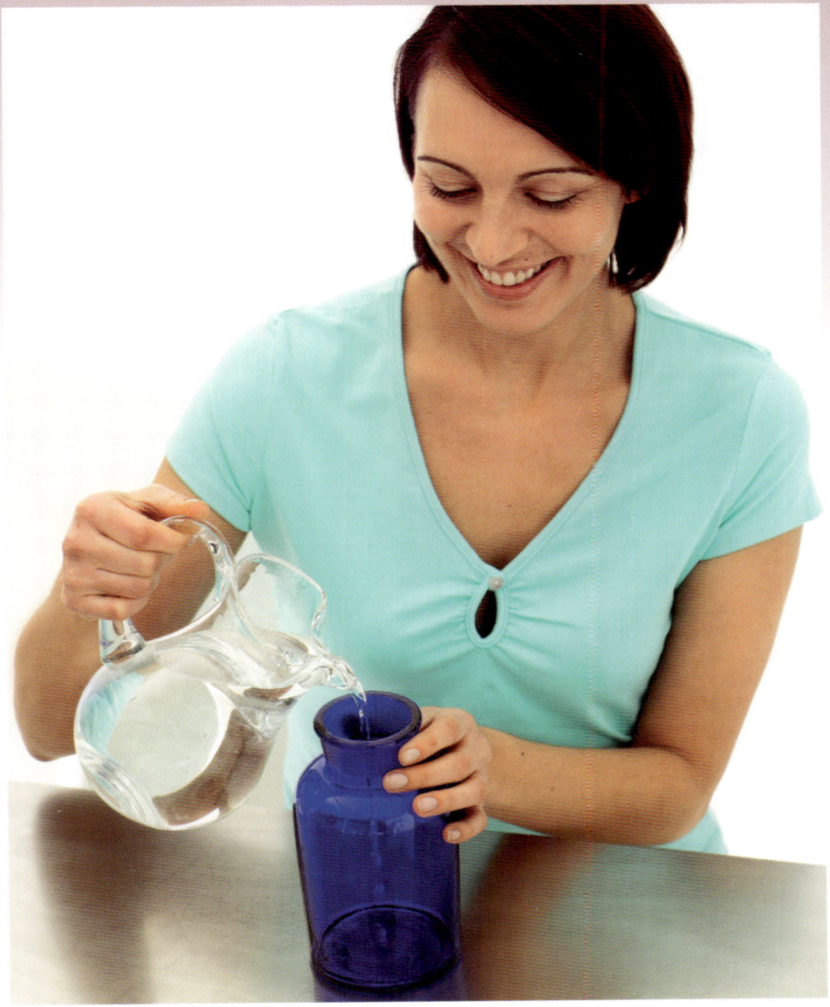

QUALIDADES DAS LUZES DE CORES DIFERENTES

- **Luz vermelha** é estimulante, em particular aumentando a energia para ajudar a circulação sanguínea. Não deve ser usada se houver ansiedade ou transtornos emocionais – nesse caso, o turquesa complementar é melhor.

- **Luz laranja** ajuda a ação do Chakra do Sacro e do baço, no qual o prana é dividido em todas as cores do espectro e flui para os outros chakras. Ela é também usada para tratar desequilíbrios de energia nos rins.

- **Luz amarela** representa o intelecto e a energia solar. Os nervos se tornam ativados pela cor amarela e por esse motivo ela é usada para estimular o fluxo de energia por meio deles e dos músculos. Ela também beneficia a pele e desempenha um papel no metabolismo energético do cálcio.

- **Luz verde** é considerada uma cor de limpeza e desintoxicação. É usada para todo tipo de desequilíbrios no corpo físico e age como um antisséptico.

- **Luz turquesa** em combinação com sua cor complementar, o vermelho, ajuda a limpar a energia das infecções agudas.

- **Luz azul** é calmante; ela, portanto, reduz a dor, pode intensificar o crescimento espiritual e equilibrar os padrões de sono.

- **Luz violeta** é apropriada para os olhos e a energia estagnada de problemas relativos aos nervos. Violeta na aura indica inspiração, *insight* e desenvolvimento do eu superior ou realização espiritual.

- **Luz magenta,** usada na terapia das cores, é de fato atingível apenas com a luz, não com pigmento ou corante. Logo abaixo da frequência do ultravioleta ela pode ser vista como um brilho suave ao pôr do sol. A luz magenta ativa os chakras adicionais acima da coroa (ver Cap. 9, pp. 330-41). No nível bioenergético ela libera desequilíbrios que podem se manifestar como doenças graves. No nível emocional, ela permite que nos libertemos de antigos relacionamentos; no nível físico, ela nos ajuda a limpar "confusões" em nossa vida.

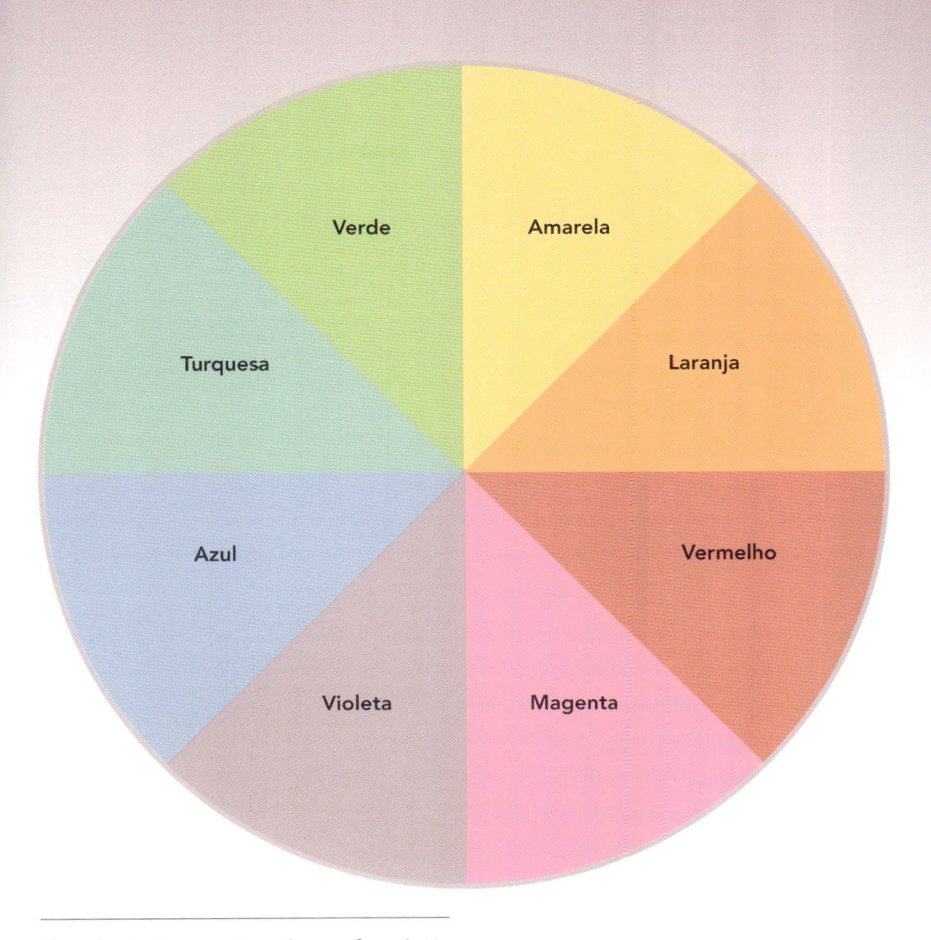

Este círculo de cores é usado com frequência na terapia das luzes coloridas para mostrar as cores complementares.

Chakras e o espírito: yantras

Os yantras são símbolos usados para representar cada chakra e podem ser uma ferramenta útil na meditação. Eles são os equivalentes yogues da mandala budista: símbolos visuais de complexos conceitos espirituais.

O yantra de cada chakra é baseado num lótus, o símbolo tradicional da iluminação no pensamento budista e hindu. O crescente número de pétalas de lótus em cada chakra, à medida que subimos a escada, sugere a energia ascendente ou as frequências vibracionais dos respectivos chakras – cada um funcionando como um transformador de energias de uma potência para outra. O yantra para cada chakra também contém símbolos específicos relevantes para aquele chakra. Isso será explorado em maior detalhe nas seções dedicadas aos chakras individuais.

Como usar os yantras

Se você estiver usando yantras na meditação, coloque-os diretamente a sua frente, de modo que possa se concentrar neles de maneira confortável. Em termos tradicionais, um yantra é considerado mais poderoso do que a imagem de um deus, a qual, para ser energizada, requer um yantra fixado em sua base ou dorso, e deve ser usada juntamente com um mantra.

A recomendação geral é que um desenho ou impressão de um yantra seja colocado na direção norte/noroeste de um aposento, fazendo face à direção sul/sudeste. Entretanto, o especial Sri Yantra, considerado a "matriz" de todos os yantras, é tradicionalmente colocado no leste, fazendo face para o oeste.

Yantras como meios de centralização

Os yantras são poderosos meios de "centralização" para aproveitar as energias divinas. Centralizar significa dirigir todo o foco interno e externo para um ponto imóvel no centro da mente. Se estiver centrado, você não será perturbado pelos eventos de sua vida diária. Entretanto, a centralização acontece por si própria quando você a usa como um foco preliminar antes da meditação.

Diz-se que nossa mente é como um grupo de macacos pulando de galho em galho, alimentando-se das frutas mais saborosas e tagarelando o tempo inteiro. Nossa tarefa é fazer com que parem de pular, encontrar uma quietude e satisfação no silêncio profundo, e levar nossa atenção a um ponto fixo. Este poderia ser um objeto externo, como um yantra, a chama de uma vela ou uma percepção interna. Para ganhar a capacidade da centralização, afaste sua atenção dos pensamentos perturbadores de maneira constante, porém suave, e dirija-a para o centro do seu foco.

Os yogins praticam Tratakam (a concentração, sem piscar os olhos) no Shri Yantra.

Chakras e o espírito: o som

Nosso campo de energia responde ao som. Não causa surpresa que nossa aura se contraia quando ouvimos sons dissonantes e se expanda alegremente quando ouvimos sons que consideramos satisfatórios. Nossos chakras "desabrocham" também: suas pétalas simbólicas se abrem quando eles recebem sons harmoniosos, sejam canções ou música suave. Pelo fato de respondermos tão bem ao som, os chakras têm sido associados há milhares de anos com cantos devocionais especiais que trazem as qualidades do Divino à vida cotidiana.

OM sagrado

OM ou AUM é o símbolo do Absoluto – é a essência do hinduísmo. Ele significa a unidade e uma fusão de nosso corpo físico com nosso ser espiritual, e é considerado a sílaba mais sagrada, o primeiro som a partir do qual emerge todo e cada som, seja da música ou da linguagem. É um som místico, a base dos mantras (cânticos); é o som da criação e da dissolução, contendo o passado, o presente e o futuro. Um famoso mantra, o Gayatri, começa: "OM, Bhur, Bhavah, Svah" – que representa a Terra, a Atmosfera e o Céu.

Para produzir o OM em um mantra, comece o som AHH na parte posterior da garganta, trazendo o som para frente na boca até formar OOO e MMM com os lábios fechados – por esse motivo ele é, às vezes, escrito AUM. Você pode emitir OM em silêncio ou em voz alta, repetidamente, para beneficiar todo o seu campo luminoso de energia.

Nos Upanishads, os escritos sagrados hindus, OM representa a tríade de deuses: Brahma, Vishnu e Shiva. É dito que o tambor de Shiva produziu esse som e por intermédio dele surgiram as notas da oitava: SA, RI, GA, MA, PA, DHA, NI. Por meio desse som, Shiva cria e recria o universo. OM é também a forma sonora do Atman, o princípio vital do universo e de nossa alma individual.

Em termos musicais, OM ou AUM é composto de três notas básicas: "A", "U", "M" – ou o básico SA PA da escala fundamental e novamente SA (a nota básica) da escala imediatamente superior. Quando você entoa essas três notas de maneira contínua, todas as notas básicas de SA a NI também soam.

Praticar o OM, em primeiro lugar, limpa os bloqueios nas cordas vocais e no Chakra da Garganta; e, em seguida, começa a purificar todo o corpo físico, os outros chakras e o campo áurico. Por esse motivo, quase todos os mantras védicos e preces começam com OM ou AUM.

O sagrado OM deve ressoar e vibrar por toda a sua cabeça e peito.

"Bija" mantras

Muitas culturas possuem mitos que associam a criação do mundo ao som. Por exemplo, o deus egípcio Tot supostamente criou o mundo com a sua voz.

Bija significa "joia" ou "semente" e os bija mantras nos conectam com cada chakra e com a fonte de toda vida manifesta. Eles são como joias preciosas que podem nos levar a um foco interno. Na meditação, eles são usados silenciosamente para focar cada chakra. Quando os emitimos alto, o som é estendido de modo que cada repetição vai de encontro à seguinte, criando um contínuo zunido de som.

Pelo fato de os chakras ressoarem com vibrações em muitos níveis, o som, o canto, a entoação e a música são altamente benéficos quando usados com a intenção correta. Ao cantar, realmente brilhamos como uma "joia"!

Pratique o canto com a coluna reta e numa posição confortável.

OS BIJA MANTRAS E SEUS CHAKRAS ASSOCIADOS

Chakra	Bija mantra	Nota	Som
Base/Muladhara	LAM	dó grave	Soa como "larm"
Do Sacro/Svadisthana	VAM	ré	Soa como "varm"
Plexo Solar/Manipura	RAM	mi	Soa como "rarm"
Coração/Anahata	YAM	fá	Soa como "yarm"
Garganta/Vishuddha	HAM	sol	Soa como "harm"
Testa/ Ajna	OM	lá	Ver páginas 78-79
Coroa/ Sahasrara	OM	si	Ver páginas 78-79

Os bija mantras e o yoga

Durante a prática de yoga, diversas técnicas aumentam de maneira considerável a sua eficácia. Entre elas consta a respiração correta (pranayama), a visualização da cor atribuída ao chakra e associada com a postura (asana) e o som do bija mantra associado ao chakra (ver o quadro anterior). Pela dificuldade de se recitar um mantra longo enquanto se sustenta uma postura, os bija mantras curtos e repetitivos são mais apropriados, pois aumentam nosso foco e o poder desenvolvido em nosso corpo. Portanto, durante o período em que sustenta a postura de yoga, cante o bija mantra repetidas vezes em voz alta. Sinta a vibração do som e "empurre-a" a uma área de chakra.

Se considerar difícil saber qual nota está emitindo, tente usar os bija mantras intuitivamente em uma escala ascendente e confie que você estará se proporcionando um som equilibrador e curativo.

As divindades hindus e os chakras

A teoria Shakta (ver pp. 22-3) definitivamente determinou as divindades e os animais hindus associados a cada chakra e, em cada seção deste livro dedicada a um chakra específico, serão oferecidas informações mais detalhadas sobre eles. Meditar na relevância da divindade apropriada pode intensificar grandemente a sua consciência do chakra. Mas primeiro vamos explorar em maior detalhe o panteão hindu.

Atualmente existem quatro formas principais de Hinduísmo: Shivaísmo, Shaktismo, Vaishnavismo e Smartismo. No Hinduísmo Smarta, diversas formas de deuses são vistas como aspectos de um único espírito universal, Brahma; ao passo que o Shivaísmo, o Shaktismo e o Vaishnavismo tendem a concentrar-se em Vishnu. Um conceito-chave no Hinduísmo é o do trimurti, também conhecido como a trindade hindu, que descreve os três aspectos de Deus, sob a forma de Brahma, conhecido como o criador; Vishnu, o mantenedor ou preservador; e Shiva, o destruidor.

Brahma

Brahma é o criador e o doador de bênçãos. À medida que ele medita, Brahma emite de si mesmo tanto os elementos materiais do universo quanto os conceitos filosóficos que tornam possível a nossa compreensão a respeito do mundo material.

Vishnu

Vishnu é um deus benevolente, disposto e capaz de fazer favores a seus veneradores. A sua consorte Shri (também conhecida como Lakshmi) é a deusa da prosperidade e da boa sorte.

ENCARNAÇÕES DE VISHNU

Dez animais e figuras humanas foram identificados como encarnações de Vishnu no mundo. Elas aparecem sucessivamente quando o mal põe o mundo em perigo. Elas são:

1. Matsya: o peixe
2. Kurma: a tartaruga
3. Varaha: o javali
4. Narasimha: o homem-leão
5. Vamana: o anão
6. Parashurama: um brâmane
7 e 8. Rama e Krishna: Rama é o herói do épico hindu *O Ramayana*
9. O Buda: o nono avatar
10. Kalkin: o décimo e futuro avatar que estabelecerá uma nova era

Shiva

Shiva é um vingador colérico bem como um pastor de almas. Ele está ligado com o yoga e o ascetismo, mas é também uma figura de poder erótico e é venerado na forma de um *lingam*, ou falo sagrado. Sua esposa aparece como Sati, Uma ou Parvati, e ele, às vezes, é também unido à Durga e à deusa negra, Kali. Shiva é também o senhor da dança, a fonte de todo movi-

Esculturas maravilhosas de deuses e deusas ornam os templos hindus.

mento no universo. Seus passos de dança pretendem aliviar pela iluminação os sofrimentos de seus devotos.

Os filhos de Shiva com Parvati são também divindades importantes: Skanda e Ganesha, o deus com cabeça de elefante.

A astrologia indiana e os chakras

A astrologia indiana é chamada de Jyotirvidya, que significa "ter conhecimento da Luz cósmica". As tradições astrológicas indianas trabalham apenas com sete planetas: o Sol, a Lua, Marte, Mercúrio, Júpiter, Vênus e Saturno, aqueles que podem ser vistos a olho nu e foram descobertos pelos antigos observadores das estrelas antes dos outros planetas em nosso sistema solar (Urano, Netuno e Plutão). Dois pontos imaginários, formados pela intersecção dos trajetos da Terra e da Lua – chamados Rahu e Ketu – também são incluídos.

Na religião e na mitologia hindus, a esses nove "planetas" são atribuídas nove divindades, conhecidas como as Navagraha. Como elas têm um impacto na vida dos indivíduos, os hindus veneram essas divindades para que elas tragam paz e harmonia para suas vidas.

Considera-se que cada um dos planetas concede uma bênção específica aos seres humanos. Além disso, acredita-se que os planetas influenciem eventos históricos, o destino de nações inteiras e da própria Terra. A consulta às influências astrológicas é uma parte importante da vida na Índia, a grande cultura que deu ao mundo a sabedoria do yoga e dos chakras.

Associações dos chakras com a astrologia indiana

Podemos ver correspondências entre a astrologia indiana e os planetas e chakras se entendermos o contexto das três qualidades usadas nos ensinamentos ayurvédicos. Estas são classificadas como: rajásicas (ativas), tamásicas (inertes) e sátvicas (equilibradas) (ver pp. 46-9). Com base nesse sistema, os seguintes chakras

A deusa Durga segurando os símbolos de seu poder. (Pintura folclórica rajasthani.)

OS PLANETAS E SUAS DIVINDADES

Planeta	Divindade dominante	Superdominante	Cristal
Surya/Sol	Agni, deus do fogo	Shiva	Rubi vermelho
Soma/Lua	Apas, deusa da água	Parvati	Pedra da lua, pérolas naturais
Mangal/Marte	Bhumi, deusa da terra	Skanda	Coral vermelho
Budha/Mercúrio	Vishnu, o preservador	Vishnu	Esmeralda
Brihaspati/Júpiter	Indra, rei dos deuses	Brahma	Safira amarela, topázio amarelo
Sukra/Vênus	Indrani, rainha dos deuses	Indra	Diamante
Shani/Saturno	Yama, deus da morte	Prajapati	Safira azul, pedras negras
Rahu/A Cabeça do Dragão (nó lunar norte)	Durga, deusa do poder	Sarpa	Hessonite cor de mel
Ketu/A Cauda do Dragão (nó lunar sul)	Chitragupta, deus do karma	Brahma	Olho de gato

são associados aos "planetas" usados na astrologia indiana:

- Chakra da Testa – o Sol e a Lua
- Chakra da Garganta – Mercúrio
- Chakra do Coração – Vênus
- Chakra do Plexo Solar – Marte
- Chakra do Sacro – Júpiter
- Chakra da Base – Saturno.

Os chakras e os ciclos de sete anos

Os ensinamentos do yoga ligam os sete chakras principais a períodos de tempo de sete anos. Eles começam no nascimento, no Chakra da Base, e cobrem cada um dos chakras. Assim, existem 49 anos (7 x 7) de experiências únicas, cada ano é "colorido" por um chakra particular. Em nosso quinquagésimo ano, iniciamos um novo ciclo de sete anos, recomeçando no Chakra da Base, mas numa frequência mais elevada de energia. Isso nos dá outro tipo de experiência de vida, à medida que começamos o ciclo seguinte de sete anos.

Como usar a tabela dos sete anos

Uma criança em seu décimo terceiro ano (isto é, que tenha acabado de completar o 12º aniversário desde o seu nascimento), está sob uma influência *geral* do Chakra do Sacro, à medida que a puberdade se desenvolve dos 8 aos 14 anos. Como se pode ver nas palavras-chave, elas começam a explorar a sua sexualidade e sua criatividade, e começam a planejar nessa época como se distanciar da influência de seus pais.

Agora considere um idoso de 98 anos. Ele passou por 14 ciclos de sete anos e está neste momento no ciclo geral do Chakra da Coroa, um período de unidade e iluminação.

Existe também um ciclo de um ano de associações com os chakras, por meio do qual cada ano de vida está ligado a uma energia específica e às suas próprias palavras-chave. Isso pode dar surgimento a conflitos entre os ciclos de sete anos e de um ano, podendo lançar mais luz nas ações e comportamentos de um indivíduo em um momento particular.

As relações familiares e o crescimento pessoal podem ser entendidos por meio dos ciclos de sete anos.

CONHECIMENTOS BÁSICOS DENTRO DE CADA CICLO DE SETE ANOS

Ano	Ciclo do Chakra	Palavras-chave
0-7 e 50-56	Primeiro/Base	Energia vital; conexão com a Terra e mundo material; estabilidade; novos começos
8-14 e 57-63	Segundo/do Sacro	Sensualidade; criatividade; entusiasmo; explorar a criatividade e os limites
15-21 e 64-70	Terceiro/Plexo Solar	Desenvolvimento da personalidade e dos sentimentos; sabedoria; expansão e possibilidades ilimitadas
22-28 e 71-77	Quarto/Coração	Amor; compaixão; abnegação; desenvolvimento de habilidades de cura e autocura; trabalhar para curar a Terra
29-35 e 78-84	Quinto/Garganta	Comunicação; autoexpressão; inspiração; independência; abertura ao desenvolvimento superior; falar com sabedoria
36-42 e 85-91	Sexto/Testa	Realização dos sentidos internos, tais como como clarividência, intuição, responsabilidade; aprofundamento de experiências de vida
43-49 e 92-98	Sétimo/Coroa	Tempo de trabalho interno; iluminação; transição espiritual interna; contemplação e meditação

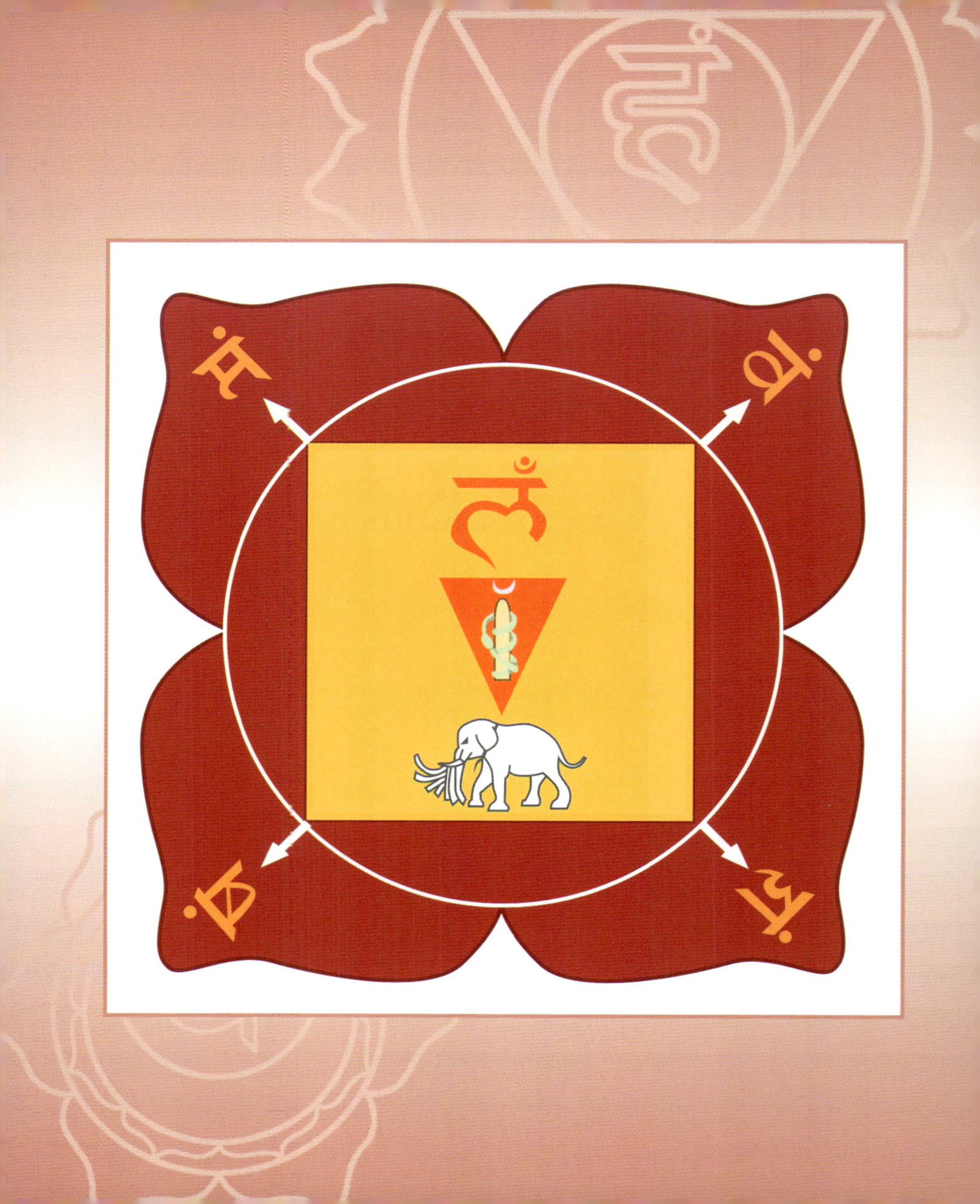
लं

Capítulo 2

O CHAKRA DA BASE: MULADHARA

Nos Capítulos 2 a 8, apresentamos os sete chakras principais em profundidade, com uma série de exercícios para ajudar a equilibrar a energia vital. Essa sabedoria é extraída de fontes do yoga tântrico e de interpretações modernas.

O Chakra Muladhara

O Chakra da Base ou Muladhara, é também conhecido como chakra raiz, adhara, mula, padma, brahma padma ou bhumi. Ele é o primeiro dos sete chakras principais e está associado ao elemento terra, simbolizando o grau mais denso de manifestação e a base da vida.

No sistema de yoga kundalini do Shaktismo, o centro Muladhara é descrito como tendo quatro pétalas de lótus, de cor vermelho encarnado; cada qual corresponde aos estados psicológicos de grande alegria, prazer natural, deleite no controle das paixões, e felicidade na concentração, conducentes à meditação.

As funções do Muladhara

Em termos energéticos, esse chakra canaliza a energia da Terra no sentido ascendente, pelos pés e as pernas, para processá-la e estabilizá-la. Então ele move a energia para cima, ao longo da coluna, agora transmutada em uma forma que o corpo reconhece como sinais, para equilibrar o sistema endócrino (as gônadas: ovários e testículos) por meio da liberação de hormônios. Quando não obtemos o pleno fluxo dessa energia da Terra, os desequilíbrios em nosso corpo físico acontecem.

"Ligar a terra" ou "enraizar" é a principal função de Muladhara. Quando enraizados, estamos em união com a vida e o Muladhara funciona conforme o pretendido. Entramos numa vibração harmônica com a frequência eletromagnética da Terra, ficando em sintonia com a batida do coração "dela".

Muladhara também está intimamente associado com o retorno do karma: a soma de nossas experiências das existências passadas. Às vezes, isso é referido como "bom" ou "mau" karma, mas todo karma existe como fonte de aprendizagem e seremos afortunados se considerarmos que a vida nos oferece mais do que uma única chance!

O primeiro e segundo chakras também agem como caixa de reciclagem energética do campo áurico. Eles transformam as energias emocionais negativas em poder e luz, e devolvem para a Terra qualquer "resíduo tóxico" prejudicial aos outros chakras, mantendo assim a pureza de arco-íris da aura. Se o nosso Chakra Muladhara estiver dissociado da Terra, não conseguiremos expelir essas emoções residuais.

AS PRINCIPAIS CARACTERÍSTICAS NUM RELANCE

Cor	Vermelho
Questões fundamentais	Sexualidade, luxúria, obsessão
Localização física	Entre o ânus e os genitais, abrindo-se para baixo
Área espinhal associada	Quarta vértebra do Sacro
Sistema fisiológico	Reprodutivo
Glândula endócrina	Gônadas
Plexo nervoso	Sacrococcígeo
Aspecto interno	Ligando as energias espirituais à Terra
Ação física	Sexualidade
Ação mental	Estabilidade
Ação emocional	Sensualidade
Ação espiritual	Segurança

Questões de saúde e o Muladhara

Muladhara significa "o suporte da raiz", "o responsável pelas origens" ou "o portador dos alicerces". As necessidades do primeiro chakra são instintivas: precisamos de abrigo e alimento. A compulsão de comer em demasia ou acumular bens materiais e dinheiro é uma expressão negativa de nosso instinto de sobrevivência. A nossa eterna insatisfação com relação à quantidade de alimentos, dinheiro, bens e sexo aponta para uma disfunção do Muladhara e para uma séria desconexão com a Terra. Mas os chakras são nossos professores e podem nos levar suavemente a realizações superiores. Como veremos posteriormente (ver p. 96), o poder primordial da kundalini está enrolado aqui como uma cobra, pronto para nos despertar para nosso eu espiritual verdadeiro. Esse é um dos objetivos do Tantra Yoga.

Os atributos positivos do Muladhara nos propiciam capacidade notável de sobreviver sob condições extremas. Eles também nos incitam a procriar e exprimir amor por nossos parceiros e filhos, estimulados pelo anseio feminino da serpente kundalini primordial, a energia da Mãe Terra dormente dentro de nós.

Sistema corporal associado

Esse chakra está conectado com chakras secundários nos pés, tornozelos, joelhos e virilha, que sustentam o fluxo ascendente de energia a partir da Terra. Quando negamos nossa ligação com a sabedoria da Terra, nossos corpos reagem e as enfermidades se manifestam, afetando o sacro, a coluna, a excreção e os órgãos sexuais. Se o chakra Muladhara estiver bloqueado, você não terá uma vida sexual muito gratificante. Por outro lado, aqueles que tentam suprimir os anseios sexuais podem ter medos ocultos e terminar com doenças associadas com desequilíbrios em sua relação com a sexualidade.

Os profissionais holísticos sempre tratam a *energia* associada com a doença, em vez de tratar a própria doença. Eles procuram pelas causas e disfunções subjacentes. Se foram treinados em terapia das cores, eles usarão a luz vermelha para estimular a disfunção sexual e a luz azul, para acalmar e equilibrar.

Glândula endócrina associada

O Chakra da Base está ligado às glândulas endócrinas. Nas mulheres, estas são os ovários, que produzem os hormônios estrógeno e progesterona. O estrógeno promove as características femininas secundárias e os ciclos menstruais, e também pode ser encontrado na placenta, suprarrenais e testículos masculinos; a progesterona prepara o útero para um ovo fertilizado. Nos homens, elas são os testículos, que produzem o hormônio testosterona, que desenvolve e mantém as características masculinas e produzem o esperma.

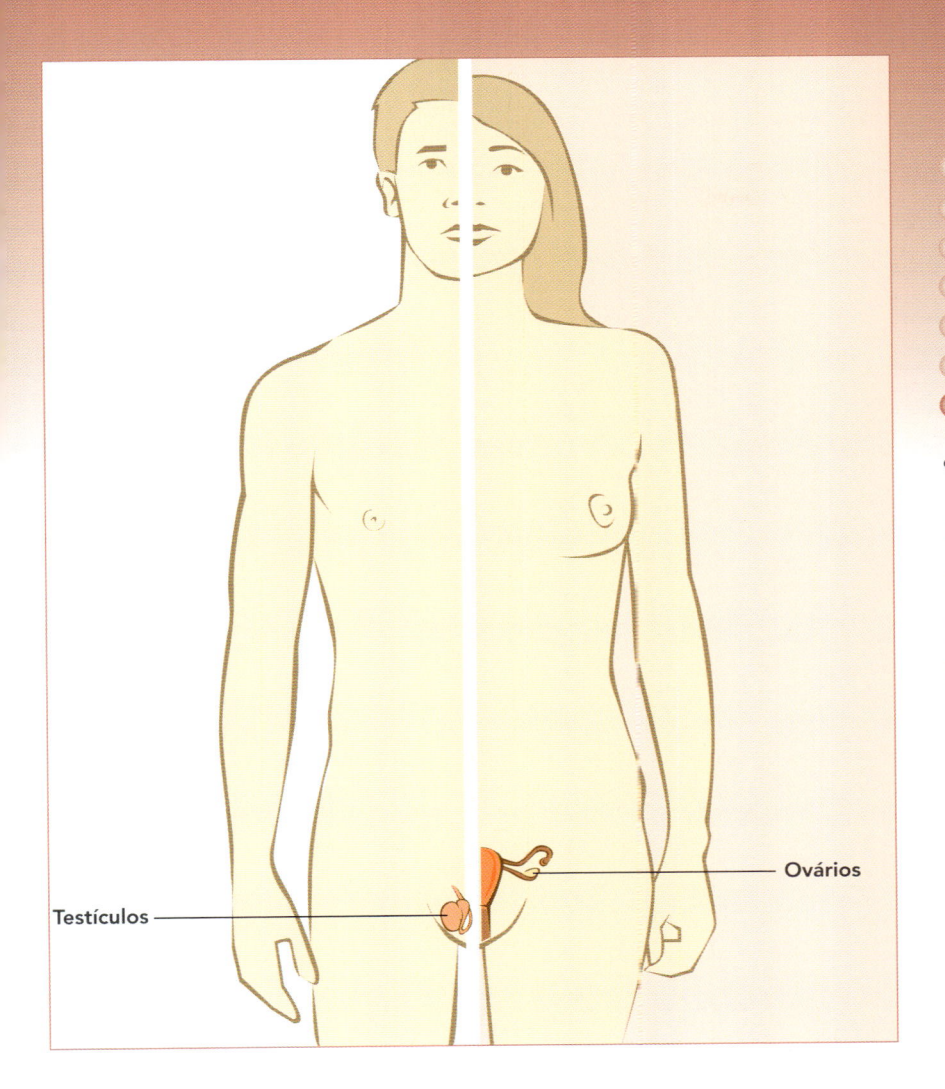

Testículos

Ovários

Questões mentais, emocionais e espirituais

Como o Muladhara está localizado entre as pernas, o ponto real de contato corporal desse chakra é a articulação sacrococcígea, que está associada com a posição de nosso corpo no tempo e no espaço, com o modo de nos movermos e com o senso tátil do toque. A partir disso, podemos ver sua importância durante a relação sexual.

Todos os principais chakras estão situados numa linha vertical, que ascende desde a base da coluna até a cabeça, formando uma linha central para o fluxo da energia radiante. É o controle dessa radiância central que leva à transformação do anseio sexual em iluminação espiritual durante o Tantra yoga. Um "efeito" do sexo gratificante é a secreção resultante de hormônios benéficos, que são necessários para nos revitalizar e manter jovens.

Transmutando as emoções

Todos nós podemos entender os desequilíbrios hormonais na puberdade e na menopausa. Durante esses períodos, costumamos passar por extremos emocionais. A sugestão que recebemos do Tantra yoga é que podemos transmutar essas emoções ao mover as energias no sentido ascendente pelos chakras – concentrando-nos não apenas nos desejos sexuais básicos, mas num corpo saudável, vibrante e numa vida espiritual gratificante. Na menopausa, é vital que as mulheres completem o movimento ascendente de energia, pois a negligência pode desencadear doenças no útero e nos seios. Os homens nesse ponto no mesmo ciclo podem terminar com doenças nos testículos ou, bem literalmente, com o "coração partido".

Estabilidade e segurança

Muladhara é o fundamento da vida. Confiar em quem somos e em quem confiamos são funções do Chakra da Base. Se o princípio de nossa vida foi seguro e protegido, então a confiança no mundo será normalmente bem estabelecida. Se, por outro lado, nossa concepção foi traumática, ou o ambiente do útero de nossa mãe e de nossa infância foi perturbador, as tensões no primeiro chakra tenderão a nos fazer ver o mundo – e os outros seres humanos – como amedrontadores.

O fluxo pleno desse primeiro chakra já foi descrito como uma linda flor de lótus vermelha, com o centro de um dourado intenso. O lótus começa a vida na água lamacenta, no fundo de um lago ou rio e cresce para cima, para florescer na luz. Por esse motivo, ele simboliza o potencial e o crescimento humano a partir de nossos inícios, por meio do domínio de nossas emoções, para florescer à Luz do Espírito. É por isso que os chakras costumam ser retratados como lótus.

No yoga tântrico, o controle da energia radiante entre os chakras leva à transformação do anseio sexual em iluminação espiritual.

Energia da kundalini

Nos ensinamentos do Tantra yoga, o vermelho encarnado, o amarelo e o dourado são cores tradicionalmente associadas ao Muladhara. De modo surpreendente, apesar de ser o chakra inferior e inicial dos sete chakras principais, este é o centro de bem-aventurança de nosso corpo físico. No Muladhara, experimentamos alegrias, prazeres, paixões e felicidade na concentração; acima de tudo, este centro nos leva ao êxtase de realizar o Divino no corpo físico, pela sexualidade. As formas mais elevadas de espiritualidade na maioria das culturas não rejeitam o corpo, mas o veem como um meio de transformação do corpo e do espírito ao mesmo tempo.

Matéria elétrica do corpo

Nós temos corpos que são "ligados eletricamente" para a felicidade. Temos uma grade de energia elétrica sutil de meridianos (conforme a acupuntura ensina) e canais de energia chamados nadis (na tradição do yoga) já no lugar certo. Entretanto, a grade às vezes fica bloqueada e a energia que flui por ela, reduzida. O yoga e as práticas estéticas purificam as linhas de energia da grade, de modo que uma luz radiante possa fluir conforme o almejado.

Como sempre, os métodos mais simples costumam ser os melhores. Observe o que você pensa, diz, come, bebe e respira. Como você se move, senta e fica em pé, dança e canta? O importante não é tanto o que você *faz*, mas como você se *sente*, e com quais sentimentos você age. Para qualquer pessoa, o primeiro passo na direção certa é simplesmente se reconhecer como um ser espiritual, nascido com um potencial de crescimento até a Luz ilimitada do Espírito.

Segundo a doutrina tântrica do Shakta, o Muladhara é o lugar em que a kundalini – uma energia cósmica latente – reside em cada ser humano vivo. Quando esse poder latente é ativado pelas práticas de Hatha Yoga (pranayama, purificação das nadis e assim por diante), ele sobe por cada chakra espinhal até o topo da cabeça, ao Chakra Sahasrara/Coroa, ou "Lótus de Mil Pétalas" acima. Ali, ele se une com seu polo oposto, o Paramashiva, ou Consciência da Divindade Suprema, e o yogin atinge a libertação total da realidade cotidiana. Em termos mais simples, a kundalini é o poder feminino de Shakti, a eterna deusa, que quer se unir ao seu Senhor Shiva, no Chakra da Coroa. Ela o deseja e fica impaciente para se unir a ele; Shakti precisa subir pela sua coluna, oscilando pelos chakras em manifestações extáticas de Luz e Poder infinitos e tremeluzir em sua cabeça.

O Tantra yoga nos ensina como usar adequadamente a energia kundalini e como estarmos plenos de alegria em cada momento.

A energia kundalini e as nadis

A energia da kundalini pode ser desperta por uma combinação de posturas de Hatha yoga, bandhas (fechos corporais), pranayama (respiração correta), mudras (gestos de mãos), canto de mantras, meditação e técnicas de visualização. Durante esse processo, nossa energia latente da kundalini trabalha com o sistema nervoso para atingir profundamente um novo nível de consciência.

Essa energia dormente sobe pelas nadis. Segundo um antigo texto tântrico, existem 14 nadis principais. As três mais importantes são ida, pingala e sushumna (ver pp. 22-3). O Chakra da Base é onde todas as três se encontram. A partir do Muladhara, a energia sutil de ida e pingala ascende, alternando-se em cada chakra. Se a kundalini fluir pelo sushumna até seu destino pleno, a realização da alma é atingida de modo consciente.

Despertando a energia kundalini

Os processos fundamentais para despertar a energia kundalini são a purificação da mente e do corpo. Purificar o corpo elimina as toxinas acumuladas e tudo o que purifica o corpo purifica também a mente. Segundo a medicina ayurvédica, o jejum é um dos métodos mais eficazes de desintoxicar o corpo. Outros métodos incluem o pranayama e a limpeza do corpo.

Nadi Sushumna

Nadi Pingala

Nadi Ida

OS OITO "RAMOS" DE PATANJALI

No século II a.C., o grande sábio indiano Patanjali compilou uma coleção de escritos sobre yoga chamada de *Sutras de Patanjali*. Composta de oito "ramos", eles ocorrem em ordem sequencial:

1 **Yamas** Em sânscrito, significa "restrição" e é um código de conduta. Existem dez yamas: não violência, verdade, honestidade, continência sexual, paciência, força moral, gentileza, franqueza, moderação alimentar, e evitamento de impurezas no corpo, na mente e na fala.
2 **Niyamas** Existem dez niyamas ou observâncias: austeridade, contentamento, crença em Deus, caridade, veneração de Deus, escutar as explicações das doutrinas, modéstia, discernimento, repetição de preces e sacrifício.
3 **Asana** São as posturas de yoga. Quando se realiza a postura correta, as forças do corpo são equilibradas, a respiração fica mais lenta e a meditação é facilitada.
4 **Pranayama** Controle do prana. Tornar a respiração mais lenta, de modo a segurar a respiração entre a inalação e a exalação é o segredo do pranayama.
5 **Pratyahara** O afastamento das distrações do mundo dos sentidos por meio da concentração profunda.
6 **Dharana** Acalmar a mente. Concentrar-se em um chakra de cada vez é uma excelente maneira de desenvolver dharana.
7 **Dhyana** A meditação ininterrupta na qual não existe um ponto fixo (tal como um Chakra) em que vamos meditar. É um estado de calma profunda, em que começa a experiência da bem-aventurança.
8 **Samadhi** O estado de completo equilíbrio e autorrealização, em que nos tornamos livres da consciência do eu, tempo ou espaço.

Sentado imóvel e confortável, em postura de lótus ou de pernas cruzadas, inicie a prática de Pranayama e Pratyahara.

Os bandhas

Os bandhas, ou "fechos do corpo" (ver pp. 66-7) são imprescindíveis para a ativação da nadi Sushumna e o despertar da kundalini. Por causa das maneiras específicas como bloqueiam ou canalizam a energia prânica, eles só devem ser experimentados sob a supervisão de um professor competente. Se realizados da maneira errada, os bandhas podem prejudicar, pelo esforço excessivo, diversos órgãos físicos, incluindo o coração, os pulmões e os olhos. Os bandhas, em sua maioria, são aprendidos inicialmente quando certos asanas são praticados. Como se pode ver a partir dos oito "ramos" de Patanjali (ver pp. 98-9), a prática do pranayama começa quando os asanas já tiverem sido dominados. Posteriormente, as técnicas de respiração do pranayama e seus efeitos no corpo e na mente serão modificados pelo uso dos bandhas.

Os três bandhas seguintes são os mais praticados. Abaixo segue um breve resumo de suas funções, a ordem na qual são aprendidos e a ocasião em que são usados.

1 Jalandhara bandha ou fecho do pescoço

Esse fecho alinha as vértebras cervical e torácica, de modo que o prana possa fluir livremente na área craniana. De uma perspectiva energética, a realização desse bandha mantém uma energia poderosa, mas sutil, dentro da coluna e, combinado com um fecho da língua, é usado durante a ascensão da kundalini. Ele é aprendido durante o Sarvangasana (postura invertida sobre os ombros), quando evita um fluxo excessivo de sangue para o cérebro e pressão sobre olhos e orelhas.

2 Uddiyana bandha ou fecho do diafragma

Uddiyana em sânscrito significa "voar para cima" e esse fecho é realizado para que o prana voe para cima pelo sushumna, o canal central de energia. Ele é aprendido durante a prática básica de pranayama.

3 Mula bandha ou fecho da raiz

O mula bandha concentra-se nos três primeiro chakras. Ele é aprendido durante a prática avançada de pranayama. Ao contrair o esfíncter anal e os órgãos sexuais, o apana, a energia que se move para baixo, que reside nos órgãos inferiores e nos três

---

Uma praticante avançada de yoga usando os fechos do pescoço e da raiz.

chakras inferiores, e que evita que o prana escape para baixo é revertido e forçado a fluir para cima. À medida que apana e prana se fundem, eles criam a força necessária para ativar a energia da kundalini. Enquanto aplica esse bandha, o praticante hábil atingirá o controle da mente (manas), intelecto (buddhi) e ego (ahankara).

4 Maha bandha ou grande fecho

Este descreve a aplicação de todos os três fechos prévios ao mesmo tempo. O maha bandha é usado durante o pranayama, a meditação e especialmente com o Raja yoga e as práticas tântricas. Ele harmoniza o sistema nervoso e os sistemas glandulares. O ojas, ou fluido seminal sutil, é também reabsorvido de maneira benéfica no corpo e a energia sexual é canalizada de modo sequencial por todo o sistema de chakras.

Os granthis

Segundo os textos tântricos, os granthis (ou nós) são bloqueios de energia ou obstáculos psíquicos que devemos superar para aumentar a energia da nadi Sushumna. Eles têm o potencial de obstruir o caminho da energia kundalini, à medida que esta tenta ascender aos centros superiores. Em geral, a cultura ocidental sofre de uma disfunção da kundalini, que nos mantém no nível do primeiro ou segundo chakra. Tamanho bloqueio nos impede de estar em contato com nosso corpo inteiro ou de sentir nosso potencial espiritual. Todos nós precisamos da kundalini para sobreviver em nossos corpos físicos. Quando temos uma "ascensão" extática da kundalini, a potência aumentada e a qualidade vibracional superior nos permitem realmente *sentir o seu poder*.

Brahma granthi

Esse é o primeiro nó a ser superado e é também conhecido como o nó perineal. Está localizado no Muladhara (alguns textos o localizam no umbigo). Conhecido como o nó de nomes e formas, o mundo das ambições e desejos, ele é chamado de "nó de Brahma", porque o deus Brahma é o criador do mundo sensorial. Por estarmos presos no mundo dos sentidos, da sexualidade, da satisfação dos impulsos e apetites físicos, e um foco inquieto em apegos terrenos, tornamo-nos incapazes de fazer nossa kundalini ultrapassar esse ponto de maneira consciente.

A prática dos yamas e niyamas (ver pp. 98-9) é uma maneira de começar a desfazer esse nó. O afastamento do mundo dos sentidos e a prática da visualização e da meditação também podem ajudar a redirecionar a mente. Quando a kundalini atravessa o nó de Brahma, as imagens e distrações do mundo sensorial não mais interrompem o caminho da meditação.

Vishnu granthi

Esse nó está localizado no Chakra do Coração e deve o seu nome ao deus Vishnu, o senhor da preservação. Ele cria um desejo de preservar o conhecimento antigo, as tradições, as ordens e instituições espirituais. Esse apego é intensificado pela compaixão que caracteriza o Chakra do Coração. Entretanto, apenas pelo discernimento e sabedoria verdadeiros podemos descobrir a vontade de Deus e nos libertarmos dos apegos ilusórios.

Rudra granthi

Esse nó está situado na área do Chakra da Testa. Nas escrituras tântricas, menciona-se que, quando desperta, a kundalini ascendente alcança esse ponto, e o poder de ver o passado, o presente e o futuro (da natureza onisciente da consciência) pode ser alcançado.

Entretanto, o rudra granthi se torna um obstáculo para se atingir a plena iluminação, porque o yogin pode se perder em seu desejo de alcançar poderes e visões paranormais.

Brahma, o Ser Supremo, é a primeira divindade da Trindade Hindu, a causa e o espírito que permeia tudo no Universo. Ele raramente é retratado na ornamentação das esculturas dos templos.

O yantra do Muladhara

Nesse lótus está o quadrado da Terra, circundado por oito lanças brilhantes. Seu amarelo é brilhante e belo como o raio, como a sílaba-semente Lam situada em seu interior.

Sat Cakra Nirupana, texto sânscrito escrito por volta de 1577, que descreve os chakras e a energia da kundalini.

Descrição do yantra

Número de pétalas Quatro, simbolizando as quatro direções e quatro qualidades da bem-aventurança.
Cor Pétalas vermelhas circundando um quadrado amarelo (Terra) – o elemento associado a este chakra.
Elefante branco Airavata nos remete à nossa natureza animal instintiva. Um elefante é forte e inteligente, mas tem tendências destrutivas, um dilema com o qual costumamos nos deparar no Muladhara. Airavata tem sete trombas, que simbolizam os elementos essenciais para a vida física (ver quadro ao lado).
Trikona Uma forma triangular que representa a energia (feminina) Shakti.
Lingam, ou falo Representa o masculino, a energia de Shiva. A energia da Kundalini é mostrada como uma serpente enrolada em torno do lingam.
Lua crescente Coroa o lingam, simbolizando a fonte divina de toda energia.

O bija mantra

O bija mantra de Muladhara (ver pp. 80-1) é LAM e, quando soado, ele cria um bloqueio, impedindo que a energia desça abaixo de nossa base e encorajando a concentração.

O ELEFANTE

Há uma história educativa e mágica tecida em torno de cada chakra, representando as divindades hindus (ver pp. 106-07) e animais reais ou míticos. Nas representações do Muladhara, a figura do elefante é frequente. Esse animal é reverenciado na Índia e é símbolo da abundância terrena e da boa sorte; ele é sagrado para Indra, aquele aspecto da natureza que governa as leis naturais da Mãe Terra. Suas sete trombas indicam que a força do elefante sustenta todos os sete chakras principais; eles também representam os sete elementos dos quais consiste o corpo humano: terra (Raja), fluidos (Rasa), sangue (Rakta), carne, nervos e tecido (Mansa), gordura (Medba), ossos (Asthi) e medula óssea (Majjan).

O yantra do Muladhara

As divindades associadas ao Muladhara

Brahma

Brahma, o Senhor da Criação, é retratado com quatro cabeças, para simbolizar o fato de que ele é onisciente e pode ver nas quatro direções ao mesmo tempo. Cada uma de suas cabeças também representa as quatro formas da consciência humana: o eu físico; o eu racional; o eu emocional e o eu intuitivo.

Brahma é mostrado com quatro braços, cada um dos quais geralmente segura:
- mão esquerda superior: uma flor de lótus, o símbolo tradicional hindu de pureza.
- mão esquerda inferior: as escrituras sagradas hindus.
- mão direita inferior: um vaso contendo amrita, o fluido da potência vital.
- mão direita superior: essa mão está erguida no mudra (gesto de mão) da oferta do destemor.

Brahma é mostrado como uma criança, refletindo a relativa imaturidade da consciência nesse nível. Ele aparece durante as horas do crepúsculo e do nascer do sol. Meditar em Brahma ajuda a desenvolver a calma e a quietude.

Dakini

Dakini é a consorte de Brahma e combina as forças do Criador, do Preservador e do Destruidor. Ela personifica a revelação do conhecimento Divino e o néctar da vida (amrita). Às vezes é retratada cavalgando um leão feroz, que representa a natureza humana inferior. Dakini também segura diversos itens simbólicos:

- mão esquerda inferior: um tridente, que simboliza suas energias destrutivas.
- mão esquerda superior: um crânio, que simboliza o afastamento do medo da morte, um bloqueio psicológico comum no primeiro chakra.
- mão direita superior: uma espada, que representa o poder de superação do medo e das dificuldades.
- mão direita inferior: um escudo de proteção contra problemas que poderiam nos desviar do caminho espiritual.

Como fazer um altar

Descobrir maneiras de honrar a nossa conexão com a Terra é algo tão antigo quanto a humanidade. Todas as culturas antigas sabiam que suas vidas dependiam da manutenção de um forte vínculo com o que muitos chamam de Mãe Terra. Para sentir essa conexão, devemos reservar um tempo para caminhar na natureza, desfrutar de suas dádivas e agradecer-lhe por elas.

Fazer um altar não é, necessariamente, um ato religioso ouum ritual pagão, mas é uma ação positiva no século XXI, que beneficia a nossa saúde e nossa conexão corpo-mente-espírito. Por meio da conexão com a Terra, trazemos equilíbrio ao nosso Chakra da Base. Eis algumas sugestões para o seu altar:

- Encontre um lugar sossegado dentro de casa, ou em meio à natureza, e coloque um pano vermelho no chão para formar a base do altar. Essa cor honra o seu sangue e corpo, representando o chakra Muladhara e a sua ligação com a Terra.
- Durante as caminhadas em meio à natureza, mantenha os olhos abertos para qualquer dádiva que ela lhe oferecer, por exemplo: sementes com formas incomuns, penas, conchas ou pedras. Você pode colocá-los no altar.
- Faça uma coleção de todas as coisas que representam a sua infância: o início de sua vida. Sejam quais forem, respeite-as como sendo uma parte sua. Entretanto, se as lembranças forem dolorosas, queime os objetos de forma cerimonial.
- Colha flores do campo ou ervas para colocar no altar.
- Acenda velas e posicione-as no altar.
- Procure poemas que celebram a natureza ou a sexualidade e leia-os em voz alta.
- Asse um pão para si mesmo (a sua energia impregnará o pão) e, junto com um copo de vinho ou suco de frutas vermelhas, faça uma refeição cerimonial junto do altar.
- Desenhe algumas imagens ou mandalas (símbolos circulares de meditação) e coloque-os no altar. Ou procure fotos daqueles que o inspiram e ponha-as ali.
- Passe algum tempo todos os dias em seu altar, usando-o como um espaço especial onde você pode meditar e nutrir a si mesmo.
- O melhor de tudo: compartilhe a criação de seu altar com amigos: cantem, dancem, leiam poemas e dediquem pensamentos amorosos e inspiradores uns aos outros.

As energias naturais são representadas nesse altar para nos lembrar de nosso vínculo com a natureza.

109

Como fazer um altar

Cristais para acalmar o Muladhara

Os cristais de pedras preciosas recomendados para acalmar o Chakra da Base são pedaços brutos de esmeralda ou de safira azul. Para atingir a clareza sobre questões espirituais, use a safira azul, que permite uma conexão com as suas origens espirituais, raízes ancestrais e origens cósmicas.

As pedras preciosas brutas, como essas safiras, têm um preço mais acessível.

Esmeralda

A esmeralda, quando usada no Chakra da Base, irá acalmá-lo, levando você a uma harmonia mais profunda com a Mãe Terra. Ela ajuda a trabalhar a nossa base, de modo que nos sentimos muito mais em paz com a nossa vida na Terra. É vital que estejamos todos bem apoiados por nosso Chakra da Base, caso contrário os outros chakras não estarão plenamente alinhados com o propósito de nossa alma.

Além disso, o Chakra da Base é o local onde a energia kundalini "dorme" enrolada. A kundalini nada mais é que o anseio de nossa vida – o nosso desejo de estar aqui num corpo físico. Quando o Chakra da Base e a kundalini estão desequilibrados num grau extremo, podemos sucumbir às nossas ações sexuais mais abjetas. Em caso de molestamento sexual, é possível que a esmeralda, mais que todas as outras gemas (em combinação com o tratamento profissional) acalme as emoções abaladas e o campo áurico violado. As pessoas que demonstram muita raiva (seja de natureza sexual ou não) terão um Chakra da Base perturbado. A menos que este seja equilibrado, nenhum tratamento irá curá-lo. Quando a raiva é mantida no Muladhara, ela bloqueia completamente a conexão energética da Terra e nos torna incapazes de sentir a beleza da kundalini subindo pelo sistema de chakras.

Como usar a esmeralda para ancorar a sua base

Organize-se para não ser perturbado durante 30 minutos (desligue seu telefone!)

1 Numa postura de meditação de pernas cruzadas, sente-se no chão sobre a sua esmeralda! (se você não quiser se sentar de fato sobre ela, segure-a na mão não dominante em seu Chakra da Base). Se você sentir que precisa de mais base ou apoio, coloque também uma pedra densa sob cada pé.
2 Agora relaxe, mas mantenha a sua coluna reta, visualizando raízes crescendo sob os seus pés: de início, uma firme "raiz mestra"; a seguir, raízes menores, numa rede de filamentos cada vez mais finos, forçando seu caminho pela terra, rochas e pedras. Agora, suas raízes são tão poderosas que podem superar qualquer obstáculo e finalmente se conectar ao coração cristalino da Mãe Terra no centro do planeta.
3 Volte vagarosamente ao estado usual de consciência.

Uma esmeralda preciosa lapidada e cintilante e pedaços brutos que são igualmente eficazes.

Cristais para equilibrar o Muladhara

Um mito popular da Nova Era é que um conjunto de sete "pedras de chakras" de cores diferentes equilibrará os seus chakras. Isso pode funcionar, mas os curadores que se especializam no emprego de cristais usam pedras diferentes para objetivos específicos.

Este livro recomenda gemas preciosas para ativar ou acalmar cada chakra. Além disso, sugerimos diversas pedras menos preciosas para equilibrar as energias e trazer harmonia – essas pedras podem ser polidas e roladas de modo que pareçam seixos macios.

Um curador geralmente trabalha apenas um ou dois chakras por vez. Nunca se deve sobrecarregar o corpo ou o campo áurico de alguém com o poder dos cristais. É aconselhável determinar qual o chakra mais baixo que está desequilibrado e trabalhar com ele. Antes de passar para o chakra seguinte, garanta que ele esteja equilibrado num nível ótimo. Quando todos os chakras estiverem equilibrados, eles entram num estado chamado de "harmonização".

Para verificar o estado de seus chakras, empregue as seguintes técnicas:
- Sinta-os com as suas mãos.
- Visualize a condição do chakra com o olho de sua mente.
- Use um pêndulo.
- Faça o teste muscular (cinesiologia, ver pp. 54-5).
- Usar a clarividência (se tiver esse dom).

Manter os cristais de cura, como a cornalina mostrada aqui, embrulhados em seda vermelha.

Cornalina

Um pequeno seixo ou pedra rolada de cornalina (ou turmalina preta) é ideal para equilibrar o Muladhara. E desde que tenha consultado um médico sobre algum estado clínico de dor aguda, você pode usar uma cornalina lisa, polida, colocada com uma fita adesiva sobre a área com problema para reduzir a dor. Remova a cornalina pelo menos três vezes por dia e lave-a.

Como usar a cornalina para se equilibrar

Crie um espaço "sagrado", silencioso e limpo em torno de si mesmo, e então comece.

1. Sente-se em silêncio em uma cadeira de espaldar reto, com os pés descalços apoiados no chão. Sua cornalina deverá estar pronta, limpa (ver p. 68) e por perto.
2. Deixe a respiração fluir profundamente em seu corpo e ancore a sua base no chão (ver p. 111).
3. Feche os olhos e visualize a condição de cada chakra, um por vez, no sentido ascendente. Perceba que cores e energias você vê. As energias estão paradas ou se movem? Agora retorne ao Chakra da Base — é este que você equilibrará com a cornalina.

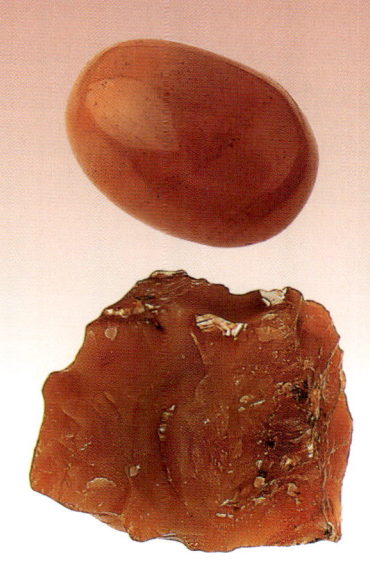

A cornalina polida ou bruta tem especial afinidade com as energias do Chakra da Base.

4. Segure a cornalina em sua mão não dominante, visualize novamente o Chakra da Base. Peça-lhe que fique equilibrado. Você pode até falar com ele — e lhe agradecer quando ele parecer equilibrado.
5. Retorne com vagar ao estado normal de consciência.

A visualização com o uso de cristais

Para essa visualização, você precisa de três pedaços pequenos de turmalina preta, embora um baste. Você vai criar raízes na mente inconsciente coletiva da humanidade.

1. Desligue o telefone e garanta que não será perturbado. Reserve cerca de 30 minutos para esse exercício.
2. Sente-se em uma cadeira de espaldar reto, de pernas cruzadas numa postura do yoga ou deite-se. Tire seus sapatos e meias.
3. A sua turmalina já deverá estar limpa (ver p. 68). Coloque um dos pedaços sob a sua coluna e sente-se sobre ele (se você tiver apenas uma turmalina, coloque-a nesse lugar); deixe os outros dois pedaços nas palmas de cada mão.
4. Comece a respirar profundamente. Faça isso por alguns minutos.
5. Tome consciência do chão sob você e comece a visualizar uma forte raiz crescendo na parte inferior de sua coluna para fora ao longo das solas dos pés.
6. Imagine que você é uma minúscula semente repleta de energia vital. Raízes pequeninas estão crescendo a partir de sua raiz espinhal, procurando nutrição e água na Terra. Sua tarefa é ver a rede de raízes absorvendo água e passando-a para o seu corpo por meio do Chakra da Base.
7. Agora veja a sua coluna como o tronco de uma árvore. Verifique se seu corpo está equilibrado de maneira delicada em cada lado de sua coluna.
8. Visualize a sua cabeça no elemento ar. Agora você consegue ver-se como uma árvore com raízes, tronco e ramos.
9. Olhe com atenção para os ramos: que tipo de folhas eles têm? Eles carregam flores ou frutos? Aceite o que quer que você veja.
10. Agora se concentre internamente, percebendo que você extrai a nutrição da Terra, assim como uma árvore. No mundo da vibração energética, nada está separado: você e a árvore são uma coisa só.
11. Quando estiver pronto para terminar, respire mais profundamente. Deixe desaparecer a visualização da árvore. Esfregue os pés, depois as pernas.
12. Segure todos os cristais na palma das mãos e, respirando sobre eles, agradeça pela sua energia.
13. Alongue o corpo, lembrando que você é uma árvore buscando a luz.

Se achar útil, tome nota de sua experiência ou faça um desenho de sua árvore.

A turmalina preta age contra a negatividade, ancora o Chakra da Base e alinha todos os chakras.

A visualização com o uso de cristais

Aromaterapia e Muladhara

Nosso sentido do olfato é agudo e podemos distinguir entre aqueles odores que consideramos ruins, ofensivos ou repulsivos e os que nos dão prazer. Óleos perfumados são usados desde os tempos mais remotos: em torno de 3500 a.C. as sacerdotisas nos templos egípcios queimavam a goma e a resina das árvores, como o olíbano, para limpar o ar e a mente; os gregos antigos e os egípcios tinham a habilidade de combinar todo tipo de ervas em esferas aromáticas de pasta oleosa para o tratamento de feridas e tratamentos cosméticos; e os romanos usavam óleos aromáticos para massagens.

Os brilhantes médicos árabes foram entre os primeiros a desenvolver um conhecimento abrangente das propriedades terapêuticas das plantas. Em torno do século XII, os "perfumes da Arábia" foram trazidos de volta à Europa pelos cavaleiros das cruzadas, embora o conhecimento de como des-

---

ÓLEOS ESSENCIAIS PARA O CHAKRA DA BASE

Os óleos essenciais que têm uma ressonância harmoniosa com o Muladhara são:

- **Madeira de cedro**: Origina-se da destilação a vapor da madeira. É antisséptico, antisseborreico, adstringente, diurético, emenagogo, expectorante, sedativo e inseticida.

- **Patchouli**: Esse óleo passa por destilação a vapor a partir de folhas secas e fermentadas e é muito popular na Índia e no Extremo Oriente. Ele age como antidepressivo, anti-inflamatório, antimicrobiano, antisséptico, afrodisíaco, desodorante, sedativo e um excelente inseticida.

- **Mirra**: Este é derivado de uma árvore arbustiforme, cuja casca produz uma resina marrom. É anti-inflamatório, antisséptico, adstringente, antiflatulento, emenagogo, expectorante, fungicida e sedativo.

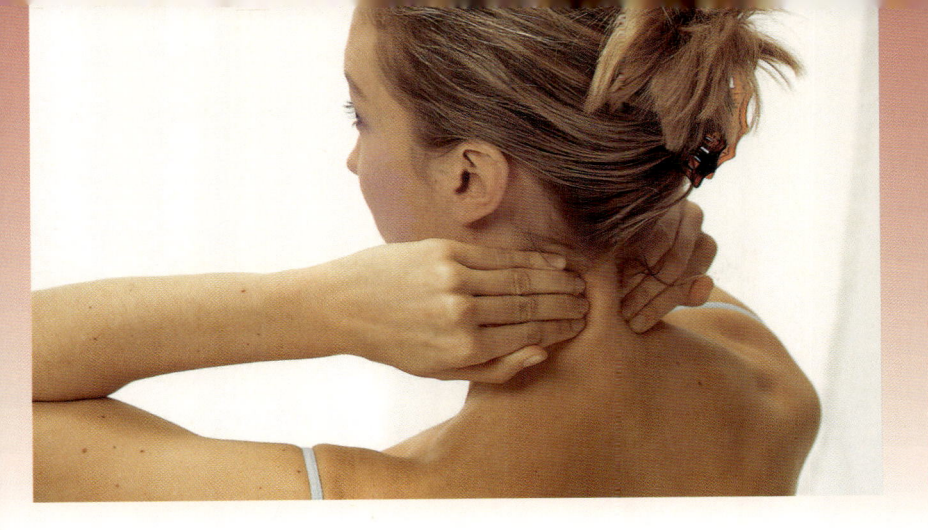

tilá-los tenha permanecido desconhecido na Europa por muitos séculos mais.

Nos primeiros anos do século XX, um químico francês, René Maurice Gattefosse, e o Dr. Jean Valnet começaram a fazer óleos essenciais. Durante a Primeira Guerra Mundial, Valnet os utilizou para tratar com sucesso diversas queimaduras, ferimentos de guerra e problemas psiquiátricos.

Advertência: Os óleos essenciais não devem ser usados em bebês e crianças menores de 12 anos. Durante a gravidez, o seu uso deve ser limitado a alguns óleos seguros recomendados por um aromaterapeuta.

Massagem simples de aromaterapia

Veja como é fácil realizar essa automassagem:

1. Na p. 57, veja as instruções sobre como misturar óleos essenciais com um óleo de base. Sente-se no chão numa postura confortável, coberto com uma toalha. Remova toda a roupa da parte superior de seu corpo, expondo o pescoço.
2. Ponha um pouco de óleo nas mãos e massageie o pescoço e os ombros, e aos poucos vá aumentando a pressão.
3. Trabalhe os músculos de cada ombro com firmeza, fazendo pequenos círculos de fricção.
4. Posicione as pontas dos dedos atrás da cabeça em cada lado do pescoço; e faça círculos de fricção para cima e para baixo nos músculos do pescoço.

Asanas de yoga para o Muladhara

Como vimos (pp. 64-7), começamos uma sessão de yoga equilibrando os chakras com um asana de equilíbrio em pé, como o Pranamasana (postura da prece). Fique simplesmente de pé com a coluna reta, como se uma corda a estivesse puxando para cima desde o topo da cabeça, e coloque as mãos juntas na posição de prece. Então prossiga, realizando os asanas recomendados e finalize a sessão com um asana de equilíbrio na posição sentada, tal como a Sirhasana (postura simples de sentar), Siddhasana ou Padmasana (postura do lótus), ou deitar-se em Savasana (postura do cadáver/relaxamento).

Ativo: virabhadrasana 1 (guerreiro)

Esse intenso asana em pé produz uma firme conexão com o prana que entra no Chakra da Base. Em termos físicos, ele fortalece as pernas e beneficia as costas. Ele também ajuda a descarregar o excesso de energias sexuais por meio do Chakra da Base, ao passo que os chakras dos pés e as áreas reflexas da reflexologia se beneficiam recebendo as energias da Terra. Além disso, os braços estendidos para cima conectam você com uma fonte mais elevada. O estado de consciência associado ao Muladhara é annamayakosha (sono profundo), que é vivido por meio do corpo físico. Conforme usa a respiração para se mover de um modo leve e fluido nesse asana, visualize-o como sendo de cor vermelha.

1 Fique de pé, com as pernas afastadas cerca de 1 metro. Vire o pé direito para a direita e curve o joelho direito até ele ficar alinhado com o tornozelo.
2 Mantendo as costas retas, estique ambos os braços acima da cabeça, unindo as palmas das mãos. Repita do outro lado.

Ativo: trikonasana (triângulo)

A forma exata de triângulo das pernas nessa postura é simbólica do movimento da energia da Terra que ascende pelos chakras, e tem início no Chakra da Base. Ela complementa o triângulo apontado para baixo da energia cósmica representada no yantra. Assim, começamos a trajetória para compreender o simbolismo do triângulo interligado que encontraremos no Chakra do Coração. Os benefícios físicos e a energia sutil dessa postura são semelhantes aos do asana Virabhadrasana 1.

1

1 Fique de pé, com as pernas afastadas numa largura maior que a dos ombros, formando um triângulo equilátero com o chão. Erga ambos os braços lateralmente até a altura dos ombros.

2 Gire o pé esquerdo para fora; devagar incline-se para a esquerda e segure firme o tornozelo esquerdo com a mão esquerda. O pescoço deve estar relaxado e a cabeça inclinada para o lado. O braço direito deve estar esticado acima da cabeça, paralelo ao chão. Repita do outro lado.

Passivo: garudasana (águia)

Garudasana é o penúltimo asana (número 15) na sequência de asanas que trazem benefícios às energias dos chakras, e demonstra que você chegou a um estado de quietude interna e equilíbrio por meio das práticas dos outros asanas. Essa postura beneficia joelhos, tornozelos e ombros e ajuda a evitar câimbras nos músculos das panturrilhas. Um tipo suave e calmo de energia está agora trancado dentro dos órgãos sexuais, à medida que você mantém esse equilíbrio para completar a sua prática de yoga.

1

1 Em posição vertical, com os pés unidos e as mãos dos lados do corpo. Dobre o joelho direito trazendo-o por cima do joelho esquerdo e encaixe o pé direito por trás da panturrilha esquerda. Equilibre-se.

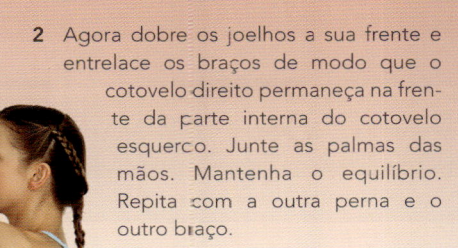

2 Agora dobre os joelhos a sua frente e entrelace os braços de modo que o cotovelo direito permaneça na frente da parte interna do cotovelo esquerdo. Junte as palmas das mãos. Mantenha o equilíbrio. Repita com a outra perna e o outro braço.

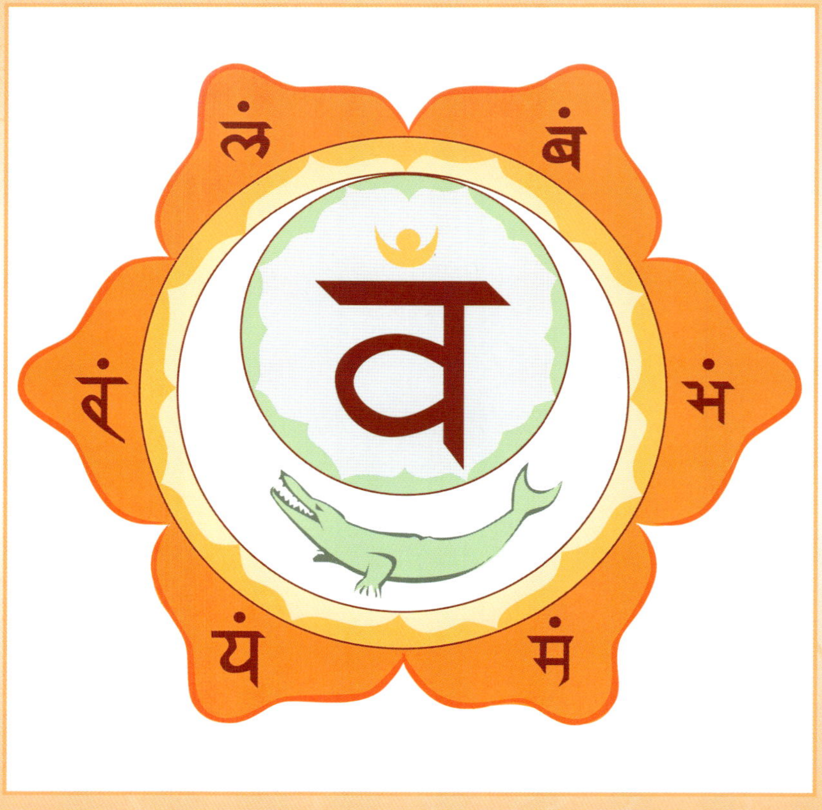
वं
बं
भं
मं
यं
रं
लं

Capítulo 3

O CHAKRA DO SACRO: SVADISTHANA

O Chakra Svadisthana

O Chakra do Sacro, ou Svadisthana, é também conhecido como o centro do baço e do umbigo, adhishtana, bhima, shatpatra, skaddala padma, wari-chakra e medhra. Na tradição tântrica indiana, Svadisthana pode ser traduzido como "a morada mais doce de alguém" ou "o lugar próprio de alguém".

No sistema de yoga kundalini do Shaktismo, o Svadisthana é descrito como tendo seis pétalas de lótus, mostradas de várias formas, na cor branca, açafrão ou laranja, que simbolizam sua conexão secreta com o elevado Sexto Estado de Consciência para o qual estamos evoluindo. As pétalas são associadas com: afeição, impiedade, uma sensação de completa destrutividade, ilusão, desdém e suspeita na via para o Sexto Estado. Svadisthana tem uma lua crescente no centro, o tattwa (verdade) da água. Esse segundo chakra corresponde ao elemento Água e é, tradicionalmente, associado com a energia sexual. Ele não corresponde aos órgãos sexuais (estes são a função de Muhadhara), mas à energia original de sustentação da vida por trás do impulso sexual. A lua crescente é também simbólica dos poderes misteriosos ocultos no interior da mente inconsciente e relaciona-se ao estado de consciência do sonho pré-racional.

As funções do Svadisthana

Os ensinamentos indianos ressaltam a importância do celibato, com o objetivo de elevar e transmutar a poderosa energia sexual, passando-a para o cérebro (ou, mais corretamente, o Centro Tan Tien Superior, para usar o paradigma taoista) e desse modo aumentar a consciência superior. Esse é realmente o princípio básico por trás do celibato em todas as religiões (inclusive o catolicismo). Na prática, contudo, esse nobre ideal costuma apresentar grande dificuldade, porque alguém que não esteja pronto a renunciar ao sexo físico pode tornar-se psicologicamente desequilibrado e cheio de culpa, ou voltar-se para a pedofilia, ou outras formas não naturais de sexo.

Quando o Svadisthana é plenamente desenvolvido, ele produz a radiância necessária para a união amorosa com uma outra alma, e estimula o desenvolvimento da consciência até a iluminação. Como esse chakra é relacionado à assimilação – da expressão sexual e do alimento, bem como de ideias e criatividade – ele costuma ser mencionado como o centro da autoexpressão e da alegria.

PRINCIPAIS CARACTERÍSTICAS NUM RELANCE

Cor	Laranja
Questões principais	Relacionamentos, violência, vícios
Localização física	Parte superior do osso sacro abaixo do umbigo
Área espinhal associada	Primeira vértebra lombar
Sistema fisiológico	Geniturinário
Glândula endócrina	Suprarrenais
Plexo nervoso	Do Sacro
Aspecto interno	Sentimento
Ação física	Reprodução
Ação mental	Criatividade
Ação emocional	Alegria
Ação espiritual	Entusiasmo

Questões de saúde e Svadisthana

O Chakra Svadisthana está intimamente ligado à glândula suprarrenal. O primeiro chakra, Muladhara, guarda e protege a forma física e reage ao stress, preparando o corpo para "lutar ou fugir" quando está em perigo ou é ameaçado. Essa mensagem é passada para o Svadisthana, deflagrando a liberação de adrenalina e iniciando então uma complexa mudança hormonal no corpo. Essa é uma reação normal, mas quando o stress é constante, ou prolongado de uma maneira não natural, ele se torna nosso inimigo. Então o corpo não sabe mais como desligar o excesso de secreções hormonais que fluem livremente; isso pode resultar em condições de stress crônico. Existem muitas doenças importantes que hoje estão clinicamente associadas com essa condição.

Quaisquer emoções negativas retidas no Chakra do Sacro, como a ira e o medo, podem acabar causando doenças. Atualmente, espera-se que devamos encarar nossos temores, mas isso nem sempre é apropriado; em vez disso, use esses temores como um alerta e comece a mudar seus padrões de comportamento, de um modo que lhe permita aprender com os eventos que causaram o stress ou o temor. Pessoas em situações de risco de vida descobriram que, às vezes, o seu temor é transformado quando elas enviam aos seus agressores um amor incondicional.

Sistemas corporais associados

Em termos sexuais, esse é o chakra do prazer que "nos liga". Portanto, ele tem um profundo vínculo com nosso relacionamento com os outros, nossas motivações para os relacionamentos e a medida de alegria que trazemos a eles. Segue-se, então, que encontros sexuais desequilibrados – que podem levar a doenças sexuais – estão associados com esse chakra. Sendo parte do sistema urinário ligado aos rins, o Svadisthana também tem íntima relação com a maneira como processamos água em nossos corpos. Outras doenças resultantes de disfunção desse chakra incluem colite, síndrome do intestino irritável, tumores no fígado, síndrome da má absorção intestinal e dor inexplicável da parte inferior das costas.

Glândulas endócrinas associadas

O Chakra do Sacro está ligado às glândulas suprarrenais que ficam acima de cada rim. Elas se relacionam à produção de adrenalina, cortisol e aldosterona. A adrenalina ativa o corpo quando estamos estressados ou assustados, aumentando rapidamente a frequência cardíaca e a pressão sanguínea. O cortisol reage contra a inflamação e afeta a digestão de carboidratos e proteínas; a aldosterona atua nos rins, retendo água e sódio.

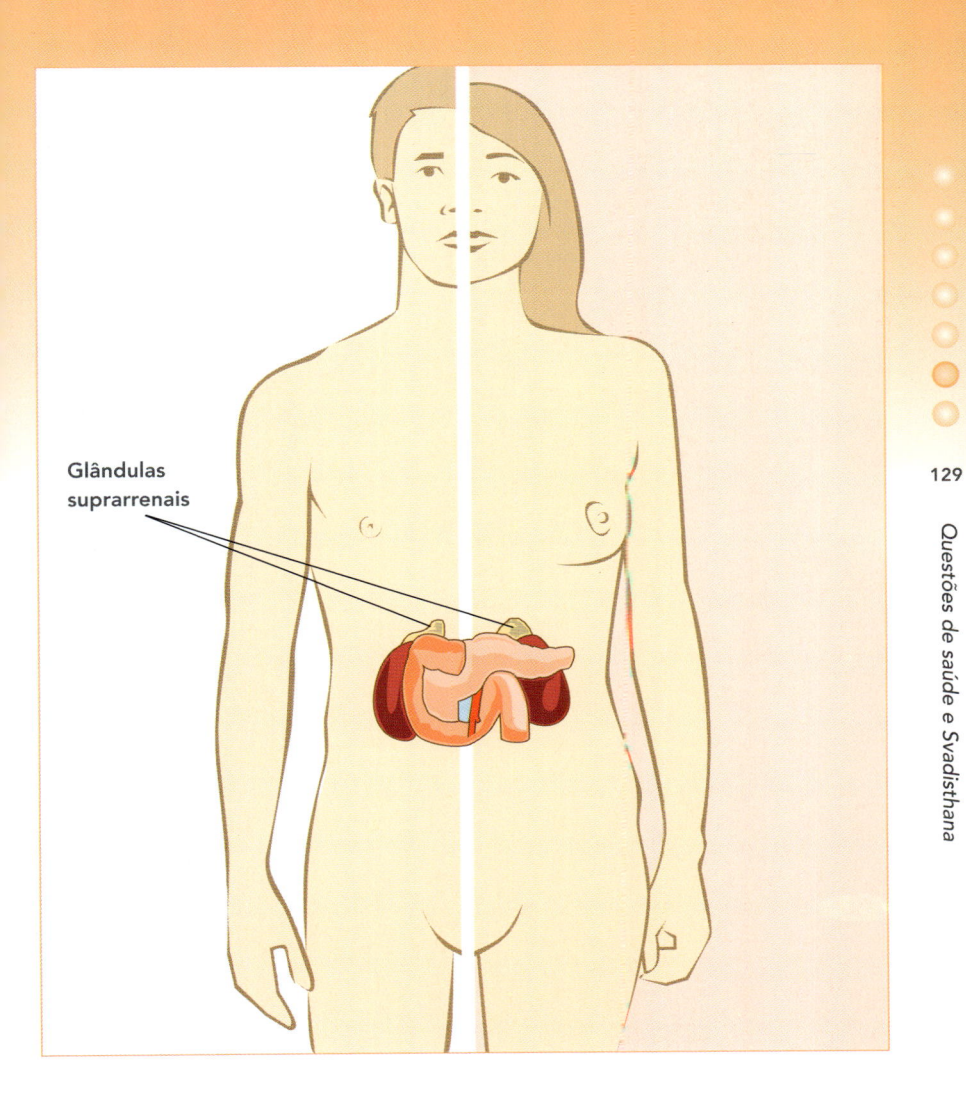

Glândulas suprarrenais

Questões emocionais e Svadisthana

Questões emocionais e Svadisthana. As impressões e respostas desse chakra foram desenvolvidas num momento subsequente ao nascimento de nossa consciência dos sentimentos. O stress que ele manifesta em pessoas adultas pode ser o resultado de seus primeiros anos, quando aprenderam como entender o próprio eu em relação à sua mãe. Nos ciclos de sete anos, ele é apropriadamente ligado à faixa etária de 8 a14 anos (ver a tabela nas pp. 84-5).

Problemas sexuais

O stress nesse chakra faz com que ergamos defesas para evitar nossos sentimentos verdadeiros, especialmente referentes a alguém do sexo oposto. Durante a relação sexual, quando a energia kundalini sobe do primeiro chakra para o segundo, ela pode ir contra uma "parede" de bloqueios, e um sentimento real de satisfação será impedido de se manifestar nos chakras subsequentes. Assim, o stress nessa área pode fazer que mudemos de um parceiro para outro, procurando satisfazer o anseio profundo de nos unirmos a outra metade de nossa alma. Alternativamente, podemos produzir um "parceiro fantasma" para nós mesmos ou para nossas fantasias sexuais.

Quando a radiância de Svadisthana começa a fluir mais livremente, a capacidade de sentir dor e prazer aumenta. Avançar além de nossas defesas, recuperar nosso verdadeiro eu e experimentar a intimidade amorosa pode se tornar um verdadeiro teste de coragem. É necessário abandonar medos passados e desilusões – todas as impressões energéticas desnecessárias mantidas nesse chakra.

Se estivermos inconscientes de nossas energias do Chakra do Sacro, iremos, sem perceber, alimentar sentimentos de controle rígido, superproteção, ciúme, ira e a incapacidade de receber amor. Svadisthana está associado com dependências de todo tipo e com uma necessidade desesperada de aprovação. Os xamãs e alguns curandeiros espirituais são capazes de drenar o resíduo tóxico de uma impressão negativa nesse chakra e, assim, dissolver a própria impressão.

Inversamente, quando estamos plenamente conscientes das energias positivas de Svadisthana, criamos as condições certas para nossas capacidades sutis e físicas de união com outra pessoa. Isso pode levar a um florescimento jubiloso da alma num caminho de iluminação. Esse estado requer um tipo de amor tenro e belo que damos e recebemos incondicionalmente. O amor incondicional não tem regras nem expectativas, nenhuma retribuição – é o tipo de amor que uma mãe dá ao seu filho, e pode ser encontrado em relacionamentos amorosos maduros.

O stress no Chakra do Sacro pode levar ao ciúme ou à incapacidade de receber amor.

Questões emocionais e Svadisthana

Como ativar o seu prana

Este exercício ativa o prana e o armazena no Hara/Tan Tien inferior/ Chakra do Sacro, que são centros tão contíguos que podem ser considerados como um só centro, localizado entre o umbigo e o osso púbico.

O Hara (em japonês) ou Tan Tien (em chinês) é um depósito de energia de extrema importância. Quando aumentamos o fluxo prânico em nosso campo áurico, fortalecemos todo o nosso complexo mente-corpo, e a visualização a seguir de uma bola de energia prateada no Hara/Tan Tien também purifica a respiração.

1. Posicione as pernas na mesma distância dos ombros, os pés apontando para a frente e os joelhos confortavelmente dobrados, como se estivesse em posição de sentar.
2. Pratique sete respirações profundas para relaxar.
3. Leve as mãos ao umbigo, com as palmas voltadas uma para a outra com uma distância de 20 cm entre elas.
4. Visualize estar segurando uma bola de energia de luz prateada, brilhante – o prana – entre elas.
5. Ao inspirar lentamente, expanda a bola afastando as mãos uma da outra.
6. Ao expirar lentamente, traga as mãos juntas para concentrar a energia prateada. Comece a sentir essa energia entre suas mãos.
7. Faça sete inspirações e expirações nesta posição, trazendo então a "bola de prata" próxima ao umbigo e "empurre-a" para dentro do seu corpo.
8. Agora, mantenha as mãos contra o umbigo e, fazendo mais sete respirações profundas, sinta a expansão e a contração do abdômen, e a bola de energia dentro de você aumentando e diminuindo em intensidade.
9. Finalmente relaxe e movimente um pouco o corpo.

> **Nota**: No Budismo Tibetano, que foi influenciado pelo Tantra indiano, o centro do umbigo (que está um pouco acima do Tan Tien inferior) constitui o centro de "fogo".

Este exercício para ativar o fluxo prânico no campo áurico o ajudará a fortalecer o complexo mente-corpo.

Fazendo amigos

Já vimos que a condição de plenitude no segundo chakra está relacionada com nossa capacidade de dar e receber amor – ao sermos amáveis e amados. Essas emoções humanas básicas estabelecem uma identidade positiva para nós, no nível profundo do nosso ser. Quando damos e recebemos amor incondicionalmente, podemos dar apoio emocional a outros – também de modo incondicional.

Esse chakra, portanto, também diz respeito a amizade – a capacidade de nos relacionarmos com os outros num nível mais profundo que o do cotidiano. Como é a amizade para você?

- Você sempre espera um "retorno" das outras pessoas?
- Faz julgamentos a respeito dos seus amigos?
- Ou fala mal deles pelas costas?
- Você às vezes sente inveja deles?
- Você sente ciúme deles?
- Você usa seus amigos porque eles têm influência em relação a outras pessoas?
- É importante para você ser visto "na turma"?
- Você é muito ocupado com seu trabalho para fazer amigos?
- Você se esforça para ajudar os amigos?
- Você tem amigos de diferentes idades, religiões e formações?
- Você procura ficar sempre em contato com eles, mesmo que morem muito longe?
- Você sente prazer em ver seus amigos felizes?
- Você sente uma satisfação verdadeira que eles tenham todas as coisas que você não tem?
- Você compartilha o que tem com eles?
- Você dedica tempo a nutrir suas amizades?
- Você sai para se divertir com seus amigos?
- Você pode estar com eles em silêncio e sentir-se confortável?

Talvez você não tenha *nenhum* amigo. Pergunte a si mesmo o motivo.

Numa amizade, não é necessário persuadir a outra pessoa, nem é necessário instigar mudanças. Apenas tenham um ao outro na mais alta estima e a mudança, se for necessária no seu relacionamento, acontecerá de forma natural.

Converse com seus amigos e nunca lhes imponha aquilo que você não deseja para si mesmo.

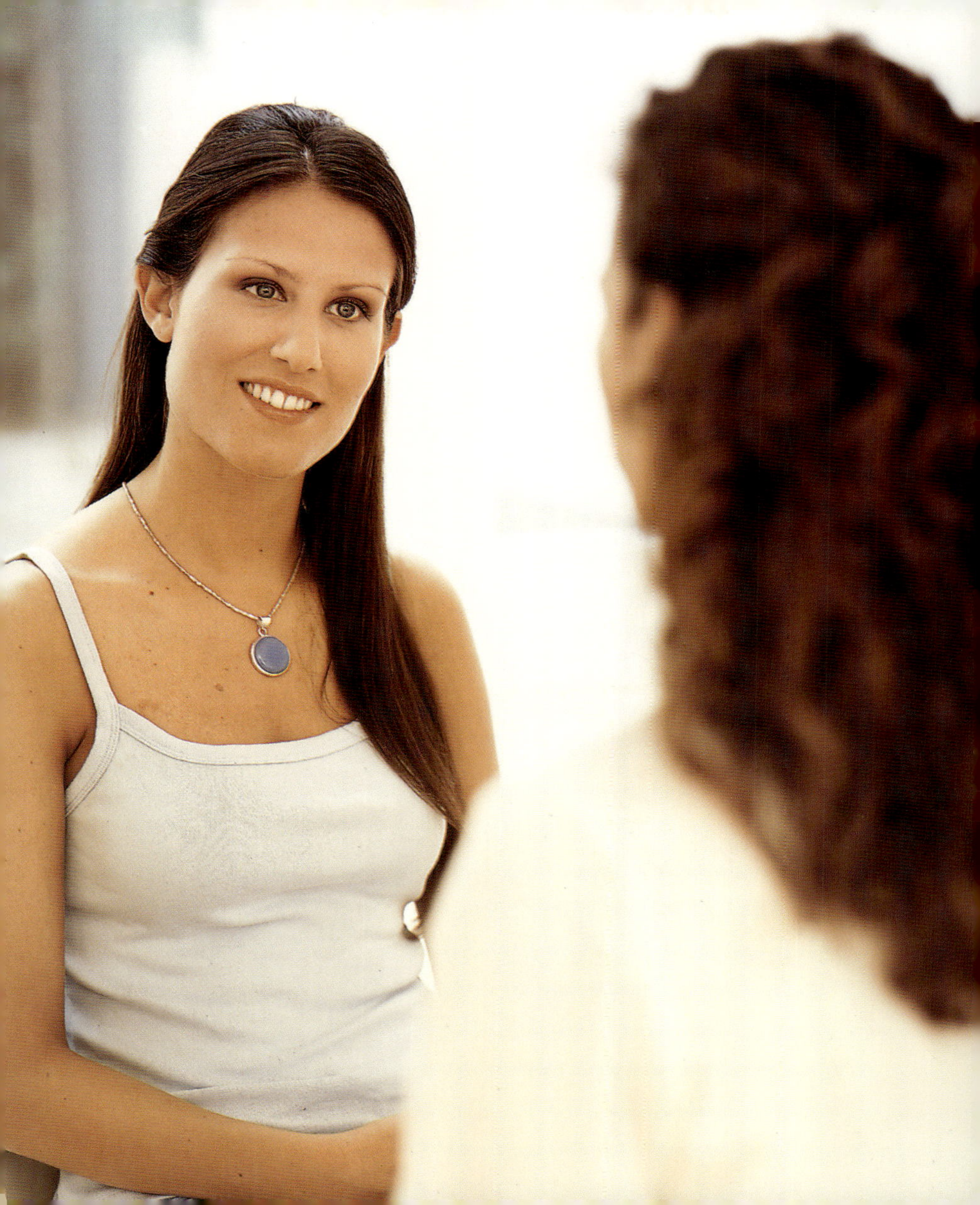

Criatividade e Svadisthana

Como acabamos de ver, o impulso criativo de vida surge da Mãe Terra e é recebido no primeiro chakra, movendo-se, a seguir, para o Chakra Svadisthana. A cor geralmente atribuída a esse chakra é laranja, sempre descrita como uma cor feliz. Na Índia, a cor laranja é usada nas vestes para indicar que um iniciado, um monge ou um sannyasin (alguém que desistiu da vida material para se integrar no mundo espiritual) alcançou um grau de iluminação relativo aos impulsos sexuais. Ele se elevou além da energia primitiva, geradora, impetuosa do Muladhara e está no processo de superar os sentimentos interpessoais do amor, desenvolvendo um amor pelo Divino em qualquer aspecto que esteja sendo considerado.

"Isto é bom para quem quer viver em algum tipo de isolamento espiritual, como um monge ou monja", eu posso ouvir você dizendo. Mas e a pessoa comum que quer viver no mundo e experimentar a vida plenamente? A resposta é que a superação das conotações sexuais desse chakra conduz você à criatividade em suas muitas formas:

- **Dança** Tradicionalmente oferecida aos deuses como uma celebração sagrada.
- **Canto** Origina-se da louvação ao Divino.
- **Yoga** O controle das atividades da mente.
- **Pintura/desenho** A celebração da autoconsciência.

Os chakras e a criatividade

Cada pessoa encontra sua própria maneira de desenvolver a criatividade. Algumas são criativas ao cozinhar, costurar ou escrever; ao fazer jardinagem ou em seus trabalhos. As ações criativas sempre geram um efeito benéfico nos corpos de energia-sutil e no corpo físico. Por exemplo: ao cantar ou entoar cânticos, as energias do Svadisthana são elevadas e expressas por meio do Chakra da Garganta.

A criatividade é uma realização preciosa para os seres humanos (os animais não são capazes de se exprimirem da mesma maneira). Com frequência, a criatividade é expressa por meio de nossas mãos; há chakras no centro das palmas (que estão energeticamente ligadas com o fluxo de energia do Chakra do Coração) e as linhas de meridianos da acupuntura terminam nas pontas dos dedos. Já foi demonstrado que unir as mãos na tradicional posição de prece (palma contra palma) aumenta a a efetividade da prece. É interessante notar que o muçulmano tem o hábito de cumprimentar alguém com um aperto de mãos e, em seguida, tocar seu próprio coração. Em muitas práticas espirituais, as mãos são cruzadas sobre o coração e no yoga e na dança indiana, os mudras (gestos de mão) constituem toda uma ciência que altera o fluxo de energia por meio das mãos de maneiras específicas.

Dedicar um tempo ao foco interno antes de iniciar qualquer atividade criativa traz muitos benefícios.

Dança e Svadisthana

A dança indiana está particularmente associada com as energias criativas de Svadisthana. É uma forma complexa tradicional, misturando nritta (o elemento rítmico) com nritya (a combinação de ritmo e expressão) e natya (o elemento dramático).

- Nritta é o movimento rítmico do corpo na pura dança. Ele não expressa qualquer emoção.
- Nritya é geralmente expresso pelos olhos, mãos e movimentos faciais. Ele inclui abhinaya, representando rasa (sentimento) e bhava (disposição).
- Nritya combinado com nritta compõem o programa usual de dança.

Dançarinos indianos no Rajastão expressando alegria na "dança da vida".

Para apreciar natya, ou a arte da dança, é preciso conhecer as lendas indianas. A maioria das danças indianas tem seus temas extraídos da rica mitologia e lendas folclóricas da Mãe Índia. Nas danças clássicas, os deuses e deusas indianos, como Vishnu e Lakshmi, Rama e Sita, Krishna e Radha, são todos personagens com um estilo colorido. Cada estilo de dança também se inspira nas histórias que têm sido passadas ao longo dos tempos, descrevendo de maneira vibrante a vida, a ética e as crenças do povo indiano.

Em todo o mundo, as danças tradicionais transmitem a alma dos povos e expressam uma necessidade profunda de usar o corpo humano para celebrar as grandes verdades universais da vida. A dança indiana faz precisamente isso de uma forma sagrada (porém vivaz). Ela é uma excelente maneira de começar a compreender os ricos costumes e tradições da Índia. A dança não apenas deleita o espectador, mas também traz grandes verdades dentro de suas formas.

A dança da vida

Observar uma dança indiana pode criar uma fascinação quase hipnótica. Feche os olhos por um momento e transporte-se para um templo indiano, ouça a música da cítara (uma espécie de alaúde) e o bater da tabla; imagine dançarinas com roupas de cores brilhantes rodopiando numa formação espiral, com sinos prateados em seus tornozelos, seguindo os ritmos complexos. Isso pode impelir você a saltar, tocar alguma música e criar sua própria dança para honrar a força da vida fluindo pelos seus chakras.

Desperte seus chakras por meio da dança

Uma boa maneira de equilibrar os chakras é usar música ou dança. Faça o seguinte exercício intuitivo de dança ao anoitecer, e acenda algumas velas, todas da mesma cor, em seu quarto. Coloque uma música (clássica ou não) que especialmente o inspire.

1 **Esqueça** tudo o que você já aprendeu sobre passos e sequências de dança.
2 **Fique** de pé e silenciosamente entre em contato com suas energias internas. Então, respirando profundamente, imagine que está inalando a cor das velas que você escolheu para acender.
3 **Visualize** a música trazendo cores para as partes de seu corpo em que elas são mais necessárias.
4 **Mova-se** e deixe a música inspirá-lo, concentre-se naquelas partes de seu corpo em que sentir necessidade da cor. Deixe seus pés (e não sua mente) dirigir a dança.
5 **Flua** deixando a música fluir no resto de seu corpo. Solte seus movimentos e dance com abandono, de modo que você use todo o espaço do quarto. Talvez você queira girar, mover-se em círculos, saltar ou talvez sinta uma calma interior enquanto mantém uma posição específica. Deixe que a música o leve para o chão, onde você poderá mover-se e alongar-se o quanto quiser.
6 **Pare** quando a música terminar; sua dança terá chegado ao fim naturalmente. Ao terminar, desfrute o silêncio e a calma ao seu redor.
7 **Descanse** por alguns minutos. Todos seus chakras estarão agora recarregados, refrescados e harmonizados.

Shiva, o Senhor da Dança Cósmica, supostamente revelou 8.400.000 posições corporais para a humanidade. A dança dele simboliza o movimento divino. Nós, também, podemos dançar com um movimento extático para equilibrar os nossos chakras.

141

Desperte seus chakras por meio da dança

A sabedoria de Svadisthana

Bhagwan Shree Rajneesh (hoje chamado de Osho) foi um personagem controverso, mas iluminado, durante as décadas de 1970 e 1980, que teve seguidores no mundo inteiro, conhecidos como *sannyasins*, cujas roupas laranja os tornavam populares. Um de seus ensinamentos diz que a vida é um mistério.

Vivemos hoje em um mundo repleto de escolhas, cada um de nós pode viver a vida da maneira como escolher: na alegria ou no desespero. Nossa vida não vem pronta, ela é algo que criamos. Osho ressaltou que um judeu cria uma vida judaica; um cristão, uma vida cristã; um muçulmano, uma vida islâmica, e assim por diante. É isso que as pessoas têm feito durante séculos. Mas agora é tempo de mudar isso, porque esses tipos de vidas nos mantêm limitados e não nos permitem entrar em contato com a vida "como ela é". Quando superpomos a religião ou a filosofia à vida, isso a torna distorcida, dando-lhe uma "cor" particular. E então nos tornamos incapazes de ver a vida em sua pureza. Osho ensinou que uma minúscula folha de grama, a menor folha, é tão significativa como a maior das estrelas. A menor das coisas é também a maior, porque tudo é uma unidade.

Viver a vida "como ela é"

Quando perguntado: "De que maneira podemos viver uma vida livre?", ele respondeu: "Minha mensagem é muito simples: viva a vida tão perigosamente quanto possível; viva a vida de maneira total, intensa, apaixonada, porque não existe outro Deus, além da própria vida". Ele disse que não estava negando Deus, mas estava, pela primeira vez, trazendo Deus a uma perspectiva real, tornando-o vivo, trazendo-o para mais perto de nós, mais perto do que o nosso coração – porque ele é o nosso próprio ser, no qual nada está separado, mas existe aqui e agora. Por meio da pesquisa da sexualidade, da dança, da música e de movimentos desinibidos e espontâneos, Osho pede a seus sannyasins que se embebedem de Vida – para saborear a doçura e a poesia no vinho da Vida a qualquer momento.

Começamos a trajetória pelos chakras pelo Muladhara – agora estamos realmente chegando ao Svadisthana, no qual podemos começar a nos expressar plenamente. Podemos optar por ouvir as palavras de Osho e nos permitir ficar tomados pela vida, em todas as suas formas, dimensões e cores – pelo arco-íris inteiro, todas as harmonias da música, a meditação profunda.

Vestindo roupas laranja características, os sadhus e sannyasins se reúnem em festivais na Índia para limpeza e purificação.

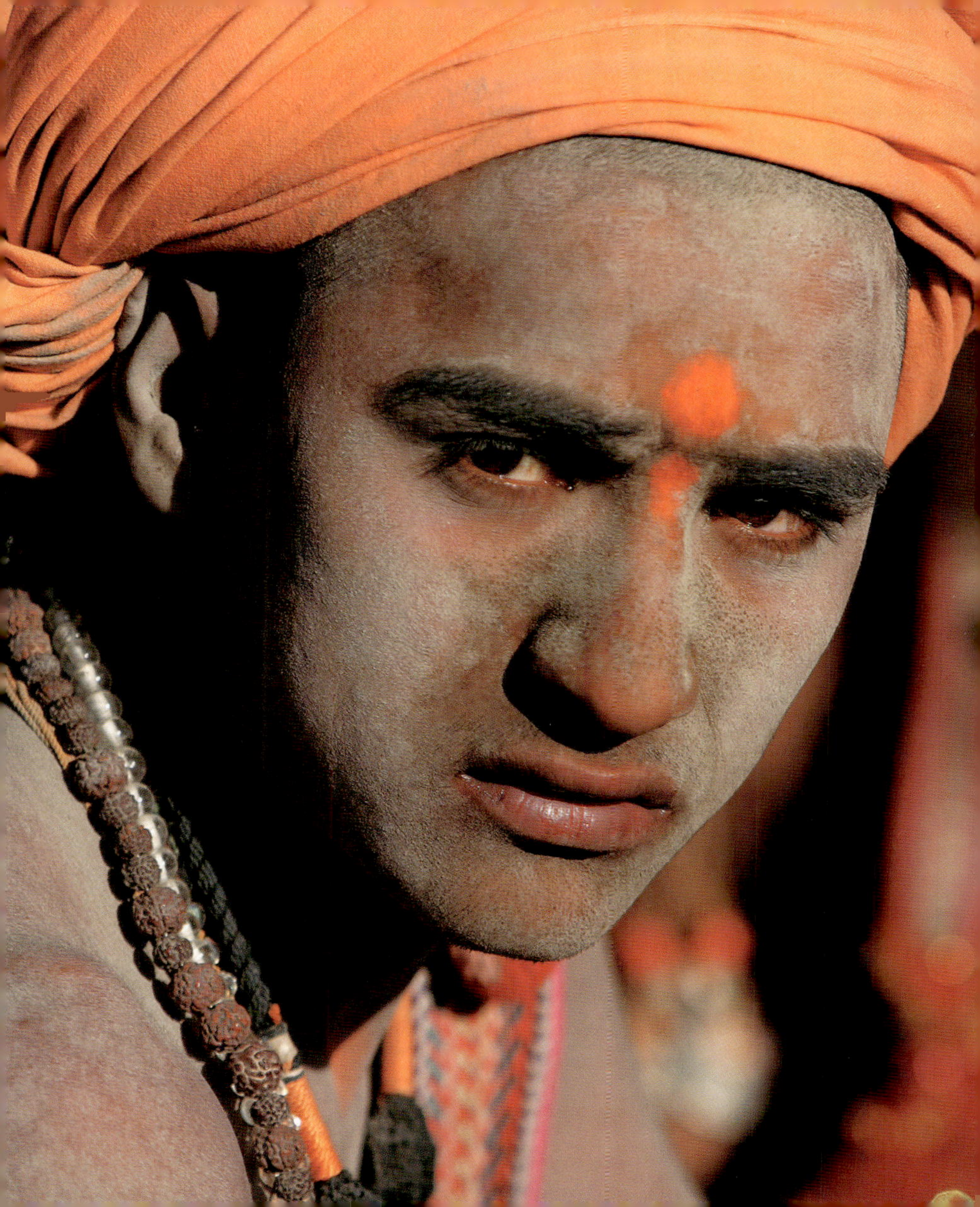

O yantra de Svadisthana

O interior de Svadisthana é branco, brilhante, e tem a natureza da água, na forma de meia-lua, imaculada e branca como a lua outonal. Aquele que medita sobre esse lótus imaculado, se liberta imediatamente de todos os seus inimigos (Kama – luxúria, Krodha – raiva, Lobha – avidez, Moha – ignorância, Matsaryya – inveja).
Sat Cakra Nirupana

Descrição do yantra
Número de pétalas Seis
Cor vermelho-alaranjada nos textos antigos; atualmente, de modo geral, é laranja.
Elemento Água, a essência da vida
Lua crescente Regeneração
Makara jacaré mítico com rabo de peixe. O seu movimento serpentino reflete os aspectos sensuais de alguém dominado pelo seu segundo chakra. O jacaré está também associado ao poder sexual, um vez que sua gordura era usada antigamente para promover a virilidade masculina.

O bija mantra
O bija mantra de Svadisthana (ver pp. 80-1) é VAM, que, ao ser entoado, nutre e purifica os fluidos corporais e produz alinhamento com as águas.

Meditação do yantra para respiração das cores
1. Coloque o yantra Svadisthana à sua frente.
2. Comece a respirar suavemente.
3. Agora comece a "respirar" a cor laranja das seis pétalas do lótus. Para fazer isso, visualize a cor intensamente à medida que você inspira – deixe o laranja fluir pelo interior do seu corpo enquanto segura a respiração por um momento; deixe que ela remova toxinas e bloqueios do seu corpo à medida que você expira.
4. Depois de no mínimo dez minutos, comece a visualizar o círculo azul e a lua crescente de Svadisthana.
5. Novamente continue por alguns minutos, conforme o elemento água dentro do seu corpo é estabilizado e o chakra, equilibrado.
6. Quando estiver pronto para terminar, reconheça a ajuda recebida de reinos invisíveis e volte a respirar normalmente.
7. Para evitar a sensação de estar "fora de órbita" após uma meditação, coloque uma pedra sob cada um dos pés durante a meditação. Quando terminar, ponha as duas mãos espalmadas no chão por um momento. Finalmente, relaxe e beba um copo de água pura.

O yantra de Svadisthana

As divindades associadas ao Svadisthana

Vishnu

Vishnu é o Preservador, que equilibra as energias criativas de Brahma e as energias destrutivas de Shiva. Ele está associado ao segundo chakra, à sede de procriação, porque representa a preservação da raça humana. Vishnu é representado com a pele azul e usando uma guirlanda de flores silvestres em torno do pescoço. Vishnu segura quatro símbolos-chave em suas mãos:

- **Uma concha** que remete à importância da capacidade de ouvir; ela também representa o som puro que pode trazer a iluminação e a libertação.
- **Um disco** girando um seu dedo indicador, que mostra a necessidade de concentração ou a roda do tempo.
- **Uma clava ou arma de guerra** nos lembrando de que temos de lutar para subjugar nosso ego.
- **Um lótus rosa** símbolo da iluminação espiritual.

Rakini

Rakini, a deusa associada a este chakra, é um aspecto de Sarasvati, a esposa de Brahma. Ela está ligada tanto à arte quanto à música. Em suas mãos, ela segura:

- **Um tridente** que representa a unidade mente-corpo-espírito.
- **Um machado de guerra** que nos lembra da luta para superar os atributos negativos.
- **Um tambor de duas extremidades** representando o tempo e o ritmo da vida física.
- **Uma flor de lótus** mostrando que o desenvolvimento espiritual é possível a todos. O seu machado e o tridente são símbolos da deusa do fogo Agni. Assim, embora o elemento básico do chakra Svadisthana seja a água, o fogo a transmutará em vapor. Esses símbolos indicam que nós também podemos realizar a transmutação da consciência num nível mais alto.

Cristais para ativar Svadisthana

As principais pedras preciosas usadas para ativar o Chakra do Sacro são a opala de fogo e a cornalina. Outros cristais que se pode usar são a simples calcita laranja e o topázio amarelo cintilante. A calcita laranja opera num nível físico básico. A sua ação é purificadora e eficaz no equilíbrio das energias que causam a Síndrome do Intestino Irritável (SII), deslocando padrões condicionados indesejáveis para fora por meio do Chakra do Sacro. Ela também equilibra as emoções, inspirando confiança. O topázio amarelo é uma gema vibrante altamente evoluída, que possibilitará a saída dos desequilíbrios energéticos (nos níveis espirituais elevados) pelo Chakra do Sacro, *após* o uso da calcita laranja nos níveis físicos.

Opala de fogo

Como todas as opalas, a opala de fogo tem um grande conteúdo de água, mas reluz como lampejos vermelhos de "fogo". Ela estimula a criatividade. Em termos psicológicos, se diz que ela desloca os bloqueios emocionais por causa de sua associação com a água. Inversamente, a sua natureza ígnea é bastante evidente e intensifica a

O topázio amarelo (esquerda) ajuda a superar as limitações. A calcita laranja (direita) equilibra as emoções e ajuda a superar os medos.

manifestação de nosso próprio fogo interno: em termos negativos como raiva ou, em termos positivos, levando o Chakra do Sacro ao desfrute de nossa própria sexualidade, que leva à iluminação à medida que a radiância se move pelo canal da kundalini. Os curadores podem escolher a opala de fogo para os desequilíbrios energéticos dos rins e do sangue, ajudando a purificação. Ela traz benefícios para os olhos quando usada como uma essência ou elixir de cristal. A opala nos foi oferecida pela Terra em muitas cores diferentes, e cada uma tem propriedades curativas específicas.

Cornalina

Esta gema varia na cor, desde o rosa até o laranja-escuro. Ela tem uma forte influência no Chakra do Sacro. Por esse motivo, é recomendada para equilibrar em termos energéticos os problemas da parte inferior das costas, o reumatismo e a artrite. A cornalina também ajuda os rins a regular as suas energias líquidas. Tradicionalmente, a cornalina é considerada uma pedra protetora, e nos tempos célticos ela era parte do arranjo de pedras preciosas engastado no peitoral da armadura do guerreiro, ou das joias que o acompanhavam até a vida após a morte.

A opala de fogo (na parte superior) ou a cornalina polida (no meio e na parte inferior) são excelentes para ativar o Chakra Svadisthana.

Cristais para acalmar Svadisthana

A esmeralda é considerada "a pedra do amor realizado"; ela encoraja a amizade, acalma as emoções e traz sabedoria. As esmeraldas antigamente eram usadas para proteger da epilepsia, um estado clínico assustador quando não é compreendido. Elas também eram consideradas um antídoto para o veneno, um "risco ocupacional" nos tempos medievais, quando os reis usavam um anel de esmeralda por esse motivo. A cor e a vibração da esmeralda são em geral calmantes para o Svadisthana.

É possível obter pequenos pedaços de esmeralda bruta, que são baratos, ou uma gema lapidada, que é muito mais cara. O fato de o cristal ser grande ou pequeno não faz diferença em relação ao *tipo* de energia que carrega; ele tem a mesma vibração com um quilate ou com dez. Entretanto, haverá *mais* energia disponível se ele for maior. Gemas lapidadas e polidas transmitem mais luz por meio delas do que as brutas ou menos preciosas. As pedras são consideradas "preciosas" por causa de sua raridade, o que é refletido em seu preço. Na verdade, os diamantes não são raros, mas os governos e as multinacionais controlam o seu preço e disponibilidade.

Atribui-se à esmeralda a intensificação dos poderes psíquicos e da clarividência.

Como usar a esmeralda para se acalmar

Esse exercício é mais eficaz se você praticar primeiro a técnica de relaxamento mostrada na p. 44. Faça um pequeno arranjo com cristais (veja ilustração à direita) na região do sacro.

1 Limpe (ver p. 68) e dedique todos os cristais que você vai usar.
2 Com cuidado, coloque uma esmeralda no centro do Chakra do Sacro e seis pedaços pequenos de quartzo claro apontados para ela (ver à direita).
3 Aguarde em estado meditativo por dez minutos, para que o chakra se acalme, ou até que "saiba" que deve remover os cristais.
4 Volte vagarosamente ao estado de consciência do dia a dia, ou normal.

Se não tiver uma esmeralda, as pedras mais densas de cor verde serão apropriadas para equilibrar um Svadisthana com excesso de energia. Tente usar a aventurina verde, a amazonita ou a calcita verde, caso o desequilíbrio da energia esteja relacionado a uma condição física que se manifeste como um mal-estar ou uma sensação de angústia. Será preciso enviar muito amor incondicional para começar a mudar o problema. Como regra geral, primeiro comece a curar o corpo físico, em seguida trabalhe os níveis sutis da aura e do sistema de chakras. *Por esse motivo, os cristais que operam num nível vibracional não devem ser usados como substitutos do tratamento médico.*

Não é preciso se despir para que os cristais façam efeito, mas é útil vestir roupas de algodão branco quando se submeter a uma terapia de cristais.

Cristais para equilibrar o Svadisthana

A pedra da lua e a água-marinha são ideais para se usar no Chakra do Sacro, por causa de suas associações com o elemento da Água. A pedra da lua tem sido tradicionalmente valorizada por diminuir a insônia e desenvolver habilidades psíquicas. Ela age especialmente sobre o impulso de energia feminina. A água-marinha é considerada fortalecedora na adversidade e tradicionalmente se acreditava que ela protegia contra as forças do mal. De perspectiva de cura espiritual, a água-marinha alinha o nosso corpo físico com a totalidade de nosso campo de energia sutil. Em termos energéticos, ela ajuda a limpar os rins e o sistema geniturinário.

A pedra da lua, chamada de "Mãe Pedra", é usada em todas as partes do corpo que "respiram" num ciclo.

Com fazer uma essência de cristais pelo método direto

Uma essência de cristais (ou elixir de gemas) atua na mente, no corpo e no espírito – assim como o fazem as essências florais e os remédios homeopáticos. Entretanto, as essências de cristais geralmente afetam o corpo físico com maior eficácia que as essências florais, mas menos efetivamente que os remédios homeopáticos.

Qualquer cristal que seja duro o suficiente para ser polido pelo rolamento pode ser usado para fazer uma essência de cristais, mas você deve garantir que ele não seja solúvel em água e não tenha nenhuma qualidade venenosa ou metálica. Em caso de dúvida, use o quartzo claro, porque ele equilibra todos os chakras. Para combater os problemas femininos associados com o desequilíbrio de energia no Svadisthana, tal como períodos menstruais dolorosos ou irregulares, uma pedra da lua é o ideal; é também recomendada para livrar o corpo de toxinas e das ansiedades emocionais associadas com questões maternas.

1 Limpe psiquicamente a pedra da lua e lave-a em água pura (ver p. 68).
2 Tenha clareza quanto ao que deseja alcançar; em seguida, peça a orientação do cristal e siga a sua intuição.

A água-marinha, lapidada ou natural, parece água congelada; por isso é o cristal ideal para trabalhar nossos "mares internos" emocionais.

---

3. Coloque o cristal num copo comum de vidro claro, com água destilada ou mineral natural e cubra-o com uma folha de papel branco ou vidro claro.
4. Deixe-o no sol (ou na luz do dia) por aproximadamente 3 horas.
5. Remova o cristal, agradeça ou o abençoe.
6. Beba a água aos poucos no decorrer do dia. Ela terá sido codificada com as vibrações benéficas do cristal: esta é uma impressão etérica; nada físico é transferido.
7. Se você desejar manter a essência por um tempo maior, conserve-a em conhaque puro ou vodca (50% de água para 50% de álcool) e armazene-a em uma garrafa de cor escura afastada do sol ou do calor (uma garrafa azul é o ideal). As garrafas armazenadas não devem encostar umas nas outras, e você deve sempre mantê-las longe de perfumes fortes ou poluentes químicos.

Exercício de respiração

O Pranayama é uma prática yogue para controlar as energias sutis com a sua respiração. O exercício seguinte é uma maneira simples de você se preparar. Vale lembrar que alguns dos métodos mais intensos de respiração devem ser aprendidos apenas sob a supervisão de um professor.

As tradições orientais que trabalham com energias sutis sempre encorajaram os praticantes a "respirar com sua barriga"; elas se referem a esse processo como "energizar o Hara". O Hara está localizado em uma região semelhante àquela associada com o Chakra do Sacro – isto é, a parte inferior do abdômen. Um bebê pequeno costuma usar essa respiração abdominal ao dormir um sono profundo. Esse é o modo mais natural de respirar; no entanto, caso você fume, pode descobrir que a sua capacidade pulmonar é limitada. O objetivo deste exercício é energizar os pulmões completamente com prana. Como a respiração abdominal também beneficia a maior parte do corpo físico e os principais chakras, ela é grandemente valorizada por suas propriedades terapêuticas. Ela se transformou na prática do pranayama: a respiração completa do yoga.

Prática do Pranayama

Essa prática é realizada com a respiração completa e profunda do yoga feita pelo nariz. Neste estágio de aprendizagem, permita que seu abdômen se erga à medida que a parte inferior dos seus pulmões se enche de uma entrada lenta de ar. Agora, na mesma respiração, encha a parte média de seus pulmões, expandindo sua caixa torácica. Finalmente, ainda na mesma inspiração, encha a parte superior e posterior de seus pulmões de ar. Segure a respiração por um momento, tendo consciência de seu efeito no Chakra do Sacro na barriga. Agora, *muito lentamente,* solte o ar pela boca. Com a prática, isso se tornará uma respiração fácil.

1 Fique na posição vertical, com os pés afastados na largura dos ombros e os joelhos ligeiramente dobrados, com a coluna reta.
2 Inspire profundamente, conforme descrito anteriormente, depois erga ambos os braços até que fiquem acima da cabeça, com os dedos se tocando. Diga a si mesmo ou em voz alta: "Que a energia prânica flua para dentro de mim".
3 Vagarosamente, expire e abaixe os braços, passando as mãos sobre cada um dos sete chakras. Diga: "Que essa energia equilibre os meus chakras" à medida que as mãos passam por cada um deles. Perceba quaisquer sensações nas mãos ou nas diferentes áreas dos chakras.

Faça essa respiração no mínimo sete vezes, ou, idealmente, três sessões de sete vezes, com um curto intervalo de respiração normal entre cada sessão de sete.

Nota: É importante não forçar a respiração além de sua medida de conforto.

Aromaterapia e Svadisthana

Várias ervas, plantas e essências florais trazem benefícios ao Svadisthana. O trevo-violeta, a groselha e a erva-doce podem trazer benefícios ao Chakra do Sacro.

ÓLEOS ESSENCIAIS PARA O CHAKRA DO SACRO

Os principais óleos essenciais que apresentam uma ressonância harmônica com o Svadisthana são:

- **Sândalo** Este óleo tem uma correspondência vibracional com o Svadisthana. Ele vem de uma árvore perene tropical e seu óleo essencial é destilado a vapor a partir do cerne e das raízes. Ele é antidepressivo, antisséptico, afrodisíaco, antiespasmódico, adstringente, bactericida, expectorante e sedativo.

- **Jasmim** Este é um lindo arbusto florido, cujo perfume forte é produzido pela extração por solventes. Ele é analgésico, antidepressivo, anti-inflamatório, antisséptico, afrodisíaco, sedativo e tônico uterino.

- **Óleo de rosa** É obtido da extração por solventes ou destilação a vapor. São necessárias cerca de 30 rosas perfeitas e especialmente cultivadas para fazer apenas uma gota do óleo essencial. O seu uso principal no Chakra do Sacro é como afrodisíaco, embora também seja considerado antidepressivo, antisséptico, emenagogo, hepático, sedativo e uterino.

- **Ylang-ylang** Estas flores vêm de uma árvore tropical chamada cananga. Apresenta um perfume voluptuoso e exótico, usado como afrodisíaco. É também antidepressivo, antisséptico e sedativo. Seu uso ajuda a dissipar a raiva armazenada na área do Chakra do Sacro.

- **Champaca** Este é um óleo exótico da Índia pouco conhecido, obtido da extração por solventes. É afrodisíaco, antidepressivo e estimulante.

Banho aromático

Pode ser muito agradável explorar a sensualidade com óleos exóticos. Um banho com água aquecida ajuda você a relaxar e absorver os óleos. Assim, é excelente banhar-se antes de ir para a cama. Qualquer um dos óleos mencionados acima é adequado.

1. Encha uma banheira com água morna (não quente), e acrescente até cinco gotas de óleo essencial (5 ml), que podem ser uma combinação de óleos.
2. Misture a água com as mãos, depois entre na banheira e relaxe por quanto tempo desejar.
3. Faça de seu banho uma ocasião especial, acenda velas associadas com a cor do chakra (nesse caso laranja) e acrescente flores flutuantes na água também.

Advertência: Evite que a água do banho entre em contato com os olhos. Use óleos essenciais variados, para evitar o acúmulo de um só tipo em seu corpo. Consulte um aromaterapeuta se estiver grávida. Não use óleos essenciais em crianças com menos de 12 anos, mesmo no banho, exceto com supervisão qualificada.

Asanas de yoga para Svadisthana

Ativo: parivrtta trikonasana (triângulo torcido)

Parivrtta trikonasana tem o mesmo efeito nos fluxos de energia que os asanas (posturas) do Chakra da Base (ver pp. 118-23), mas o movimento de torcer ajuda a focar a energia na região do Chakra do Sacro. À medida que você "respira dentro" desse asana, visualize uma luz de cor alaranjada entrando nos seus pulmões para ajudá-lo.

1 Em pé, afaste os pés a uma distância de 1 metro. Gire o pé direito 90 graus para a direita, de modo que seu corpo se volte para a direita, com o pé esquerdo ligeiramente virado para agir como uma base forte. Gire o seu corpo em direção à perna direita, levando a mão esquerda ao tornozelo ou ao chão, além do seu pé direito (para uma posição avançada).

2 Alongue o braço direito para cima até ele formar uma linha reta com o braço esquerdo. Repita do outro lado.

Ativo: utthita parsvakonasana (postura do ângulo estendido para o lado)

Esse asana alonga cada parte do corpo, mas especialmente os tendões das pernas e a coluna. O peito, os quadris e as pernas devem estar alinhados para realizar a postura. A região do Svadisthana torna-se o centro de equilíbrio; assim, a energia é concentrada ali e pode fluir sem interrupção através da coluna e das nadis associadas. O estado de consciência associado com o Chakra do Sacro é o pranamaya kosha (sono com sonhos), que é vivido em níveis bioenergéticos. Do mesmo modo, com os outros chakras, você pode usar o yantra ou a luz colorida apropriada enquanto se concentra.

1 Fique de pé, com os braços estendidos acima da cabeça e os pés juntos. Dê um pulo e separe os pés em 1,5 metro de distância. Estenda os braços de cada lado, na altura dos ombros. Gire o pé esquerdo 90 graus para o lado esquerdo, mantendo a perna direita alongada, e o joelho firme. Dobre o joelho esquerdo de modo a fazer um ângulo de 90 graus.

2 Coloque a palma esquerda no chão ao lado do pé esquerdo. Alongue o braço direito acima da orelha direita. Olhe para o teto. Alongue a coluna e a lateral de seu corpo. Repita do outro lado.

Passivo: natarajasana (postura de Shiva)

"Nataraj" significa "Rei dos Dançarinos" (em sânscrito, *nata* = dança e *raja* = rei) e é a forma de dança do Senhor Shiva, uma síntese simbólica dos aspectos mais importantes do Hinduísmo e dos Vedas. Quem executa o Natarajasana da forma mais bela são as bailarinas e os dançarinos de gelo. A postura torna as pernas fortes e flexíveis. Ela requer extrema concentração para ser feita por alguns minutos e, durante essa concentração, o foco deve ser na região do Chakra do Sacro. Após a prática de yoga, é justamente essa área que irá "ancorá-lo" novamente à terra (falando em termos energéticos). No chão, a uma curta distância de você, coloque a ilustração do yantra. Se estiver praticando essa postura ao ar livre, dirija naturalmente seu olhar fixo para o horizonte.

1

1 Equilibre-se sobre o pé esquerdo ao mesmo tempo que ergue o braço esquerdo acima da cabeça. Dobre o joelho direito e erga-o atrás de você, até que a mão direita segure o pé direito. Relaxe e mantenha o equilíbrio.

2 Erga o pé direito mais para cima e alongue o braço esquerdo para a frente. Relaxe e mantenha o equilíbrio. Repita com a outra perna.

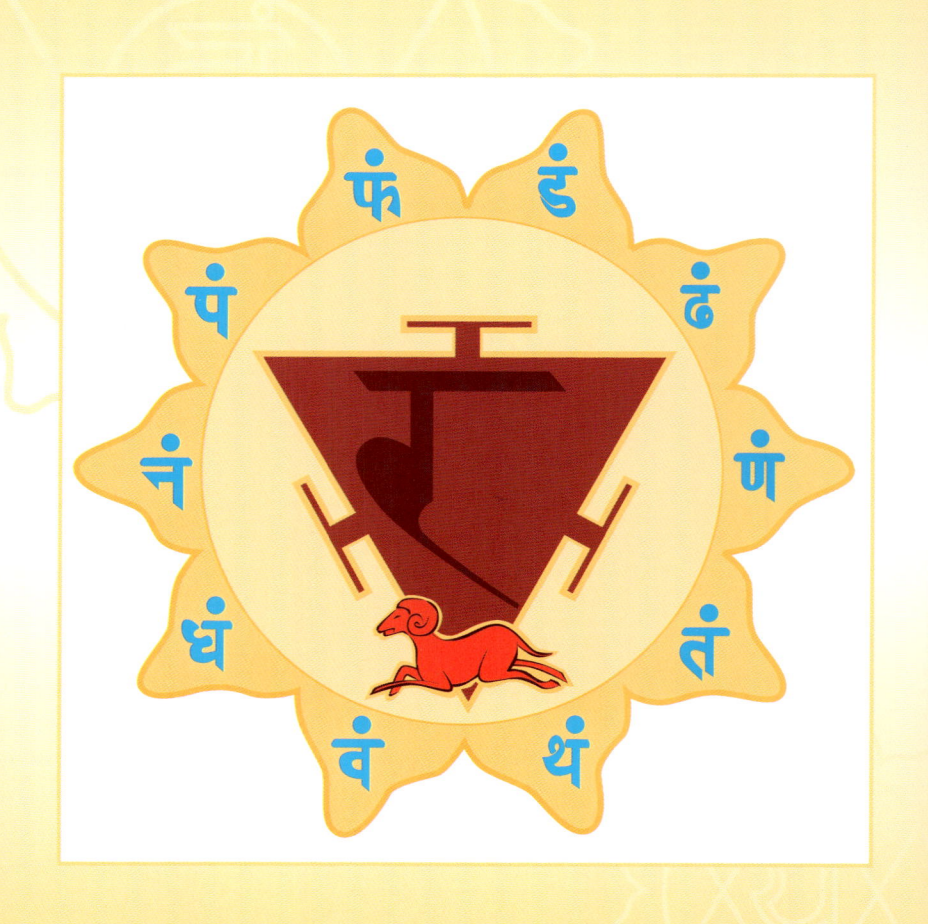
फं
डं
ढं
णं
तं
थं
वं
धं
नं
पं

Capítulo 4

O CHAKRA DO PLEXO SOLAR: MANIPURA

O Chakra Manipura

O Chakra do Plexo Solar, ou Manipura, é também chamado de manipuraka, dashapatra, dashadala, padma, dashapatrambuja, dashachchada, nabhi, nabhipadma e nabhipankaja. Esse chakra é tradicionalmente localizado no umbigo (daí o nome alternativo de nabhi ou chakra do umbigo), porque os tradicionalistas acreditam que o Plexo Solar se refere a um chakra secundário distinto.

Na tradição tântrica indiana, Manipura – "lugar das gemas" ou "brilhante como uma pérola" – tem dez pétalas vermelhas, com um triângulo apontado para baixo, representando o elemento Fogo, no centro; entretanto, na maioria dos diagramas modernos dos chakras, ele é colocado no Plexo Solar como um chakra principal, com suas dez pétalas mostradas em dourado ou amarelo.

As funções do manipura

Diversas culturas no mundo todo têm reverenciado a energia simbolizada pelo sol. As divindades solares, geralmente de natureza masculina, incluem Rá (egípcio), Inti (inca), Tonatiuih (asteca), Ku-kuul-kann (maia), Mitra/Sol (europeu) e Vishnu/Indra (hindu). Não causa surpresa que o elemento de Manipura seja o Fogo. Na tradição hindu, Agni é associada ao fogo e ao raio juntamente com a temível deusa Kali, que costuma ser representada com uma língua de fogo saindo de sua boca. Pense em Manipura como o sol em seu corpo. Ele recolhe radiação solar como se fosse um tipo de prana e converte-a num estado que permite a regulação do fluxo de energias vitais por todo o corpo físico. É um ponto de união das linhas de energia sutil, as nadis, que controlam todas as funções corporais e, ao mesmo tempo, é um plexo nervoso físico poderoso. O grande sábio indiano Patanjali diz que, por meio do controle do Manipura, o pleno conhecimento e o domínio do corpo são atingidos.

Os significados das dez pétalas são: ignorância espiritual; ânsia; ciúmes; traição; vergonha; medo; desgosto; ilusão; insensatez e tristeza. Todos esses aspectos devem ser superados no nível desse chakra, antes de prosseguir para o trabalho de purificação do Chakra do Coração. É importante observar que os três chakras principais abaixo do coração dizem respeito especialmente ao corpo físico e ao mundo que percebemos com os nossos sentidos, ao passo que aqueles acima do coração são de natureza mais espiritual.

PRINCIPAIS CARACTERÍSTICAS NUM RELANCE

Cor	Amarela
Questões fundamentais	Poder, medo, ansiedade, introversão
Localização física	Entre o umbigo e a parte inferior do esterno
Área da coluna associada	Sétima e oitava vértebras torácicas
Sistema fisiológico	Metabólico/digestório
Glândula endócrina	Ilhotas de Langerhans (grupos de células no pâncreas)
Plexo nervoso	Plexo solar
Aspecto interno	Opinião e poder pessoal
Ação física	Digestão
Ação mental	Poder
Ação emocional	Expansividade
Ação espiritual	Crescimento

Questões de saúde e Manipura

Os problemas digestivos, o diabetes e o câncer estão associados com o Manipura, mas, acima de tudo, o Chakra do Plexo Solar está associado ao stress.

Sistema corporal associado

O Manipura está posicionado acima de uma das principais regiões do corpo que reage ao stress. Esse plexo de nervos costuma ser sentido como um nó apertado se você pressionar a área logo abaixo do esterno. Se sentir desconforto, existe algum stress ou bloqueio. Para tratar esse estado, você pode tentar evitar a fonte de stress; melhorar a sua saúde; começar uma rotina de meditação e "nutrição" dos chakras; ou buscar a ajuda de um curador.

Glândula endócrina associada

O Manipura dirige a energia às ilhotas de Langerhans situadas no pâncreas, que produzem insulina para reduzir os altos níveis de açúcar no sangue, e também glucagônio, para aumentar a taxa de açúcar no sangue.

O STRESS COMO EFEITO DE MUDANÇAS NO ESTILO DE VIDA

Quatro entre cinco pessoas que passam por diversas mudanças estressantes em suas vidas ao mesmo tempo, poderão sofrer de uma doença séria no prazo de dois anos. Essas causas principais de stress foram identificadas pelo Dr. R. Rahe, conselheiro do Corpo Médico do Exército Norte-americano sobre os tratamentos para os membros das forças armadas que sofrem de stress do combate:

- Divórcio.
- Ferimentos ou doença pessoal.
- Ser despedido ou estar aposentado.
- Dificuldades sexuais.
- Ganho ou perda de membro familiar.
- Mudança nas responsabilidades no trabalho.
- Mudança nas horas ou condições de trabalho.
- Realização pessoal eminente.
- Mudar de casa ou de país.
- Mudar hábitos de sono.
- Natal.
- Pequenas infrações da lei.

É recomendado não se realizar diversas mudanças no estilo de vida ao mesmo tempo. Se elas forem necessárias, uma técnica de relaxamento (ver pp. 44-5) pode ajudar.

Pâncreas (contendo as ilhotas de Langerhans)

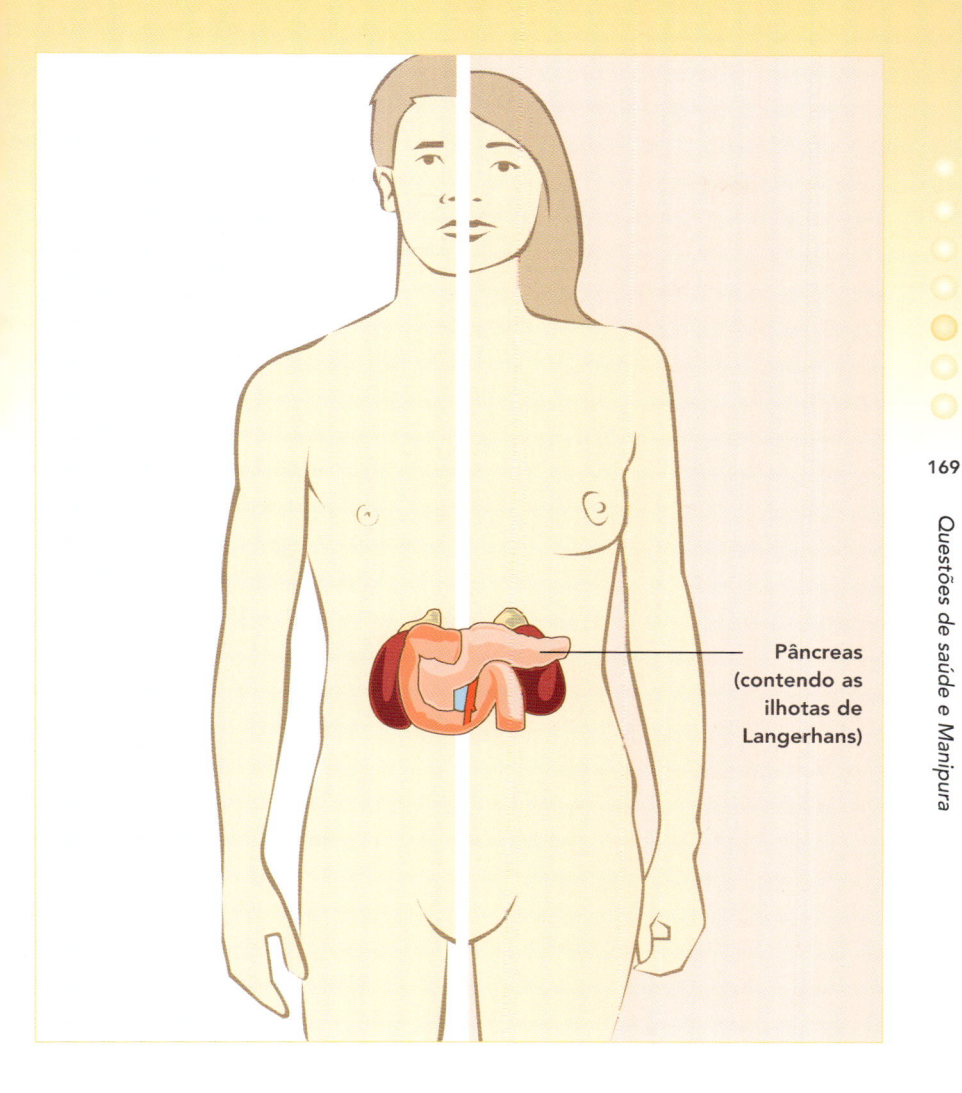

Os efeitos do stress e como neutralizá-los

Os principais causadores de stress são: pressão exercida por outras pessoas, das quais não há escapatória; pressões de tempo inadmissíveis; privação de sono; e um grande número de mudanças no estilo de vida mostradas anteriormente.

O que se pode fazer para evitar o stress

- Tome uma atitude antes de ter um colapso nervoso ou adoecer. Reconheça o seu cansaço e a quantidade de pressão que consegue tolerar.
- Mude seu ambiente. Se puder, escape da situação que causa o stress. Isso pode salvar a sua vida!
- Evite bebidas alcoólicas e drogas. Mantenha-se em forma e alimente-se de maneira saudável. Procure praticar yoga, tai chi ou outra prática oriental baseada na movimentação das energias sutis do corpo.
- Aprenda uma técnica de relaxamento (ver pp. 44-5), como a da respiração profunda (ver pp. 154-55) e como reduzir a sua tensão muscular com massagem (ver p. 117).
- Comece a respeitar que você é um "ser" espiritual de Luz num corpo físico. Comece a aprender uma técnica de meditação (ver pp. 276-77).
- Tente compreender as razões para o stress e como ele se relaciona com as questões emocionais em sua vida.
- Adote hobbies e atividades de lazer.
- Dê a si mesmo um tratamento de saúde complementar relaxante, que irá aumentar os seus níveis de energia, equilibrar seus chakras e aliviar os sintomas físicos.
- Caminhe, cante ou dance com mais frequência e desfrute tudo o que esteja à sua volta.
- Aceite os sentimentos de stress e não permita que eles o alarmem. Quando você estiver recuperado, use a experiência para aprofundar a sua compreensão sobre as outras pessoas.
- Seja um exemplo de como lidar com o "stress *sem* distress", porque você teve a sorte de ter adquirido uma compreensão do modo como a energia prânica e os chakras são essenciais para a saúde física e mental.

Fortaleça a si mesmo todos os dias realizando uma atividade física ou espiritual.

PRINCIPAIS EFEITOS DO STRESS NO CORPO

Examine-se da cabeça aos pés. Você sofre de algum dos seguintes sintomas:

- Dores de cabeça, tontura, insônia, ataques de pânico.
- Visão embaçada.
- Dificuldade de engolir.
- Dor nos músculos do pescoço.
- Suscetibilidade a infecções.
- Pressão alta, transtornos cardiovasculares.
- Respiração excessiva, asma, palpitação.
- Altas taxas de açúcar no sangue.
- Indigestão nervosa, úlceras estomacais.
- Dor nas costas.
- Urticárias nervosas e alergias.
- Suor excessivo.
- Colite mucosa, constipação, diarreia.
- Dificuldades sexuais, desequilíbrios hormonais e incapacidade de concepção.

Caso positivo, então provavelmente você sofre de stress em algum nível.

Questões emocionais e Manipura

A partir do que acabamos de ler acerca dos efeitos do stress no corpo, é possível ver que nada existe isoladamente: a energia prânica aumentada expande nosso campo áurico e existe juntamente com uma saúde maior do corpo físico. No Manipura, sentimos as emoções dos outros tornando-nos um espelho para eles. É essencial manter esse espelho brilhando, uma vez que não queremos agir como uma esponja para a raiva ou a negatividade de ninguém.

Capacidade de expansão

À medida que você começa a se fortalecer, novas portas passam a se abrir em sua vida. Você descobrirá que se tornará mais atraente para as outras pessoas. Dentro de seu campo áurico, o seu Chakra do Plexo Solar lhe dará uma mensagem do ser brilhante que você é. Isso, por sua vez, expande seu campo áurico de um modo visível para quem tem clarividência. Ele se estenderá como luz de vibrações mais finas e mais rápidas, além da distância comum em volta do seu corpo, até 10 metros ou mais.

Nosso campo vibracional ou aura é composto de vibrações elétricas que ficam menos visíveis e finas à medida que ele aumenta em velocidade (ou frequência) e que se distancia do corpo. À medida que o campo se estende, a cor dentro dele diminui até que, finalmente, em uma pessoa altamente evoluída em termos espirituais ou iluminada, tudo se torna uma clara luz branca, por meio da qual a Luz Divina ininterrupta pode fluir.

No Manipura, aprendemos a assimilar a sabedoria em nosso inconsciente. Quando fazemos isso, uma maior energia espiritual se torna disponível para nós, permitindo que curemos nosso corpo físico e desenvolvamos um relacionamento correto com o mundo mais amplo. Isso é às vezes chamado de conexão mente-corpo.

Entretanto, os lados sombrios do Manipura são o poder sobre os outros, a "contaminação" e a contração de nossa energia, e a arrogância. Aqueles que têm um Chakra do Plexo Solar subdesenvolvido irão dominar com o seu ego; eles não estarão felizes com a sua situação de vida, farão cessar seu fogo interno e sua aura não arderá com uma luz brilhante. Eles terão bloqueios energéticos no Manipura e também nos chakras adjacentes. Em um menor grau, todo o sistema de chakras estará comprometido.

O poeta e místico muçulmano Rumi do século XIII disse:

Não é possível conhecer o fogo só com as palavras. Entre no fogo se quiser conhecer a verdade.

Deixando de lado as preocupações, aprenda a meditar com regularidade.

Como aumentar o fluxo de energia através dos chakras

Inicie este exercício para estimular o fluxo de energia por todo seu sistema de chakras, relaxando completamente (ver pp. 44-5). Agora percorra um chakra de cada vez, começando no Chakra da Base. Para cada chakra, deve-se, em primeiro lugar, visualizá-lo e observar o tipo e a força da energia existente ali (este é o estágio de "inspeção" – sem ter o propósito de ser um diagnóstico detalhado). Em seguida, concentre-se nos chakras em sequência:

Relaxe e envie a energia sutil aumentada através de todo seu sistema de chakras.

1. Conscientize-se de que através de seus pés e pernas você está fortemente enraizado na Terra. Visualize uma cor vermelho-terra, escura e viva, e sinta-a em suas pernas, subindo até seu Chakra da Base (Muladhara).
2. Concentre-se no segundo chakra, o do Sacro (Svadisthana), e atraia o poder curativo da água até ele. Visualize seis pétalas da cor laranja em torno desse chakra e uma lua crescente refletida na água no centro.
3. Concentre-se em seu terceiro chakra, o do Plexo Solar (Manipura), e entre em conexão com as energias solares positivas e o Espírito por trás e além do Sol. Sinta seu fogo amarelo brilhante queimando qualquer bloqueio no chakra.
4. Concentre-se no quarto chakra, o do Coração (Anahata), através do qual você vivencia a liberdade do elemento Ar. Imagine que pode voar como um pássaro e olhe para baixo, para a Terra verde.
5. Concentre-se em seu quinto chakra, o da Garganta (Vishuddha) e veja-o brilhando com uma luz azul protetora e curativa.
6. Vire seus olhos *fechados* para dentro e para cima, em direção ao Chakra da Testa (Ajna) e visualize-o como um disco giratório de prata.
7. Concentre-se no topo da cabeça. Visualize seu Chakra da Coroa (Sahasrara) ali. Observe o número de pétalas que você consegue ver e se deixe atrair para dentro desse centro.
8. Agora termine a meditação fazendo uma respiração profunda em cada chakra em sequência, à medida que você desce de volta para o Chakra da Base e depois para seus pés.

Questões espirituais e Manipura

Os desequilíbrios do Plexo Solar farão você se sentir extremamente irascível e exaurido de energia. Você pode ficar deprimido, inseguro e temeroso. Se isso continuar, os problemas podem ficar impressos e se tornarem habituais. Entretanto, quando você supera esse estado – e seu Plexo Solar começa a girar como o desejado, de uma maneira focada e equilibrada – a depressão se transforma em alegria, a insegurança se torna uma experiência de amor e o temor se transforma em confiança em qualquer situação.

Embora todos esses sejam atributos admiráveis, o verdadeiro objetivo de equilibrar os chakras é deixar o corpo apto para ser um templo do Espírito. É por meio do Plexo Solar que nos conectamos com o significado por trás do Sol, como representante da Luz do Espírito na Terra. Esse é o motivo por que tantas religiões antigas, incluindo o Cristianismo, reverenciavam o poder da Luz do Espírito *por trás e além* de nossa estrela, o Sol.

Tornar-se Espírito

Em termos energéticos, o Chakra do Plexo Solar ativa as reservas de combustível de nosso corpo. Quando o seu poder é desperto, sentimo-nos sem medo e quaisquer obstáculos em nosso caminho são destruídos. Embora seja admirável saber lidar com tanto poder, para algumas pessoas isso resulta em atitudes ditatoriais, manipulação e fama, à custa dos outros. No Manipura, traduzimos nossos sonhos em realidade.

O fogo é o elemento tradicionalmente atribuído ao Manipura. Ele tem três significados internos ao mesmo tempo: o Sol, o nosso fogo interno e o Espírito. Atualmente grande parte das pessoas considera difícil ir além desse terceiro chakra para viver esses significados internos como verdades em suas vidas. É uma parte do condicionamento da sociedade, um tipo de hipnose cultural, que nos mantém fechados em nossa condição física negando-nos um vínculo vibrante e pessoal com o Espírito. Pela abertura gradual à possibilidade de uma vida maior do Espírito, começamos a equilibrar o Manipura e é apenas então que poderemos entrar plenamente no Coração, o chakra seguinte. No Manipura, o fogo de nosso corpo (nosso fogo interno) é consumido e transformado em cinzas pelo poder do fogo do Sol enquanto Luz do Espírito.

O Plexo Solar, como o nome sugere, é a nossa conexão com o significado por trás do Sol. Um Plexo Solar equilibrado trará alegria, amor e confiança.

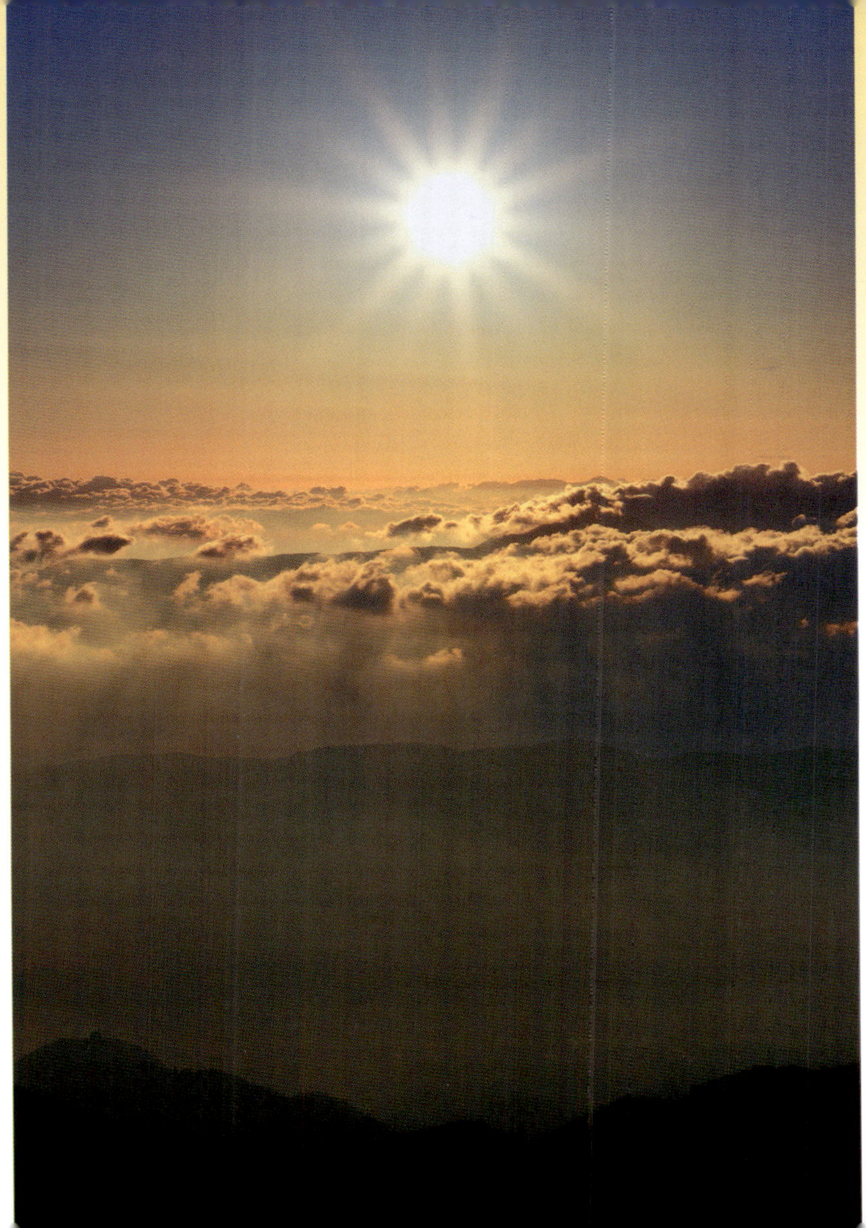

O Yantra de Manipura

Na base do umbigo está o lótus brilhante das dez pétalas, da cor das nuvens de chuva densas e carregadas. Medite ali na região do Fogo, triangular em forma e brilhante como o sol nascente. Do seu lado de fora há três marcas de suástica e, dentro, a sílaba seminal Ram. Ao meditar dessa maneira sobre o lótus do umbigo, o poder de criar e destruir o mundo é adquirido.
Sat Cakra Nirupana

Descrição do yantra
Número de pétalas Dez.
Cor Amarelo-dourado ou azul-esverdeado.
Triângulo Triângulo vermelho apontando para baixo com projeções em forma de T, que simbolizam movimento.
RAM Representa a força e a coragem de quem somos no mundo. Alguns eruditos acreditam que RAM representa a natureza de uma pessoa dominada pelo Manipura: forte mas com movimento precipitado.

O bija mantra
O bija mantra de Manipura (ver pp. 80-1) é RAM. O ato de emitir esse som promove a longevidade e a ascensão da energia kundalini.

Os três estágios da meditação
Segundo os ensinamentos antigos, existem três estágios de meditação e de yoga interno (ver pp. 306-07), que recebem o nome de samyama. Eles se fundem uns nos outros numa transformação sucessiva à medida que a mente é acalmada e focada pela simplicidade do símbolo do yantra.

A centração, ou dharana, é o sexto ramo do sistema de yoga de Patanjali e o primeiro aspecto da internalização do yoga. Por meio da concentração induzida pela centração, cada breve flutuação de pensamentos ou experiências cessa.

Isso nos conduz à meditação propriamente dita (dhyana, o sétimo ramo), em que a concentração profunda pode ser sustentada por longos períodos. A mente é mantida firme, com foco apenas no objeto da meditação.

O oitavo ramo do sistema de Patanjali é samadhi. É o estado transcendental, superconsciente de "não mente", em que a mente é mantida tão constante que se une com o objeto da concentração.

O Yantra de Manipura

As divindades associadas com Manipura

Rudra

Rudra é o deus do fogo e das tempestades e quem comanda o Manipura. Ele é o aspecto destrutivo de Shiva; entretanto, pode também conceder bênçãos. Rudra nos lembra de que cavalgar as tempestades da vida pode nos fortalecer. Shiva é considerado uma evolução de Rudra, e eles compartilham uma natureza violenta e imprevisível. Rudra é conhecido como o Divino Arqueiro, que dispara flechas de morte e doença.

Ele costuma ser representado das seguintes formas:

- Vermelho ou branco (representando vida ou morte).
- Com três olhos.
- Com dois braços, mostrando os gestos de conceder bênçãos e afastar o medo.
- Sentado num touro (chamado Nandi), porque ele é o Senhor do Gado.

Quando Rudra é branco é porque ele está coberto de cinzas, afirmando que superou os medos e o ego, transmutando a si mesmo por meio do fogo nos mundos do Espírito.

Lakini

Lakini é uma das sete shaktis associadas ao metabolismo do alimento no corpo humano. Na condição de consorte de Rudra, ela é a deusa do fogo. Lakini é mostrada:

- Na cor negra ou azul-escura, vermelho-alaranjada, vermelho-claro ou escuro.
- Com três olhos, ou três cabeças com três olhos em cada face, o que nos convida a compreender os três planos de existência, físico, astral e celestial.
- Com quatro braços, segurando um raio de trovão (que simboliza a energia elétrica do fogo, bem como o calor que emana de seu corpo) e um arpão, atirado do arco de Kama, o Senhor do Sexo e fazendo os mudras (gestos de mão) de doar bênçãos e afastar o medo.
- Vestida de traje amarelo (ou às vezes branco).
- Sentada num lótus vermelho.

Cristais para ativar o Manipura

Os cristais preciosos do topázio e da turmalina amarela são ambos recomendados para ativar o Manipura.

Topázio

É possível obter o topázio em inúmeras cores, mas para o Manipura escolha o amarelo-claro e brilhante. Um pequeno cristal bruto funciona bem; não é necessário adquirir uma pedra lapidada ou polida dispendiosa. O topázio ajuda no realinhamento das energias e ajuda a trazer uma radiância dourada ao campo áurico. Tradicionalmente, é o cristal do amor e da sorte. Com essas propriedades energéticas límpidas, ele é uma excelente ajuda para todo o metabolismo corporal, mas especialmente para o fígado, vesícula biliar e processos digestivos. Não apenas auxilia na digestão dos alimentos, mas também a "digerir" as ideias, no nível mental.

Turmalina amarela

Assim como outras turmalinas, esta é muito focada em termos de direcionalidade, tendo a capacidade de equilibrar os dois lados de nosso cérebro e nossas energias masculina e feminina. Quando usá-lo com o Chakra do Plexo Solar, em vez de colocá-lo sobre o chakra, use o cristal para remover ou cortar bloqueios. Isso permite a ativação adequada do Manipura para beneficiar problemas como o stress, a intolerância, a tristeza profunda, a desesperança, o luto e o mal-estar.

Como usar cristais para estimular o fluxo de energia

Um excelente tônico é deitar-se (de preferência no chão, na postura de relaxamento, ver pp. 44-5, mas na cama se necessário) e relaxar da seguinte maneira:

Ative o Manipura usando o topázio e a turmalina.

1. Obtenha duas "pontas" de quartzo claro de cerca de 5 cm de comprimento, além de uma pedra ou cristal amarelo: o topázio amarelo, o quartzo de citrina amarela (não marrom) ou a turmalina amarela seriam ideais. Limpe-os da maneira usual (ver p. 68).
2. Certifique-se de que não será perturbado e desligue o telefone. Se desejar, coloque uma música relaxante para acalmar a mente.
3. Deite-se, colocando um quartzo no nível da cabeça e outro abaixo dos pés. *É essencial que a ponta de cada cristal esteja voltada para o seu corpo e não para longe dele.*
4. Coloque seu cristal amarelo no chakra do Manipura. O ideal é que a pedra fique em contato com a pele, mas ela funciona mesmo através da roupa (de algodão branco, especialmente).
5. Respire profundamente algumas vezes – relaxe – desfrute!

O efeito dessa sessão é o alinhamento de todos os chakras ao longo do canal central do corpo de energia sutil. A pedra amarela no Manipura ajuda-o a entrar em ressonância com os outros, ao limpá-lo e purificá-lo.

Cristais para ativar o Manipura

Cristais para acalmar o Manipura

Conforme vimos, muitas doenças estão associadas com uma falta de energia. Portanto, devemos ter muita clareza em relação ao motivo de desejarmos acalmar um determinado chakra. No caso do Manipura, entretanto, um fluxo mais calmo e lento de energias entrando e saindo do chakra ajudará nosso bem-estar geral e melhorará nossa concentração. Isso tornará possível estudar, trabalhar ou meditar em níveis mais profundos.

Para descobrir se você está mantendo tensão em seu plexo solar, use seus dedos para tocar suavemente a área logo abaixo do osso esterno. Provavelmente você a encontrará sensível, ou levemente dolorida ao toque. Isso indica alguma tensão armazenada. Quando ela estiver seriamente tensa, o desconforto se estenderá da frente para trás e causará dor nas costas, especialmente ao redor da sétima ou oitava vértebra torácica. Se esta condição piorar, ela cria uma faixa horizontal de tensão – como um cinto de aço em torno do corpo. Imagine o que isso pode causar aos fluxos de energia – eles são bloqueados nos chakras inferiores. A doença do corpo físico logo decorrerá desses bloqueios.

O Manipura também está intimamente relacionado aos nossos processos mentais. A cor amarela, com a qual esse chakra tem ressonância, encoraja nossos pensamentos e estimula o cérebro. A luz amarela, usada terapeuticamente por um profissional que trabalha com cores por meio de um instrumento de luz, irá melhorar a absorção de cálcio no corpo, dissipar ansiedades mentais como o medo, clarear a mente, tratar problemas digestivos e desordens do fígado, baço e pâncreas.

Os cristais de pedras preciosas indicados para acalmar o Manipura são a esmeralda e a safira.

O uso da esmeralda no Chakra Manipura pode acalmar desequilíbrios associados ao diabetes.

Esmeralda

Quando usada no Manipura, a esmeralda irá acalmar, em termos energéticos, os desequilíbrios associados ao diabetes. Ela é também tradicionalmente usada para o fígado, olhos e sínus. Mas cuidado! Diz-se que se você sempre usar a esmeralda em joias, você vai sentir emoções negativas e, se ela mudar de cor, isso pode indicar infidelidade.

Safira

Esse cristal nos é ofertado pela Mãe Natureza em muitas cores. Para o propósito de acalmar o Manipura, use a safira azul. Assim como outras pedras preciosas azuis, ela o abrirá para reinos espirituais superiores, acalmando o corpo físico. Em especial, a safira traz sabedoria profunda e serenidade. Ela deve ser colocada no local do chakra ou mantida dentro da aura num nível confortável. Em termos energéticos, ela regula o sistema endócrino e é excelente para situações muito estressantes.

A safira azul cortada e facetada ou bruta, como acima, ao mesmo tempo nos protege e nos ajuda a manter o foco.

Cristais para equilibrar o Manipura

A citrina é recomendada como uma boa pedra para o equilíbrio geral do Chakra do Plexo Solar. Você pode usar uma seleção delas, uma ponta ou uma pedra rolada polida. Para o exercício abaixo, será melhor uma seleção de pedras roladas de um tom amarelo claro, cujo custo será baixo. Tente evitar adquirir a citrina de cor marrom-melaço, porque isso indica um tratamento à base de calor que mudará o seu poder.

A citrina tem uma ressonância harmônica com a energia prânica que vem de nosso Sol. Ela age poderosamente para limpar, esquentar e energizar. Por essa razão, ela equilibra o nosso campo vibracional de maneira que podemos caminhar com consciência sobre a Mãe Terra, dirigindo nossos olhos para a luz que está se manifestando pelo Pai Sol.

Já vimos que o Manipura simboliza o Sol em nossos corpos. Desde os tempos antigos, as pessoas têm reverenciado o poder dentro e além do Sol. Todos nós precisamos da luz solar para manter nossos corpos saudáveis, e uma excelente maneira de ativar o Chakra do Plexo Solar é "inspirar" a luz solar. Simplesmente inspire profundamente enquanto olha para o Sol com olhos semicerrados e visualize sua energia se concentrando no plexo solar e depois preenchendo o seu corpo. (Não olhe diretamente para o Sol.)

Não mantenha citrinas como estas à luz do Sol porque elas se desbotarão.

"Inspirar" a luz do Sol é uma excelente maneira de ativar o Chakra do Plexo Solar.

Como usar a citrina para equilibrar a si mesmo

Crie um espaço sagrado em seu quarto; acenda uma vela e um incenso.

1. Deite-se num cobertor no chão.
2. Coloque várias citrinas roladas em torno do cobertor, num círculo (seis pedras devem bastar).
3. Deite-se dentro do círculo e relaxe.
4. Se quiser, coloque uma outra pedra amarela no ponto de seu Manipura.
5. Afirme que você deseja equilibrar o seu Chakra do Plexo Solar e peça a ajuda do poder oculto dos cristais de citrina.
6. Fique no círculo por até 30 minutos.
7. Retorne devagar para o estado cotidiano de consciência.

Aromaterapia e o Manipura

O óleo essencial de sálvia (*Salvia officinalis*) é recomendado para esse chakra, mas apenas deve ser usado num difusor de óleo (ver pp. 58-9) por causa de suas fortes propriedades. Outras plantas, ervas e essências florais para o Manipura incluem a amora-preta, o espinheiro cerval do mar, a lisimáquia, a manga e a hortelã-pimenta. Se você usar tanto a planta (erva) quanto a essência floral dela, com uma hora de intervalo entre uma e outra, o efeito será intensificado para o corpo (erva) e para o campo energético (essência floral). A amora-preta ajuda o corpo astral; o espinheiro cerval do mar promove a cura e a flexibilidade e às vezes é usado em cremes de massagens para atletas; a manga fortalece os chakras do Plexo Solar e do Coração, e particularmente as nadis (canais de energia) no peito; e a hortelã-pimenta acalma quaisquer desequilíbrios digestivos, especialmente os causados pelo stress mantido no Manipura.

Difusor de óleo contendo água e algumas gotas de óleo essencial.

ÓLEOS ESSENCIAIS PARA O CHAKRA DO PLEXO SOLAR

Os principais óleos essenciais que têm ressonância harmônica com o Manipura são:

- **Sálvia-esclareia** Esta planta florida é excelente para acalmar esse chakra, embora não deva ser usada se você for dirigir depois, estiver ingerindo álcool ou estiver grávida (exceto durante os primeiros estágios do parto, sob supervisão médica). Esse é o relaxante mais forte conhecido na aromaterapia e é capaz de produzir estados muito eufóricos. É anticonvulsivo, antidepressivo, antisséptico, antiespasmódico, emenagogo e afrodisíaco.

- **Junípero** Esta é uma árvore pequena, cujas bagas são esmagadas e a partir disso o óleo é destilado a vapor. É o principal óleo essencial purificador usado para a massagem e é ideal para limpar os bloqueios do Chakra do Plexo Solar. O junípero realmente limpa o corpo (quase como um tônico) e ajuda na digestão. Ele é o ingrediente aromatizante do gim, sendo assim, a expressão "gim-tônica" foi adequada! Ele é antisséptico, antiespasmódico, emenagogo e antitóxico.

- **Gerânio** O óleo essencial é feito das flores, folhas e talos da planta. É um estimulante do córtex adrenal e ajuda a regular a secreção hormonal em todo o sistema endócrino. Um aromaterapeuta também o usará para desintoxicar o sistema linfático. Também é um excelente óleo para acalmar e equilibrar o Manipura, porque ajuda a movimentar a energia prânica através do corpo. É também antidepressivo, antisséptico, desodorante, diurético e tônico, e excelente para tratar a TPM (tensão pré-menstrual).

Asanas de yoga para o Manipura

Ativo: Gomukasana (postura da vaca)

Essa postura estimula os rins e o pâncreas, ajudando os estados diabéticos, que estão associados aos desequilíbrios no Chakra do Plexo Solar. A posição do joelho cruzado e fechado e a posição dos braços levam a energia vital a se concentrar nesse chakra. Esse asana pode ser realizado em pé se seus joelhos estiverem doloridos. O estado de consciência que buscamos no Chakra do Plexo Solar é manomaya kosha (o estado desperto), que é vivido pela mente intelectual. Use a visualização de um Sol amarelo-brilhante e ardente para ajudá-lo e inspire o ar para dentro do corpo como uma luz amarelo-brilhante.

1 Ajoelhe-se e sente sobre os calcanhares, ou sente com os joelhos cruzados um sobre o outro (posição avançada).
2 Erga o braço esquerdo por cima da cabeça, dobrando-o no cotovelo e levando-o para as costas. Dobre o antebraço direito para cima por trás das costas para segurar a mão esquerda com a direita. Feche os dedos. Mantenha a posição, depois repita do outro lado.

Ardha matsyendrasana 1 (torção espinhal sentada)

Essa postura traz benefícios aos rins e ao pâncreas, de um modo semelhante a Gomukasana. A intensa torção da coluna afeta os nervos espinhais e, num nível sutil, melhora o fluxo de energia através das nadis ida e pingala e o canal sushumna da kundalini dentro da coluna. Entretanto, o principal foco é o efeito massageador nos órgãos abdominais, que traz benefícios ao Chakra do Plexo Solar.

1. Sente-se no chão. Dobre o joelho direito e sente sobre o pé direito. Em seguida, dobre o joelho esquerdo e erga-o sobre a sua coxa direita, colocando o pé esquerdo sobre o chão.
2. Gire o seu corpo 90 graus para a esquerda e leve a axila direita sobre o joelho esquerdo. Prenda o braço sobre o joelho, a seguir leve o braço esquerdo por trás da cintura, de maneira que sua mão esquerda alcance a mão direita. Gire o pescoço para a esquerda, olhando sobre o seu ombro esquerdo. Repita do outro lado.

Versão simplificada
1 Siga os passos anteriores mas virando-se para o outro lado.
2 Girando 90 graus para a direita, leve sua axila esquerda sobre o joelho direito. Pressione o braço sobre o joelho.
3 Use o braço direito para dar apoio e endireitar as costas. Repita do outro lado.

Passivo: Ustrasana (postura do camelo)

A prática dessa postura é recomendada para manter a sua coluna flexível, trabalhar os músculos/órgãos abdominais e as articulações dos ombros. Durante esse alongamento intenso concentre-se em trazer uma luz dourada brilhante ao seu Chakra do Plexo Solar, onde ela estimulará e revitalizará todo o seu corpo. Se você tiver dificuldade em manter os quadris alinhados com os joelhos, coloque uma almofada em cima das panturrilhas e acomode ou encaixe seus artelhos por baixo da almofada, em direção ao chão, para erguer um pouco os calcanhares. Incline as costas apenas até onde se sentir confortável.

1 Ajoelhe-se no chão afastando as nádegas dos pés. Incline-se levemente para trás, colocando a mão direita no tornozelo direito e a mão esquerda no tornozelo esquerdo.

2 Empurre seus pés com as mãos e, levando a cabeça para trás, curve sua coluna para cima, estendendo-a para cima até que suas coxas estejam alinhadas com os joelhos e a parte da frente do corpo esteja reta. Relaxe nessa posição.

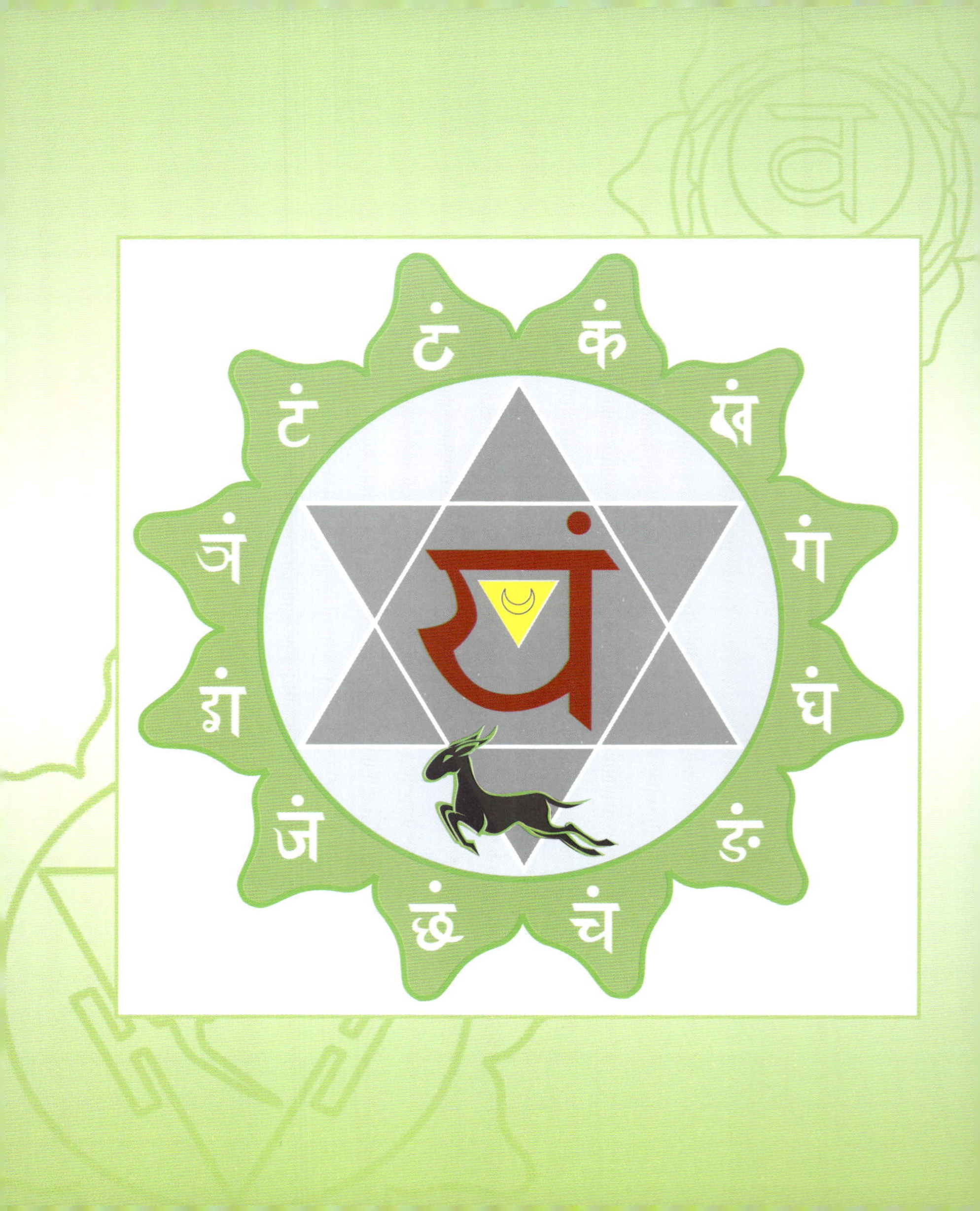
कं
खं
गं
घं
ङं
चं
छं
जं
झं
ञं
टं
ठं
यं

Capítulo 5
O CHAKRA DO CORAÇÃO: ANAHATA

O Chakra Anahata

O Chakra do Coração, ou Anahata, é também conhecido como Anahata-puri, padma-sundara, dwadasha, dwadashadala, surya-sangkhyadala, hrit padma, hridaya chakra, dwadashara chakra e por vários outros nomes.

Nos ensinamentos tântricos, Anahata (que significa "nota não tocada") tem 12 pétalas vermelhas ou brancas, ao passo que a parte central é de uma cor azul-esfumaçada/preta, simbolizando o elemento Ar. Anahata fica no centro do peito e está associado ao Chakra do Timo (ver pp. 208-09).

As funções do Anahata

As 12 pétalas de Anahata representam: a luxúria; a fraudulência; a indecisão; o arrependimento; a esperança; a ansiedade; o anseio; a imparcialidade; a arrogância; a incompetência; a discriminação; e uma atitude de desafio. Ele está associado ao elemento (ou tattwa) do Ar, e é a sede da Alma Divina ou Eu Superior – o Jivatman, representado pela imagem do lume dourado imóvel de uma lâmpada. Ele está ligado às idades de 22 a 28 anos, quando costumamos formar relacionamentos profundos, com a esperança de serem baseados no amor recíproco. Mas o Chakra do Coração não diz respeito, basicamente, a apaixonar-se; não é um tipo sentimental de amor. Em vez disso, seu fogo é alimentado pelo amor da Criação – o mesmo amor que nos faz sentir deleite com a sensação da chuva suave ou o perfume de uma flor.

Anahata está ao centro de nosso corpo áurico luminoso. A cor da luz que o equilibra é um verde (como a grama) brilhante e é bastante comum que as 12 pétalas sejam mostradas nessa cor. Anahata, o ponto médio dos sete chakras e o ponto médio do corpo, é considerado um portal para a consciência superior.

No Budismo tibetano, o Chakra do Coração é representado como um centro branco, de oito pétalas, que é o ponto de encontro de "Gotas Vermelhas e Brancas", sede da "Mente Muito Sutil" e do "Vento Muito Sutil", os quais são imortais e passam de vida para vida. No Taoismo, esse chakra é a Casa do Fogo. Ele está localizado no topo do Canal Central, e é o contrapeso do Tan Tien Inferior, ou Casa da Água.

PRINCIPAIS CARACTERÍSTICAS NUM RELANCE

Cor	Verde e/ou rosa/vermelho/branco
Questões fundamentais	Paixão, ternura, questões da criança interna e rejeição
Localização física	No centro do peito, no esterno
Área espinhal associada	Quarta vértebra torácica
Sistema fisiológico	Circulatório, linfático, imune
Glândula endócrina	Timo
Plexo nervoso	Coração
Aspecto interno	Amor incondicional e compaixão
Ação física	Circulação
Ação mental	Paixão
Ação espiritual	Devoção

Questões de saúde e Anahata

Nosso coração faz parte do sistema circulatório. Ele é um músculo oco, que bombeia sangue rico em oxigênio a partir dos pulmões para todas as partes do corpo. Quando uma pessoa chega na casa dos setenta anos, seu coração já haverá batido cerca de 3 bilhões de vezes! No nível biológico, o sangue tem três funções principais: ele transporta água, alimento, oxigênio e todas as formas de prana; remove produtos residuais por meio dos rins, fígado e pulmões; e transporta partes importantes do sistema imune.

Sistema corporal associado

Infelizmente, muitas pessoas sofrem de doenças cardíacas diagnosticadas pelos médicos, assim como uma perturbação de seu ritmo cardíaco, doença muscular, valvular e da aorta e infecções. A doença cardíaca é uma causa importante de morte em países com um estilo de vida afluente do tipo ocidental. Entretanto, os médicos estão começando a reconhecer que a doença cardíaca não é apenas uma questão física. A hipertensão pode ser um sinal inicial de tensão mental subjacente, que costuma ser causada por stress, raiva ou frustração reprimidos.

A saúde do coração físico melhora se nos libertarmos dos traumas passados e da dor emocional e não tentarmos julgar os outros. As questões sexuais em particular devem ser processadas pelos Chakras da Base e do Sacro. Quando elas se misturam com o centro do coração, que naturalmente gira em torno do amor incondicional, ocorre uma grande confusão.

Os tratamentos alternativos ou complementares podem ajudar em grande medida a equilibrar todo o sistema mente-corpo e restaurar a saúde. Por exemplo, se você consultar um curador experiente, ele poderá detectar que o seu Chakra do Coração está seriamente desequilibrado. O curador pode descobrir uma predominância da energia vermelha, que indica predisposição a um problema físico do coração, o qual pode ser corrigido *antes* de se manifestar. Dependendo dos sintomas que se apresentem no nível físico, o curador pode ser orientado a reequilibrar o Anahata usando a luz verde (seja com um instrumento ou psiquicamente). Ele pode então deslocar a energia vermelha – que simboliza a raiva reprimida – de volta ao Chakra da Base, no qual ela pode ser trabalhada e eliminada.

Glândula endócrina associada

A glândula endócrina associada ao coração é o timo (ligada a um pequeno chakra separado, ver pp. 208-09), que inicia o movimento das defesas do corpo quando doente ou ferido.

timo

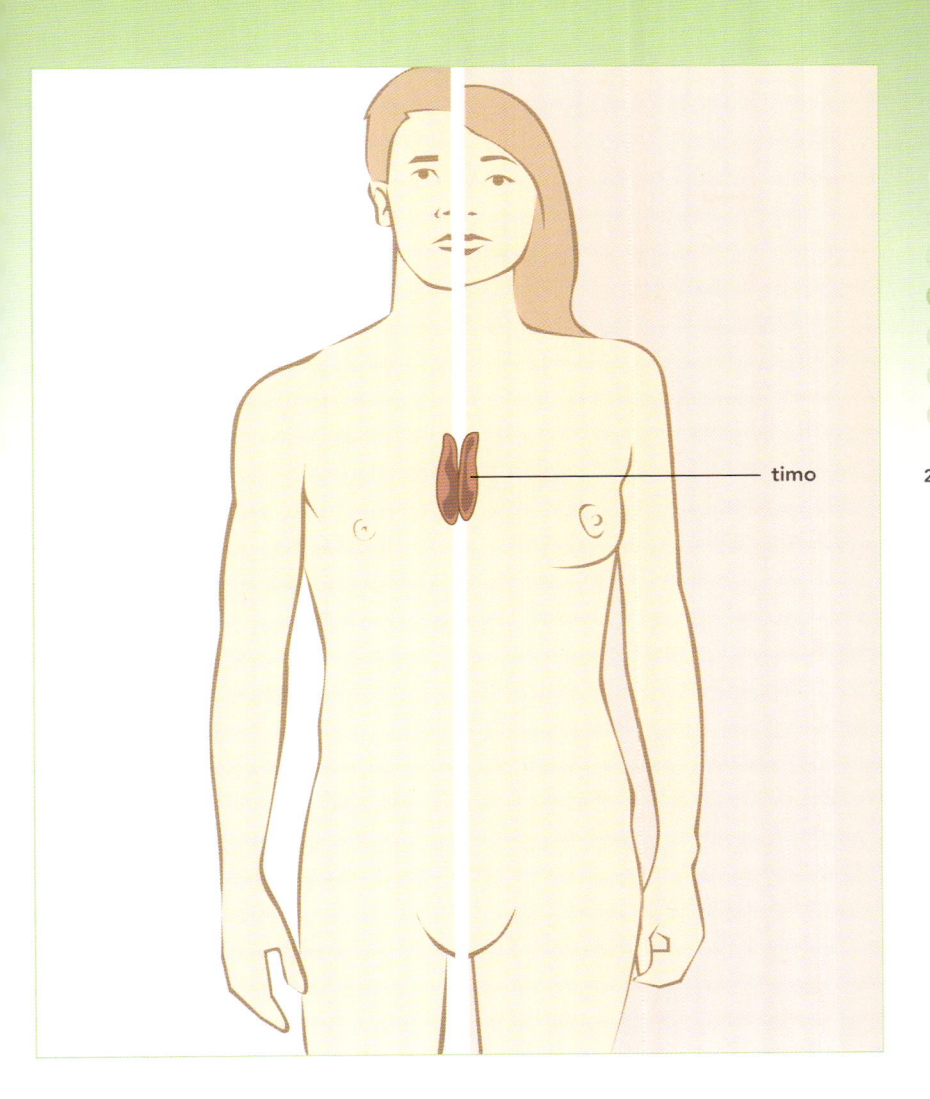

Questões emocionais e Anahata

Conforme vimos, esse chakra está associado a questões do coração. Todo amor romântico é motivado por nossa constante busca de união com a fonte do amor. A forma mais elevada de amor romântico nos é dada quando podemos nos dedicar aos outros de maneira incondicional.

Dúvidas e desequilíbrios

Se tivermos impedimentos em relação ao amor e não pudermos formar relacionamentos significativos com outras pessoas, ou não tivermos amizades duradouras, poderemos começar a duvidar de nós mesmos. Talvez nos perguntemos: "O que há de errado comigo?" Por que não sou popular e amado como as outras pessoas?". Podemos também questionar nossa capacidade de nos relacionar com os outros e, assim, começaremos a atrair uma nuvem escura de dúvida e confusão para o nosso campo áurico.

Esses sentimentos podem crescer até se tornar um desequilíbrio de fato, impedindo-nos de apreciar os outros ou a nós mesmos. Se não lidarmos com esses tipos de sentimentos, começaremos a nos fechar em nossa dor emocional. Então, todo nosso sistema de chakras começará a fechar-se em si mesmo e não mais será capaz de "alimentar" o corpo físico com eficácia. Não haverá "entrada" de amor, nem "saída" de amor; a capacidade de amar estará morrendo em nosso corpo físico. Portanto, precisamos começar a *amar* e a *viver*.

Iluminando a aura e os chakras

Se, como indivíduos, pudermos dar os seguintes passos, começaremos a percorrer um caminho de atenção aumentada de nossa aura e chakras, e nutriremos nossa saúde mental e muitas outras partes de nós mesmos, também. Este às vezes é chamado de Caminho da Beleza.

- Procure orientação médica se estiver sofrendo de grande angústia mental.
- Comece a adquirir uma compreensão de que tipos de terapias ou aconselhamento podem ser úteis a você. Quando expressamos uma mensagem para o universo de que precisamos de ajuda, se isso for parte do plano maior da criação, ele deve responder – essa é a natureza do amor universal. Sempre atrairemos para nós mesmos a ajuda de que necessitarmos.
- Comece a praticar algumas técnicas que aumentem seus níveis de energia e de autoestima. Muitos grandes professores disseram: "se você não puder amar a si mesmo, não conseguirá amar os outros".

Respeito e compreensão dos sentimentos mútuos nos fazem ficar em paz com nós mesmos.

Atração e compaixão

Você já se perguntou por que é atraído por outras pessoas? Provavelmente não é apenas por causa da roupa que ela veste ou de seu estilo de cabelo. O mais plausível é que ela tenha um sorriso especial, uma expressão ou algo em sua natureza que atrai você. Todos nós sabemos que é possível nos apaixonarmos numa sala cheia de gente, e falamos que as pessoas exercem uma "atração magnética" uma em relação às outras, ou que estão "cegas de amor".

Quando você está apaixonado, é provável que tenha encontrado uma pessoa cujo campo áurico complemente o seu. O amor mundano diz: "Sim, minha aura acha você atraente – quero me unir a você". As reações iniciais são simplesmente sobre a atração vibracional. As respostas secundárias são sobre a pessoa com quem queremos passar nossas vidas; quem seria um bom pai ou mãe para nossos filhos; com quem podemos estar em nossas horas mais sombrias; e para quem podemos dar nosso amor de maneira incondicional. Estamos constantemente em busca desse par perfeito, e ao longo do caminho, certamente encontraremos muitos desafios.

A compaixão de Buda

Como fonte do fogo espiritual, o Anahata é às vezes mencionado como o fogo de purificação do amor da Criação. É o fogo secreto da devoção e da inspiração espiritual. É o fogo que transforma a nossa identidade pessoal, nosso ego e nossas pequenas vidas na vida maior do Espírito. A nossa identidade pessoal passa progressivamente do eu, para os outros, até o Divino. Quando o Chakra do Coração se abre totalmente para o amor, ele deseja que outros seres compartilhem o amor e a paz da consciência infinita. Essa é uma expressão da compaixão de Buda. Nessa tradição, o desejo por esse tipo especial de amor é expresso pelo voto: "Não deixarei a Terra até que *todos* os seres alcancem a iluminação".

O amor incondicional que flui pelo Chakra do Coração neutraliza todas as energias negativas. Assim como nos filmes românticos o verdadeiro amor sempre triunfa, as imagens das divindades amorosas podem nos transformar: seus olhos encontram os nossos e somos transportados além das limitações do eu. Os seres iluminados – tal como os mestres elevados Cristo ou Buda – são espelhos do potencial espiritual amoroso e abrangente em todos nós. Quando olhamos para eles, somos levados além do ego para a compaixão e a incondicionalidade.

O potencial espiritual e amoroso em cada um de nós é refletido no Buda.

Atração e compaixão

Como curar o Chakra do Coração

Para nos sentirmos plenos, todos nós precisamos de amor incondicional. Como porta de acesso central para a consciência mais elevada, o Chakra do Coração precisa ser nutrido, se quisermos permanecer fisicamente fortes, capazes de dar e receber amor e de nos desenvolver em termos espirituais.

O poder do toque

O amor de nosso coração é expresso por nossas mãos: é natural o ato de erguer uma criança que se machucou e embalá-la perto do coração. É natural tocar outra pessoa com compaixão quando ela está triste. É natural ficar de mãos dadas com seu amado e expressar seu amor por ele com suas mãos.

O seguinte exercício de toque pode ser feito com um amigo:

1 Sente-se perto dele e feche os olhos.
2 Com a suavidade de uma pena, toque as extremidades dos dedos de seu amigo com uma mão. Perceba as sensações que isso causa em você.
3 Agora use seu polegar para pressionar toda a extensão da palma da mão dele.
4 A seguir, acaricie o dorso de sua mão. A cada vez perceba que tipo de toque você (e seu amigo) gosta mais.
5 Quando terminar, sacuda suas mãos em direção ao chão para liberar quaisquer energias não desejadas e troquem de papel; agora, seu amigo é quem toca as suas mãos.

Nutrir o coração

Uma maneira de nutrir o próprio coração é sentar-se sozinho com uma flor rosa ou vermelha. Uma rosa é o ideal, porque seu maravilhoso perfume ajuda a equilibrar o coração. Este exercício acalmará as suas emoções e irá preparar você para técnicas mais profundas de visualização:

1 Sente-se em silêncio por cerca de dez minutos com os olhos fechados e faça algumas respirações profundas para liberar qualquer stress em seu corpo.
2 Agora abra os olhos e olhe para a beleza da rosa, deleite-se com seu perfume, toque-a, aprecie a maciez de suas pétalas.
3 Feche os olhos novamente, e tente recriar em sua mente todas as coisas que você aprendeu sobre a rosa. Desenvolver o amor pela beleza da natureza é uma das melhores maneiras de "amar a vida que você está vivendo". Mesmo se morar numa cidade, você terá o céu acima para admirar.

Há muito tempo, as rosas são consideradas um símbolo do amor do coração.

O Chakra do Timo

O Timo, no centro do peito próximo ao coração, está emergindo como um novo chakra reconhecido para nossa época. A proteção que ele oferece ao nosso corpo é vital, porque cada vez mais estamos sujeitos a todo tipo de poluentes em nossa alimentação, água e ar.

Antigamente, os médicos pensavam que a glândula timo (com a qual esse chakra está associado) encolhia a um tamanho e função insignificantes quando terminava o período da infância. Entretanto, a pesquisa moderna está mostrando que esse não é o caso, e que o timo é um componente essencial em nosso sistema de biodefesa e em nossa defesa contra doenças na vida adulta. Sem dúvida, precisamos cuidar do Chakra do Timo, uma vez que a própria glândula timo desempenha um papel protetor tão importante para nosso corpo; caso contrário, o desenvolvimento de toxinas químicas, que hoje estão sendo usadas de forma indiscriminada, poderá finalmente comprometer nosso sistema imune.

Foi o médico grego Galen, do século 2 d.C., que deu o nome à glândula timo, porque ela o fez lembrar de flores de tomilho. *Thymos*, assim chamado, era a principal erva usada como incenso nos altares para as divindades, e o timo era reconhecido como o local em que fazemos nosso sacrifício interno no altar do coração, dentro do peito físico. Ele era reverenciado a ponto de ser fonte de inspiração, canções de amor e louvor, e era considerado como o "sopro da alma" do qual a energia humana dependia.

O tomilho é antisséptico e estimula o sistema imune – entretanto, use essa erva com moderação.

PRINCIPAIS CARACTERÍSTICAS NUM RELANCE

Cor	Rosa-claro/azul
Questões fundamentais	Proteção
Localização física	O centro do peito
Ação física	Parece controlar energias corporais vitais e curativas
Hormônios	Produz a timosina
Função principal	Produz linfócitos especiais chamados células-T, que são vitais para o sistema imune
Funções secundárias	Regula o crescimento e as contrações musculares
Função linfática	Conectado com o fluxo da linfa pelo corpo
Ação energética	Monitora o fluxo de energia
Ação espiritual	O conceito antigo de "**sopro da alma**" (ver ao lado)

Podemos ajudar nosso Chakra do Timo de inúmeras maneiras:

- Dando amor para os outros e para nós mesmos.
- Batendo de leve em nosso esterno diversas vezes por dia.
- Tomando chá de tomilho uma vez por dia (exceto se você tiver um diagnóstico de problema cardíaco).
- Usando cristais protetores de cor turquesa, ou sugilita da cor do tomilho, sobre o Chakra do Timo.
- Praticar posturas de yoga que expandem o peito, tal como Bhungasana, a cobra.

O Yantra do Anahata

No coração está o charmoso lótus da cor da flor Bandhuka. Ele é como Kalpa-taru, a árvore celestial dos desejos, concedendo ainda mais que os desejos.
Sat Cakra Nirupana

Descrição do Yantra
Número de pétalas 12.
Cor Verde ou vermelho-alaranjado.
Estrela Dois triângulos sobrepostos para formar uma estrela, representando equilíbrio e harmonia.
Triângulo dourado Indica a luz Divina que pode ser revelada quando este chakra está totalmente aberto.
Lua crescente Representa os granthis de Vishnu, os bloqueios psíquicos que devem ser dissolvidos para se conseguir a verdadeira iluminação.
Antílope ou cervo Refere-se à leveza e velocidade do elemento Ar. Avayu, o deus védico dos ventos, cavalgava um cervo.

O bija mantra
O bija mantra de Anahata (ver pp. 80-1) é YAM, cuja entoação propicia controle sobre a respiração e o início do verdadeiro conhecimento.

Meditação para abrir as pétalas do coração
Essa visualização levará você a uma quietude muito profunda.

1 Sente-se com a coluna reta, na postura de yoga ou numa cadeira.
2 Comece a respirar profundamente.
3 Quando estiver completamente relaxado, comece a "respirar a cor" verde-clara, o tom das folhas frescas que refletem o brilho do Sol.
4 Concentre suas respirações verdes no coração físico e no Chakra do Coração, o que induzirá um estado de equilíbrio.
5 Em seguida, comece a visualizar seu Chakra do Coração como um botão de rosa, de cor rosa, com muitas pétalas fechadas sobre si mesmo.
6 Aos poucos, abra cada pétala, liberando uma fragrância maravilhosa. Talvez algumas pétalas sejam difíceis de abrir, porque podem guardar "dores" não resolvidas que precisam ser liberadas. Cada vez que praticar essa visualização, tente abrir mais pétalas. Quando todas elas estiverem abertas, um centro dourado brilhante e reluzente surgirá.
7 Sustente essa visão tanto tempo quanto possível, depois termine a meditação e volte à consciência comum.

211

O Yantra do Anahata

As divindades associadas ao Anahata

Ishvara

A energia divina dominante é Ishvara (ou Isa), cujo nome significa "senhor" ou "mestre". Ele é um aspecto de Shiva e o regente dos três chakras inferiores. Sua absorção da paixão nos ajuda a remover qualquer separação entre nós e o mundo a nossa volta. Essa divindade é representada com três olhos e dois braços, e faz os mudras de afastar o medo e conceder bênçãos.

A melhor bênção que Ishvara nos concede é a do fortalecimento da concentração. Com concentração, somos capazes de saber que nossa alma mora dentro de nós como o Eu Eterno, como uma centelha da Criação. Ishvara tira-nos da confusão e levando-nos à libertação.

Vagu, deus do vento e do ar, o elemento deste chakra, cavalga um grupo de antílopes que supostamente puxam as carruagens do Sol e da Lua pelos céus.

Kakini

A deusa governante de Anahata é Kakini. Ela é a grande e linda benfeitora da devoção, que sincroniza a batida de nosso coração com a batida do cosmos. Ela carrega um nó corrediço em uma mão, para nos fazer lembrar que não devemos nos deixar envolver pelas expectativas espirituais. Na outra mão, traz um crânio, que nos faz lembrar de manter uma mente pura. Kakini faz os mesmos gestos de mudra que Ishvara.

Ela é mostrada numa disposição iluminada e feliz por ter bebido o Amrita, ou néctar precioso, que flui a partir do chakra Soma. O nó e o crânio, longe de serem símbolos agourentos, encorajam-nos a "morrer" para o nosso eu, para a ignorância e para os caminhos do mundo, de modo que possamos dançar a dança sagrada da vida.

Cristais para ativar o Anahata

Quando falamos de ativar um chakra, deixamos implícito que ele carece de fluxo energético. Entretanto, é preciso averiguar se é realmente o caso, por um método de diagnóstico; ou, se você prefere ter segurança, simplesmente use um dos cristais de equilíbrio mostrados nas páginas seguintes. O principal cristal usado para ativar o Anahata é o peridoto.

Peridoto

A natureza nos presenteou com a dádiva dessa gema de alta energia, que é também conhecida como crisólita e olivina. Sua cor varia do verde-amarronzado a um verde-claro brilhante, e é essa última cor que é usada para ativar o Chakra do Coração.

O peridoto ativa o Anahata de diversas maneiras – é considerada uma pedra de limpeza, capaz de eliminar as toxinas da aura e do corpo físico. No nível psicológico, ele ajuda a remover as emoções negativas que podem se originar no coração (como ciúmes, inveja, ódio e raiva) por meio do chakra. Ele pode, portanto, ser visto como "a pedra dos relacionamentos" – facilitando a saída de emoções negativas que nos impedem de amar verdadeiramente e substituindo-as por compaixão, amor e calma.

O peridoto polido (acima) e os cristais preciosos e lapidados de peridoto (à direita) têm vibração harmônica com o coração.

Como usar o peridoto para estimular as vibrações energéticas

No nível físico, o peridoto pode ajudar as vibrações energéticas do coração e dos pulmões. Uma maneira de usá-lo é deixar um cristal limpo num copo de água mineral natural da noite para o dia (de preferência à luz do luar) e, pela manhã, beber a água aos poucos (tome cuidado para remover os pequenos cristais primeiro!). Outra maneira é simplesmente segurar o cristal durante a meditação ou atá-lo com uma fita adesiva no centro do peito, no ponto em que a energia em espiral do chakra entra em seu corpo. Deixe-o ali por não mais que 12 horas por vez, depois lave, limpe e reenergize o cristal.

Quando usar qualquer método de cura por cristais, lembre-se de que a doença provavelmente levou muito tempo para se instalar no corpo físico, tendo passado por todos os níveis da aura para chegar ali. É necessário aliviar o mal-estar de maneira consciente, dissolvendo todos os padrões ou impressões que o predispõem a ele. Isso geralmente requer tempo e dedicação. E é claro que você deve seguir as orientações médicas e criar condições adequadas para seu retorno à saúde, tais como alimentos nutritivos, relaxamento e um estilo de vida saudável.

Beber aos poucos a água da fonte com infusão de peridoto ajuda as vibrações energéticas do coração e dos pulmões.

Cristais para acalmar o Anahata

Os cristais mais eficazes para acalmar as energias do Chakra do Coração são a safira azul (ver p. 185), o topázio rosa, a kunzita rosa e a rodonita.

Topázio rosa
Essa é uma gema rara que tem uma correspondência especial com nosso coração e com o da Mãe Terra. Como todos os cristais e pedras vêm de baixo da terra, eles costumam ser sensíveis à luz direta do Sol. Alguns deles – como a ametista e o topázio rosa – não deveriam ser deixados à luz solar, porque realmente desbotam com o tempo.

Nas tradições nativas americanas, as pedras são consideradas os ossos da Mãe Terra; os rios são o seu sistema linfático; o óleo, o seu sangue; a vegetação, o seu cabelo; e a superfície da Terra, a sua pele. Os cristais – às vezes mencionados como "luz congelada" – são vistos como as preciosas glândulas endócrinas de seu corpo. Portanto, quando usamos o topázio rosa, criamos uma sinergia imediata com o Chakra do Timo, que tem íntima associação com o coração. O topázio rosa quebra padrões antigos de doenças que são mantidos no campo áurico relacionado com o coração; para um problema de pulmões, o topázio verde é mais apropriado.

A kunzita cor de lavanda (topo) ou a kunzita rosa (acima) fortalecem e protegem todo o campo áurico.

Kunzita cor-de-rosa ou cor de lavanda

Esse é um excelente cristal para se usar no Chakra do Coração e age sobre as emoções humanas, nesse estágio da evolução humana na Terra. A kunzita rosa ou a cor de lavanda ajuda especialmente a curar a dor dos relacionamentos rompidos ou as perdas por morte, ocasião em que ela ajuda no processo do luto. A kunzita é sempre calmante para o Chakra do Coração, aumentando os níveis de compaixão no campo áurico. Ela é usada para ajudar a melhorar a depressão que surge da turbulência emocional e para acalmar os ataques de pânico.

Um excelente tratamento para o Anahata é colocar em uma banheira com água quente uma pequena quantidade de essência de cristal de kunzita rosa e cinco gotas de óleo essencial de rosas. Acenda algumas velas cor-de-rosa e deixe suas preocupações de molho por um tempo. Quando sair do banho, tome sete gotas da essência de cristal e relaxe por tanto tempo quanto puder.

Rodonita

A rodonita é usada para limpar energias indesejadas e para acalmar; para esse propósito, é recomendado seu uso antes de se colocar qualquer outro cristal no Chakra do Coração. Em virtude de seu conteúdo de ferro (os veios pretos), ela "liga" você à Terra e permite que ocorra um trabalho mais profundo em direção ao ideal do amor incondicional. Depois de usar a rodonita para acalmar o Chakra do Coração, você poderá então usar o quartzo rosa ou a rodocrosita (ver pp. 218-19) para levar equilíbrio ao Anahata.

A rodonita é às vezes considerada como um cristal de "primeiros socorros" na ocasião de um choque, quando ela poderá ser segurada, usada num método de cura ou ser tomada como um elixir de pedra preciosa (ver p. 71) durante alguns dias. Em caso de um ataque de pânico, é benéfico mantê-la por perto.

A rodonita afasta as memórias de feridas emocionais e físicas, nesta vida ou em vidas passadas.

Cristais para equilibrar o Anahata

A turmalina melancia, a aventurina verde, o quartzo rosa, a rodonita (ver pp. 216-17) e a rodocrosita podem todas ser usadas para equilibrar o Anahata. O ideal é usá-las na forma de pequenas pedras roladas e polidas, com exceção da turmalina melancia, que geralmente é cortada em "fatias" para exibir o coração rosa que ocorre naturalmente no meio do cristal verde.

Turmalina melancia

Esta é a primeira escolha a ser usada na terapia por cristais para equilibrar o Chakra do Coração. A parte verde leva energia vital para o corpo, ao passo que a parte rosa suaviza e harmoniza. Ela ajuda a acomodar os opostos e a confusão acerca dos papéis sexuais. Ela pode nos ensinar a sermos autossuficientes, integrados e em harmonia amorosa com todos os diferentes aspectos de nós mesmos.

Como usar a aventurina verde para equilibrar as energias do coração

Esse cristal tanto acalma o Anahata quanto equilibra as energias do coração e dos pulmões. Ele é um quartzo verde reluzente, com uma boa capacidade multilateral de cura. Para equilibrar o seu corpo todo, tente fazer o seguinte exercício:

1 Coloque um pano de cor verde-luminoso (seda é melhor, mas também pode ser algodão; não use fibras artificiais) no chão.
2 Ponha tantas pedras de aventurina verde rolada quanto puder num círculo perfeito em torno do pano (limpe todos os cristais antes e depois do uso, ver p. 68).
3 Deite-se de costas no pano, com a cabeça voltada para o norte; no centro do peito, coloque outra aventurina e quatro pontas de quartzo, igualmente espaçadas nas direções norte, sul, leste e oeste, com as pontas voltadas para dentro em direção à aventurina.
4 Relaxe por cerca de meia hora.

A turmalina melancia acalma o Chakra do Coração e nos conecta com a fonte do amor incondicional.

As pedras roladas e polidas aventurina verde (esquerda), o quartzo rosa (abaixo) e a rodocrosita (parte inferior) são úteis para o Chakra Anahata.

Quartzo rosa

Essa pedra trará a você amizade e amor. É um cristal ideal para presentear um amigo, porque tem energias delicadas e afetivas. Na meditação, ele o conduzirá pela abertura dos diferentes níveis do Chakra do Coração e encontrará maneiras de fazer você se conectar com sua criança cósmica interna. No corpo físico, ele pode ajudar nos desequilíbrios sexuais e emocionais e a aumentar a fertilidade. Segure um quartzo rosa em cada mão enquanto você medita.

Rodocrosita

Por ter um alto conteúdo de cobre, é um bom condutor de energia. Ela integra os aspectos físico, mental e emocional no nível do coração. É um cristal ideal para devolver para a Terra como uma oferenda, se você estiver num lugar especial.

Massagem com cristais

Você pode reequilibrar a energia de um parceiro com uma massagem com cristal de quartzo rosa. Para isso, você precisará obter um pedaço de quartzo rosa macio, polido e rolado, com uma ponta achatada, ou um dos cristais de quartzo rosa naturais muito delicados e raros. Como sempre, limpe o seu cristal (ver p. 68) antes do uso e acenda uma vela cor-de-rosa, providencie uma pequena quantidade de óleo carreador para aromaterapia (5 ml), misturado com três gotas de óleo essencial de rosa – use apenas o óleo essencial puro e não o tipo vendido para os "difusores" de aromaterapia. Deite-se num lugar confortável.

Esta será uma massagem com cristais muito especial, feita com amor incondicional em um parceiro, que deve estar despido. Deve ser uma experiência enriquecedora que permita a vocês se revezarem para compartilhar esse momento amoroso.

1 Faça um ritual especial de acenderem juntos a vela, expressando o que estão sentindo um pelo outro em seu coração.
2 Agora comece a untar todos os sete chakras do seu parceiro com uma pequena quantidade de óleo no dedo. Aja com vagar e sensibilidade, desde a coroa até a base, e depois em direção aos pés.
3 Nesse ponto, você deve começar a massagem do Chakra do Coração com o quartzo rosa. Primeiro, segurando o quartzo rosa em sua mão como um pêndulo, encontre a direção da energia espiralada que está emanando do chakra e deixe a sua mão segui-la com delicadeza. *Muito suavemente*, faça um movimento espiral com o quartzo rosa para dentro e para fora, sobre a pele, no centro do peito correspondente ao Anahata. Não se apresse, e aprecie o momento. Deixe o cristal operar suas frequências mágicas de amor incondicional.
4 Use mais a mistura de óleo de rosa se precisar. Essa deve ser uma experiência altamente prazerosa.
5 Finalize massageando suavemente os pés de seu parceiro; em seguida, segure os pés dele com firmeza, pedindo-lhe que passe a escutar o som da sua voz chamando-o de volta, gradualmente, ao seu estado habitual de consciência.
6 Bebam um pouco de água fresca e depois troquem de posição.

Relaxe e fique em paz enquanto aprecia o ato de dar e de receber essa massagem de cristal.

221

Massagem com cristais

Aromaterapia e Anahata

O perfume de plantas, árvores e ervas nos traz muitos tipos de benefícios: o perfume que exsuda da casca da bétula permite que encontremos a paz interior, ao passo que as folhas e as flores da camomila exalam um aroma com forte efeito sedativo, que abre o

ÓLEOS ESSENCIAIS DO CHAKRA DO CORAÇÃO

Os principais óleos essenciais que têm uma ressonância harmônica com o Anahata são:

- **Rosa** No Chakra do Coração, esse óleo transforma a energia da paixão em amor incondicional. Quando usado com as energias do Anahata, é também valioso como um antidepressivo para situações de luto ou rompimento de uma relação amorosa. Ele é antisséptico, hepático, sedativo e uterino.

- **Melissa** É uma boa alternativa à rosa para que a massagem traga benefícios ao coração físico e etérico (é possível fazer uma excelente mistura com os dois), mas tome cuidado ao usá-lo em pessoas de pele sensível. Ele tem um perfume que lembra um pouco o limão e intensifica os óleos essenciais de rosa, lavanda e gerânio. A melissa é recomendada para o estado de choque ou dor pelo luto e para reduzir a pressão alta. Ela tem um efeito sedativo e fortalece o Anahata. Como a rosa é cara, deve ser usada com parcimônia. O sábio curador grego Paracelso chamava a melissa de "elixir da vida". É antidepressivo, antisséptico, antiespasmódico, antiviral, antipirético, relaxante e sedativo.

- **Néroli** Esse é o óleo número um para o stress ou estado de choque. É feito da flor da laranjeira, tem um perfume extremamente forte e combina bem com outros óleos. Ele é muito benéfico para a pele, especialmente para rejuvenescer a pele seca ou envelhecida. Entretanto, é também um óleo excelente para o Chakra do Coração, uma vez que é antidepressivo, sedativo e afrodisíaco.

Chakra do Coração e trabalha em nossos níveis emocionais. O extrato da folha da oliveira fortalece o sistema imune, e a essência da flor de pera é recomendada para inspirar os músicos. O morango e a romã consumidos como frutas ou como essências florais fortalecem o Chakra do Coração, ao passo que o tomilho fortemente aromático como essência floral ou erva, opera nas conexões físicas do coração e do timo.

Massagem e vaporização

A massagem feita por um aromaterapeuta experiente que utiliza uma combinação de quaisquer dos óleos citados será uma experiência realmente prazerosa. Se não for possível receber uma massagem, talvez a segunda melhor opção seja apreciar os perfumes e as propriedades terapêuticas desses óleos, usando-os em um banho ou num difusor de óleo (ver pp. 58-9).

Os óleos da aromaterapia, usados num difusor ou numa massagem, podem nos trazer diversos benefícios.

Asanas de yoga para Anahata

Ativo: Bhujangasana (cobra)

Em termos físicos, Bhujangasana age poderosamente na coluna e, se executada sob supervisão especializada, pode realinhá-la. A postura nunca deve ser forçada – expanda-a apenas na medida do seu conforto. Esse asana abre e permite que o lindo lótus simbólico no Chakra do Coração "desabroche". Visualize a flor se abrindo, revelando estames dourados no centro como joias preciosas. O estado de consciência que você está buscando no Chakra do Coração é visnanamaya (atenção plena), a experiência que você mesmo tem do seu corpo de sabedoria.

1 Deite-se no chão de bruços com o queixo apoiado no chão. Coloque as mãos espalmadas no chão sob seus ombros, com os dedos apontando para a frente.
2 Suavemente, erga o corpo até uma altura confortável enquanto curva as costas para trás. Mantenha o púbis em contato com o chão. Os braços não precisam estar retos; você pode dobrar os cotovelos. A flexibilidade da coluna vertebral será desenvolvida com a prática.

Bhujangasana erguido (cobra erguida)

Essa é uma versão avançada do asana anterior. Pratique-a com cautela.

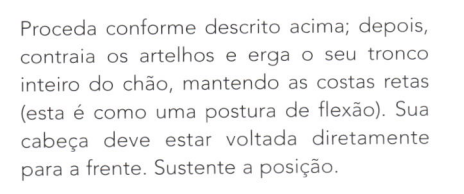

Proceda conforme descrito acima; depois, contraia os artelhos e erga o seu tronco inteiro do chão, mantendo as costas retas (esta é como uma postura de flexão). Sua cabeça deve estar voltada diretamente para a frente. Sustente a posição.

Passivo: Janusirsasana (postura da cabeça no joelho)

Esse asana alonga a parte posterior dos músculos das pernas e solta as articulações dos quadris, tonificando os órgãos abdominais e alongando a coluna em toda a sua extensão. Se considerar difícil a inclinação para a frente, por causa da pouca flexibilidade de sua coluna e quadris, sente com seu cóccix na beira de uma almofada firme para melhorar a flexibilidade da articulação do quadril. Enquanto se inclina para a frente, sempre se esforce para nivelar as costas tanto quanto possível – isso tem o efeito de abrir o Chakra do Coração. Lembre-se de que os chakras abrem na frente e atrás (com exceção do Chakra da Base e da Coroa), portanto concentre-se na luz en-

1

trando no centro mediano de suas costas. Use o yantra como um foco ou uma cor verde fresca e brilhante sendo puxada por seus pulmões e por seu coração. Essa postura traz equilíbrio e harmonia ao Chakra do Coração enquanto você relaxa. Apenas quando estiver extremamente flexível, você conseguirá fazer a postura completa mostrada no passo 2.

1 Sente-se com ambas as pernas estendidas no chão à sua frente. Dobre o joelho direito e mova-o para a direita, acomodando seu calcanhar na a parte superior interna da coxa esquerda. Segure o decão esquerdo com ambas as mãos.
2 Erga a cabeça, depois numa expiração incline-se para frente sobre a perna esquerda, para aproximar seu rosto tanto quanto possível do joelho esquerdo. Repita com a outra perna.

Matsyasana (postura do peixe)

Esse asana fortalece o peito, o pescoço e a coluna, bem como o sistema respiratório, e curvar a corpo para cima dessa maneira beneficia o Anahata. Existem duas versões com graus diferentes de dificuldade.

1 Postura básica: deite-se no chão com as pernas retas e estendidas. Coloque as mãos ou cotovelos no chão para se apoiar, depois arqueie as costas e coloque o topo da cabeça no chão com delicadeza, mantendo o peito erguido.

2 Postura avançada: sente-se com as pernas cruzadas na posição de lótus completa e, numa expiração, deite para trás, apoiando-se nos cotovelos, até que o topo da sua cabeça apenas repouse no chão. Leve as mãos até os pés e segure-os.

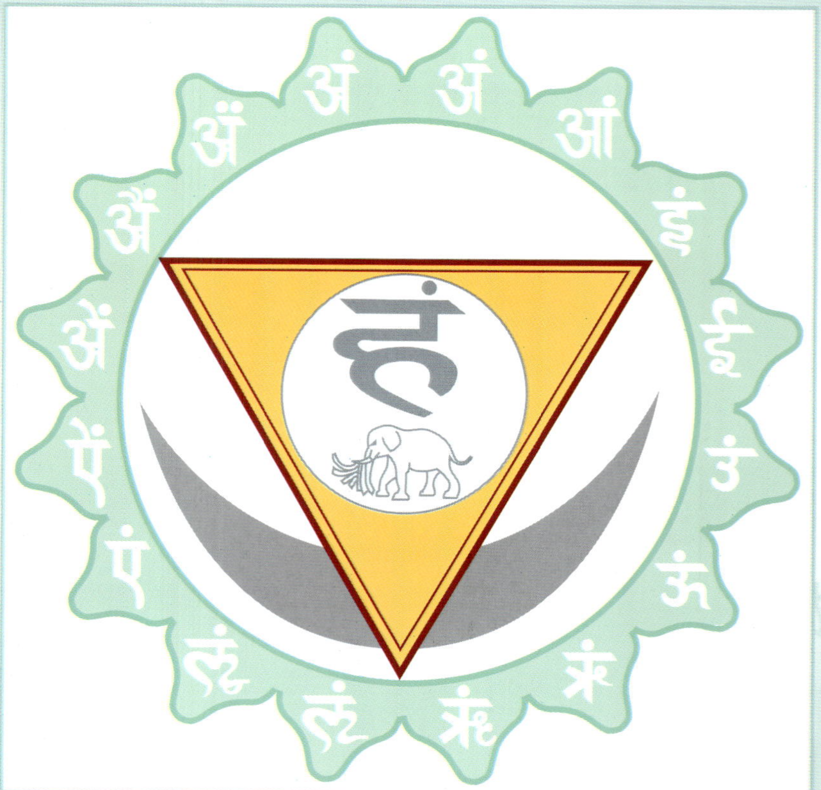
हं

Capítulo 6

O CHAKRA DA GARGANTA: VISHUDDHA

O Chakra Vishuddha

O Chakra da Garganta, ou Vishuddha, é conhecido como kantha, kanthadesha, kanthapadma, kanthapankaja, shodasha, kanthambhoja, shodasha-dala, akasha, nirmala-padma, shodashara, dwyashtapatrambuja e por outros nomes. O elemento associado com esse chakra é o éter/akasha, através do qual são transmitidas as vibrações sutis dos mantras, conforme usados no Laya yoga.

Vishuddha significa "purificar". No Tantra Yoga, esse chakra tem 16 pétalas de cor fumê, cada qual ligado a uma das vogais sânscritas, um mantra ou um tom musical. A região central do chakra tem cor branca, transparente, fumê ou azul-céu, embora as interpretações modernas do Chakra da Garganta geralmente mostrem as 16 pétalas em turquesa.

As funções de Vishuddha

Vishuddha é considerado como uma importante "ponte" a partir do coração, no processo de ascensão da consciência por meio da ativação sequencial dos chakras, desde a base à coroa até a cabeça. Em certo sentido, ele é realmente uma ponte, porque nos conduz de um lado do "rio da vida" – o nosso corpo – para o outro, os reinos espirituais. Das 16 pétalas, a primeira representa Pranava (o mantra OM/AUM); as sete seguintes são mantras; e as oito últimas estão associadas ao néctar e aos sete tons musicais.

É o lugar do qual podemos falar ou cantar o nosso amor pelo nosso parceiro, nosso mundo, nosso(s) deus(es) ou nossa deusa. De modo inverso, podemos usar a voz para magoar ou difamar, dizendo palavras amargas que destroem e voltam as energias desse chakra para dentro. Vishuddha não continuará a receber sustento do éter sagrado a menos que possamos falar e cantar boas palavras.

Os desequilíbrios de energia no Vishuddha manifestam-se como problemas no ouvido, nariz, garganta e respiração, no corpo físico. Portanto, se houver desconforto ou doença nessas áreas, o Chakra da Garganta será o primeiro a receber tratamento. À medida que ele se equilibra, aprendemos verdadeiramente o que significa estarmos "em nosso corpo" e podemos expressar os aspectos criativos e afirmativos da vida.

PRINCIPAIS CARACTERÍSTICAS NUM RELANCE

Cor	Turquesa
Questões fundamentais	Autoexpressão, comunicação e vontade
Localização física	Entre a clavícula e a laringe, no pescoço
Área da coluna associada	Terceira vértebra cervical
Sistema fisiológico	Respiratório
Glândula endócrina	Tireoide e paratireoide
Plexo nervoso	Gânglios cervicais
Aspecto interno	Expressão
Ação física	Comunicação
Ação mental	Pensamento fluente
Ação emocional	Independência
Ação espiritual	Segurança

Questões de saúde e o Vishuddha

O Chakra da Garganta pode nos ajudar a ter um poder além das palavras – um aspecto mostrado por seu tradicional animal simbólico, o elefante.

Sistemas corporais associados

Em termos físicos, o Vishuddha está associado com a produção de hormônios que equilibram a tireoide. É interessante que estes estejam ligados principalmente com o modo pelo qual nos desenvolvemos – o Chakra da Garganta recebe mensagens dos chakras superiores que dizem: "Essa é a medida do crescimento do seu corpo". Durante nossas vidas, a glândula tireoide e as glândulas menores, as paratireoides, no pescoço, mantêm funcionando diversas funções corporais, que incluem a reparação das células do corpo, os níveis de cálcio e de fosfato no sangue. Acima da garganta se dão os processos superiores da mente e o desenvolvimento de nossa natureza espiritual.

Os desequilíbrios que podem ser sanados pela terapia do Chakra da Garganta incluem:
- Doença de Graves
- Hipotireoidismo e bócio
- Hipertireoidismo
- Hiperparatireoidismo e Hipoparatireoidismo
- Exaustão
- Problemas digestivos e de peso
- Dor de garganta, dor no pescoço e dor na parte posterior da cabeça

Uma deficiência de energia nesse chakra (hipo) pode nos fazer sentir temerosos, tímidos, manipuladores e ter medo do sexo. Um excesso de energia (hiper) é uma estimulação excessiva que causa uma natureza dogmática, arrogante ou presunçosa ou a fala excessiva. Essas pessoas costumam ser sexualmente dominantes e enfáticas. Um modo simples de limpar esse é bater de leve nele três vezes com as pontas dos dedos. Faça isso sempre que tiver dificuldade em expressar-se.

Quando o Vishuddha se equilibra, podemos afirmar a vida em nosso modo de falar e nos expressar através de canções. Ele dá forma aos sentimentos de nosso coração e permite que nos comuniquemos de maneira telepática. Quando equilibrado de forma harmoniosa, o Chakra da Garganta nos permite desenvolver uma apreciação pelas questões globais, de modo a não ficarmos mais fixados em nosso grupo, nacionalidade ou local de nascimento. Ele nos harmoniza com todas as pessoas e com a vida.

Glândulas endócrinas associadas

A tireoide produz a tiroxina T4 e a triiodotironina T3 (promovem o crescimento normal do corpo e do cérebro e reparam as células corporais) e as paratireoides produzem o paratormônio (metabolismo do cálcio e do fosfato).

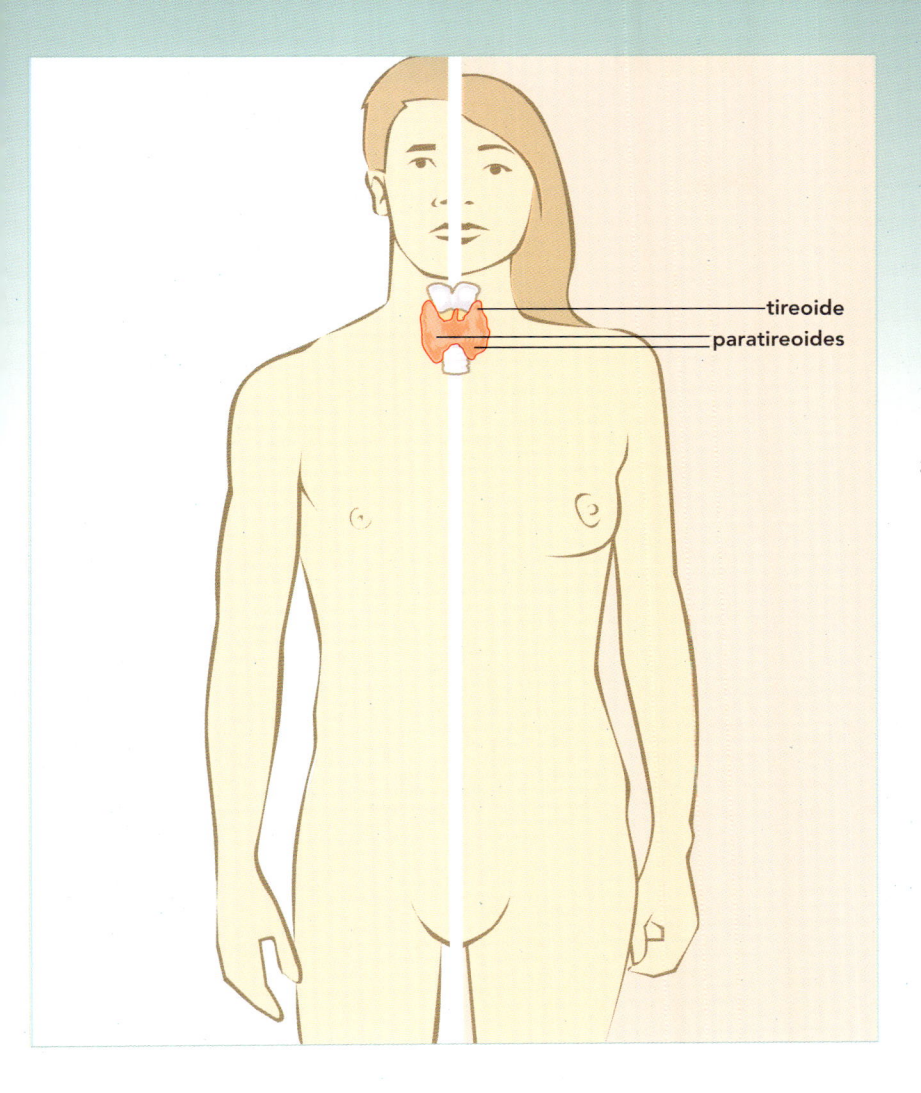

tireoide
paratireoides

Prana: a respiração da vida

Os problemas respiratórios surgem por causa de uma desassociação com a energia do éter (akasha), um tipo especializado de prana que passa através desse chakra e é absorvido dentro do corpo com cada respiração.
- Nós respiramos, mas não pensamos sobre a qualidade de nossa respiração.
- Nós absorvemos ar e oxigênio, mas não pensamos sobre a qualidade desse ar.

É apenas quando sentimos dificuldades em respirar que começamos a apreciar realmente a preciosidade da respiração. Podemos viver cerca de 56 dias sem alimento, cerca de 12 dias sem água, mas o ar – incluindo o oxigênio, o prana e o éter – é necessário aproximadamente a cada 3 minutos. Sem ar, o sistema elétrico que forma nossa energia de fogo, centrado em nosso cérebro, morre rapidamente. Recebemos então a designação "morte cerebral". Mas e se respirarmos apenas pela metade durante toda a nossa vida? O que isso provoca em nós? Talvez seja por esse motivo que o yoga ensine técnicas específicas de respiração, para aumentar o fluxo prânico através de nosso sistema corporal sutil e físico. O objetivo do yoga não é tornar o corpo melhor *per se* mas fazer dele uma "casa" apropriada para o espírito.

Exercício para controlar o Prana

Nesse exercício, respire profundamente, mas apenas na medida do seu conforto.

Inspire

1. Sente-se no chão de pernas cruzadas, na posição de lótus, ou numa cadeira de espaldar reto com os pés apoiados no chão. As costas devem ficar retas e os olhos, fechados.

Expire

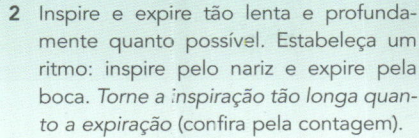

2. Inspire e expire tão lenta e profundamente quanto possível. Estabeleça um ritmo: inspire pelo nariz e expire pela boca. *Torne a inspiração tão longa quanto a expiração* (confira pela contagem).
3. Mantenha as palmas das mãos sobre o umbigo e sinta o movimento, à medida que você empurra o ar até a base dos pulmões, fazendo seu abdômen erguer-se. A cada inspiração, continue a encher seus pulmões, expandindo as costelas.
4. Expire lentamente. Lembre-se de que você ainda está tentando manter o ritmo e a mesma duração das inspirações e das expirações.
5. Faça esse exercício por dez minutos, para começar. E, no decorrer de um ano, pratique por até uma hora.

Questões emocionais e Vishuddha

Projetamos nossa autoimagem por meio de nossa voz, ou da ausência dela. Sem dúvida, o modo de nos comunicarmos varia à medida que passamos de bebê a adultos. No nível físico, não podemos esperar que a voz de um homem soe a mesma aos 7 anos de idade e aos 70. Da mesma maneira, o que ele comunica por meio de sua voz será diferente, dependendo de sua idade e experiência de vida.

Como libertar os canais de comunicação

O Chakra da Garganta está intimamente conectado com essa progressão na comunicação à medida que avançamos na vida. Um campo áurico fluido irá ajudá-lo a funcionar e alimentará nossos processos de comunicação. Se estiver bloqueado, isso pode resultar em depressão e tendências suicidas. Quando não conseguimos lidar com os problemas, ou nos expressar, pode ser útil procurar um aconselhamento terapêutico para discutir nossos problemas. Quando falamos sobre as coisas com alguém, uma carga é compartilhada e a autoexpressão por meio desse chakra é encorajada. O aconselhamento profissional pode ser auxiliado por outras terapias: tratamento à base de luz, com a luz turquesa, terapia de cristais, o uso de um colar de turquesa, uma visita a um curador espiritual ou pelas visualizações regulares do chakra, com o uso da cor turquesa. A maioria das pessoas usa a voz todos os dias apenas para expressar as necessidades emocionais de seus chakras inferiores. Se esse for o seu padrão, você deve questioná-lo.

Para um terapeuta de sons experiente, a sua voz indicará as suas forças e fraquezas, dependendo das notas dominantes ou ausentes em sua fala, que se ligam à saúde e ao bem-estar de seu corpo físico. Até mesmo um ouvinte que desenvolveu algumas habilidades pode colher informação sobre alguém pela maneira como essa pessoa se expressa: as suas emoções e estados mentais geralmente são percebidos com clareza em sua voz.

A importância de escutar

A nossa voz tem o poder de transformar nossa vida, mas costumamos esquecer como podemos ser eficazes quando nos comunicamos com clareza. *Escutar* é o segredo real da comunicação. Quando escutamos, ouvimos o que a pessoa está realmente dizendo e podemos distinguir as diferentes camadas dentro e por trás de suas palavras. Por exemplo, podemos dizer: "Sim, eu estou bem", mas realmente querer dizer "não, eu não estou nada bem". Essa é a parte da máscara que usamos no palco chamado "vida", um programa obsoleto que se originou nos valores vitorianos, segundo os quais "as crianças devem ser vistas, mas não ouvidas".

Fazer aconselhamento terapêutico, terapia de som ou mesmo falar com um amigo pode ajudar a autoexpressão pelo Visshuddha.

Questões espirituais e Vishuddha

Vishuddha canaliza akasha – o éter – em nossos corpos e, simbolicamente, representa a fonte de todos os sons e vibrações. Diz-se que, quando dominamos e ativamos plenamente esse chakra, desenvolvemos a habilidade de ouvir todos os sons e entender outras línguas através da clariaudiência (escutar sons além do alcance da escuta normal) e pela percepção extrassensorial (PES). Supõe-se até mesmo que possamos entender a linguagem dos pássaros e dos animais, e aquelas dos seres espirituais, como os deuses e as deusas, devas e elementos da natureza. Na tradição indiana, quando tivermos aprendido Satya, a veracidade da fala, poderemos falar sobre nossos desejos mais profundos e torná-los realidade.

Satya: veracidade da fala

De uma perspectiva psicológica, quando encaramos a nossa própria verdade – parando de contar mentiras a nós mesmos – ficamos desnudados e vulneráveis. Deixamos cair a máscara do condicionamento social, a qual se torna para muitos de nós um tipo de hipnose cultural, impedindo-nos de despertar para nosso verdadeiro potencial humano. No yoga, essa hipnose é chamada de maya, ou ilusão.

Vishuddha almeja que usemos nossas capacidades, nossa voz, para fazer louvação. A prece é mais do que simplesmente um pedido que o nosso deus possa satisfazer. Ela é uma comunicação entre a nossa alma e o campo unificado de consciência que inclui cada ser humano, animal, e o próprio planeta. As preces são formas de pensamento que transmitem informação a presenças na natureza e em outros mundos. Quando o Chakra da Garganta está ativo e nos expressamos por meio dele com preces, palavras ou canções, estamos naturalmente louvando todas as forças da criação.

Nós todos podemos ser arrastados a um estado de inércia em nossa vida diária. Mas os ensinamentos de Vishuddha nos instam a deixar brilhar a nossa luz, nossas vozes cantarem com Verdade e Amor, pois quando integrarmos esses ensinamentos em nossas vidas teremos apenas mais dois chakras importantes para integrar.

A afirmação é uma sentença repetida que nos faz lembrar de nosso caminho espiritual. A afirmação do Vishuddha é:

Expressarei minha sabedoria superior para os outros.

Quando o Vishuddha está plenamente ativado, os elementos da natureza podem ser compreendidos.

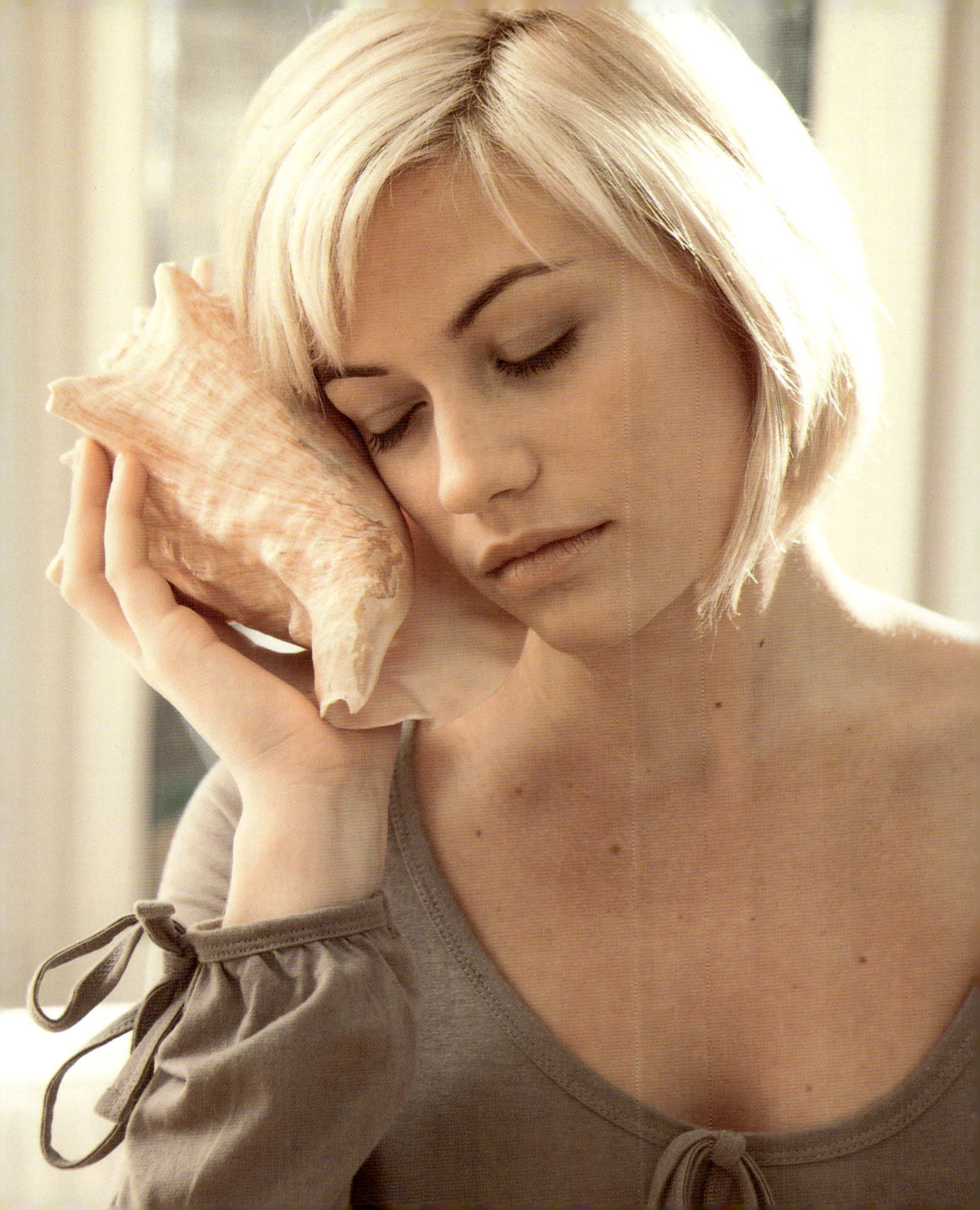

O Yantra do Vishuddha

Na garganta está o Lótus chamado Vishuddha, que é puro. Esse é o portal da grande liberação para aquele que deseja a riqueza do yoga e cujos sentidos são puros e controlados. Ele vê passado, presente e futuro e se torna o benfeitor de todos; é livre de doenças e dor, e é longevo.
Sat Cakra Nirupana

Descrição do yantra
Número de pétalas 16.
Cor Azul acinzentado.
Crescente prata símbolo do som cósmico, *nadam*, que representa a pureza.
Triângulo um triângulo apontando para baixo, ou akasamandala.
Círculo branco representa a lua cheia, nossos poderes psíquicos e o elemento Terra.
Elefante branco O animal guardião, Airavata, que carrega o som do mantra. Associado ao deus Indra. Airavata não está preso a uma coleira – representa a servidão transformada em serviço.

O bija mantra
No interior de akasamandala há um círculo branco que contém o bija mantra (ver pp. 80-1), HAM. Quando este é soado, ele vibra e energiza o cérebro e a garganta, trazendo doçura e harmonia à voz.

Meditação do yantra para explorar o desejo
Um foco adequado para uma meditação nesse yantra, para ajudar você a passar do estado de maya (ilusão), (ver pp. 240-41), é o "desejo" – explorar não apenas o *porquê* de você desejar algo, mas todo o conceito do próprio desejo. Não há instruções específicas além de meditar em *quietude*. Todo o objetivo do yantra está em tornar a mente completamente quieta: sem diálogos com você mesmo, sem pensamentos, apenas a concentração no próprio símbolo (nem mesmo no significado do símbolo). É pura meditação e não um tipo de visualização. Você apenas pode vivenciar a meditação e a quietude.

243

O Yantra do Vishuddha

Divindades associadas ao Vishuddha

Sadasiva

Nos ensinamentos hindus, Sadasiva é metade mulher e metade homem: Sakti e Shiva combinados. Sadasiva representa a reconciliação dos aspectos masculino e feminino de nossa natureza com o objetivo da evolução. Sadasiva tem cinco faces, representando os cinco sentidos, cada uma com três olhos. Essa deusa faz o mudra (gesto de mão) de dispersar o medo e carrega nove itens simbólicos:

- **O laço**, representando o perigo de fixar-se no orgulho espiritual.
- **O aguilhão** (um bordão agudo e pontudo) que significa a necessidade de fazer maiores esforços.
- **A grande cobra** que significa sabedoria.
- **Um tridente**, representando a unidade dos corpos físico, etérico e causal.
- **Uma chama** para os fogos da energia kundalini.
- **Um sino** para a qualidade de cura interna.

- **Um cetro de diamante** para a indestrutibilidade.
- **Uma espada** para a necessidade de aprender a discriminação.
- **Uma alabarda** para cortar fora antigos aspectos do eu.

Sakini

O aspecto feminino e a consorte de Sadasiva é a deusa Sakini, que é descrita como a própria Luz. Essa deusa é um aspecto de Gauri, a mãe do universo. Ela tem o poder de conceder poderes psíquicos e pode se comunicar conosco através de nossos sonhos. Geralmente ela é representada vestida de amarelo e sentada numa for de lótus vermelha. Sakini tem cinco faces, cada uma com dois olhos, além de um Chakra do Terceiro Olho iluminado.

Ela tem quatro braços e carrega um livro, que representa a sabedoria, um aguilhão que representa o controle e um aço para o poder intelectual. Sua quarta mão faz o gesto do mudra sagrado Inana sobre o coração.

Cristais para ativar o Vishuddha

As gemas de cristal recomendadas para a ativação do Chakra da Garganta são o topázio azul e o amarelo, cada qual usado de maneira levemente diferente para a ativação.

Topázio azul

Esse é um excelente cristal para se usar quando você estiver pronto para ativar o Vishuddha para um trabalho espiritual mais profundo, ou para ativação antes de um canto sagrado ou do uso da voz. Seu principal objetivo é dirigir a energia, alinhando desse modo os meridianos do corpo. Por esse motivo, você pode usá-lo com sensibilidade quando "canalizar" entidades benéficas ou espíritos da natureza, ou quando estiver aplicando a energia Reiki (ver pp. 60-3) pelo corpo durante as iniciações. Você pode segurá-lo ou usá-lo como joia próximo ao pescoço.

Topázio amarelo

Use esse cristal para ativar o Vishuddha num nível físico. O desequilíbrio de energia que causa o hipotireoidismo pode ser ativado e levado ao equilíbrio pelo topázio amarelo. A ele se atribui o fortalecimento de nosso sistema nervoso, e o trabalho intenso com o Vishuddha ajudará todo o nosso metabolismo.

O topázio azul (esquerda) e o topázio amarelo (direita) ativam o Vishuddha de diferentes maneiras.

Como usar o topázio para ativar o Vishuddha

Pode-se usar tanto o topázio azul quanto o amarelo para este exercício. É preciso ter três topázios pequenos não lapidados e duas "pontas" de cristal de quartzo de 2,5 a 5 centímetros de comprimento.

1. Limpe os cristais (ver p. 68) e prepare o seu espaço de cura acendendo um incenso. Você pode usar um leque especial de plumas se quiser espalhar a fumaça por todos os cantos do aposento, depois deixe que ela saia por uma janela aberta. Quando você limpa um aposento dessa maneira, a fumaça se liga aos íons positivos no ar que são prejudiciais para nós, deixando para trás os íons negativos benéficos. Os nativos norte-americanos desenvolveram essa limpeza – às vezes chamada de "fumigamento" – usando sálvia, cedro ou grama perfumada. As pessoas com visão psíquica podem ver se a aura de alguém está limpa quando usam uma fumaça perfumada. Para a limpeza da aura, é recomendado começar pela cabeça, varrendo as energias não desejadas para baixo com a fumaça, permitindo que elas se "enraízem" na Mãe Terra.

Usar cristais de quartzo com o topázio pode ajudar a ativar o Vishuddha.

2. Agora, deite-se no chão e segure os cristais de quartzo, um no centro de cada palma, com as pontas voltadas para o seu braço.
3. Coloque os três topázios da seguinte maneira: um no entalhe central de sua clavícula e um de cada lado do seu pescoço, apontando para dentro.
4. Relaxe por 30 minutos e desfrute sua sessão de cura com esses cristais.

Cristais para acalmar o Vishuddha

A safira e a esmeralda são gemas excelentes para acalmar qualquer um dos chakras. Todas as gemas semipreciosas têm uma vibração de cura de alta qualidade que é concentrada e mais poderosa do que a das pedras menos preciosas. É por esse motivo que são escolhidas pelos curadores que utilizam cristais, no lugar das pedras roladas mais comuns.

Se você examinar um cristal segurando-o contra a luz, poderá ver muitas cores ocultas. Quando o cristal é colocado no corpo, as cores atraem para si mesmas tudo que não é mais necessário e dão ao corpo a vibração que ele requer, por causa do padrão de interferência que é feito pela matriz estrutural cristalina sobre o campo do corpo. Isso vale tanto para as pedras de cor opaca quanto para os cristais claros.

Embora os mineralogistas afirmem que existem muitas razões para que uma pedra se mostre colorida, podemos supor, de maneira geral, que sua cor é um reflexo do conteúdo mineral dentro de sua estrutura, ou do modo como a luz passa através de sua matriz cristalina. Essa cor é percebida como uma mensagem vibracional por nossa consciência sutil de cores no nível celular mais profundo. Essa mensagem permite a liberação e o reequilíbrio de todo o corpo.

Muitos preferem usar cristais naturais brutos como essa safira (esquerda) e a esmeralda (direita).

Uma "ponta" clara de quartzo para cura e um quartzo rosa rolado e polido.

Quartzo

Com o quartzo a situação é bastante diferente, pois o cristal de quartzo é translúcido, refratando a luz a 90 graus conforme ela deixa o cristal. Isso faz com que o pleno espectro da luz seja transmitido à área corporal no qual ele é colocado, permitindo que o corpo atraia para si as frequências e harmonias específicas que ele requer. Por esse motivo, muitos curadores usam apenas o cristal de quartzo claro. O quartzo também exibe arco-íris de luzes coloridas em seu interior, se sua estrutura permitir que os raios de luz sejam desviados pelas imperfeições.

Elixir de gema para acalmar o chakra da garganta

Um excelente modo de acalmar o Vishuddha é fazer um elixir de gema (ver pp. 152-53) a partir da safira ou da esmeralda. Para potencializá-lo ainda mais, coloque diversas pontas de quartzo em torno do recipiente, apontando para dentro. Se você não conseguir obter safira ou esmeralda, então as energias do quartzo rosa ajudarão a trazer energias amorosas e a calma, para qualquer chakra.

Cristais para equilibrar o Vishuddha

Há milhares de anos, os povos nativos norte-americanos, particularmente os dos estados do sudoeste, onde o povo Hopi vivia, têm honrado os cristais. Eles mostram uma afinidade especial com a turquesa e, instintivamente, modelaram essa pedra macia e fácil de esculpir transformando-as em joias estupendas. Eles descobriram que, quando a combinavam com prata, as energias lunares eram aumentadas; quando as usavam com ouro, as energias solares eram conduzidas e dirigidas.

Turquesa, sílica gema e crisocola

A turquesa é considerada como "a pedra do céu"; ela não é de fato um cristal, e tem uma natureza mais amorfa. Ela oferece, se utilizada como adorno, proteção contra a radiação, especialmente se usada em torno da garganta. É espantoso que muitos nativos norte-americanos soubessem, de maneira instintiva, que os efeitos da alta radiação de fundo, proveniente dos depósitos de urânio sob as suas terras, seriam neutralizados em seus corpos se usassem pedras turquesa contra a pele.

Atualmente, a sílica gema e a crisocola estão tomando o lugar da turquesa. Você pode usar a crisocola para afastar os medos e a sílica gema é uma excelente pedra para acalmar e equilibrar o Vishuddha. Todas as três pedras são muito macias e não devem ser usadas para fazer elixir de gema; é muito melhor apreciá-las como joias ou como pedras curativas simplesmente.

A incrível clareza de propósito com a qual as pedras turquesa evoluíram ajuda-nos a visualizar a cor turquesa, que deverá-

---

Tente obter a turquesa natural (não o pó reconstituído) tanto em forma polida quanto bruta, como mostrado aqui.

A crisocola alinha e equilibra os chakras e ajuda a afastar os medos.

mos ver como uma luz clara banhando-nos desde o alto e sendo inalada para o nosso Chakra da Garganta, tanto na frente como atrás do pescoço. Essa técnica é chamada de respiração da cor.

Respirando a cor

Essa técnica é de fato muito simples. Você apenas tem de visualizar uma cor apropriada para cada chakra – nesse caso, o turquesa para a garganta – e sentir que pode saturar a sua respiração com essa cor. Imagine-a sendo dirigida para você através das narinas, atravessando o pescoço e a garganta até os pulmões e o peito. Quando soltar a respiração, imagine a cor levando consigo quaisquer energias estagnadas não desejadas, que causam enfermidades.

A cor azul, quando usada como terapia de luz, revela uma natureza antisséptica e analgésica. Ela reduz a inflamação e ajuda a coagular o sangue. A cor azul/verde da turquesa, quando liberada como terapia de luz, é mais apropriada para acalmar a garganta e os problemas do coração.

Aromaterapia e Vishuddha

Entre as inúmeras plantas, ervas e essências florais adequadas para o Vishuddha, a erva-de-passarinho e o amor-de-hortelã são mais bem empregadas como ervas secas ou frescas ou em tinturas – elas são geralmente purificadoras para o corpo. O pomelo (*grapefruit*) enquanto extrato ajuda a perder peso, fortalece o sistema imune e é um tônico purificador após uma doença. O chá de casca de magnólia ajuda a meditar

ÓLEOS ESSENCIAIS DO CHAKRA DA GARGANTA

Os principais óleos essenciais que possuem uma ressonância harmônica com o Vishuddha são:

- **Lavanda** Esse é um dos óleos essenciais mais seguros e versáteis. É excelente no banho (use 5 gotas), num vaporizador (difusor) ou colocando duas gotas num lenço. É a escolha número um em um kit doméstico de primeiros socorros para mordidas de inseto, enxaqueca, náusea, queimaduras leves, ferroadas, queimadura de sol, pequenos cortes, frieira, eczema e ataques de pânico. A lavanda é analgésica, antidepressiva, antisséptica, antiviral, descongestionante, desodorante, emenagoga e sedativa.

- **Camomila** Esta se refere à camomila romana (*Anthemis nobilis*) e não à camomila alemã. Esse é o melhor óleo essencial para acalmar o Chakra da Garganta, mas não o use se precisar dirigir em seguida, pois você pode se sentir "fora de órbita". Na maioria dos casos, misture duas gotas de óleo essencial com 5 ml de óleo de base. No vaporizador, a camomila é excelente para aliviar dores de cabeça causadas por excesso de trabalho ou stress. É analgésica, antisséptica, antiflatulenta, digestiva, diurética, emenagoga e sedativa.

- **Alecrim/tomilho/sálvia** Essas três ervas, sozinhas ou combinadas, são boas para inalações de vapor. Entretanto, não são recomendadas para o uso nas misturas caseiras de aromaterapia, e não devem ser usadas de modo algum se você estiver grávida.

em vidas passadas, bem como a harmonizar os Chakras do Coração e da Garganta. A alteia suaviza os traços negativos associados ao Vishuddha. E a flor do salgueiro permite a liberação de dores e tristeza antigas.

Ervas frescas, tais como a lavanda (abaixo, esquerda), a camomila (abaixo, centro) e o alecrim (abaixo, direita), são excelentes para infusões de chá quente ou inalações.

Como fazer uma inalação a vapor

Esse tipo de inalação é excelente para congestionamentos nasais, sinusites, tosses, resfriados e dores de garganta, os quais demonstram que o Chakra da Garganta está lutando para manter as infecções secundárias a distância.

1 Ferva 1 litro de água e despeje-a numa tigela.
2 Adicione 10 gotas de óleo essencial (ou a erva fresca em infusão na água).
3 Ponha uma toalha sobre a cabeça e inale o vapor no máximo por 10 minutos.

Som e Vishuddha

O Chakra da Garganta tem uma associação muito forte com o som; as vibrações de nossas vozes alteram suas estruturas moleculares e estas se reordenam em padrões harmônicos.

Entoação

A entoação é uma nova técnica, mas o conceito é tão antigo quanto a humanidade. Quando entramos plenamente na entoação, é na verdade o som de nossa alma ouvindo a música das Esferas Celestiais. A entoação ajuda a equilibrar a saúde, os chakras e os campos de energia – para você, os animais, as plantas, os grupos, bem como para as organizações. Ela permite um fluxo natural de prana pelo corpo, estimulando as células e removendo obstruções dentro dos meridianos da acupuntura e dos sistemas de chakras. Ela traz um sentido de totalidade ao corpo e é valiosa para mudar antigos padrões mantidos em níveis celulares, que estão bloqueando o crescimento espiritual.

A entoação limpa o campo energético em muitos níveis: no nível físico, em nossas células e órgãos corporais; no nível emocional, em que os padrões repetitivos nos enfraquecem; no nível mental, que pode ficar poluído por nuvens negras de energia negativa; e no nível espiritual, que está lutando para integrar a energia de uma dimensão superior.

Como entoar

Entoar *não* é salmodiar ou cantar, e não tem um significado coerente, porque você está intuindo ao acaso que sons fazer. Baseia-se principalmente em fazer sons vocálicos nasalizados. De início, pratique algumas respirações profundas, depois comece.

1 Sente-se confortavelmente no chão ou em uma cadeira. Expirando, empurre a língua contra o céu da boca, mantendo-a atrás de seus dentes dianteiros.

2 Dirija a saída da expiração pelas passagens nasais e, ao mesmo tempo, faça um zunido "mmmm".
3 Quando você aprender pela prática, tente fazer qualquer som de vogal – a, e, i, o, u – uma por vez, juntamente com "mmmm".
4 Faça caretas exageradas mexendo a boca e divirta-se.
5 Explore a livre expressão, e não deixe a mente lhe dizer o que você deveria fazer. Mova o corpo e as mãos à medida que você pratica, evitando a rigidez.

A entoação regular libera a tensão na garganta e no Chakra da Garganta. Falando em termos musicais, os sons que são produzidos são enriquecidos com a harmonia ouvida como diversos sons ao mesmo tempo, como múltiplos da nota fundamental. Às vezes elas são notas altas e vibrantes e, outras vezes, notas muito baixas, devido às ondas sonoras que viajam em diferentes frequências e intensidade.

Mantras

Um mantra é definido como um hino poético, encantamento ou prece repetida muitas vezes, seja em silêncio ou em voz alta. Mais especificamente, um mantra de uma linhagem como a do budismo tibetano ou do zen consiste em algumas palavras cujo significado talvez não seja traduzível, ao passo que um canto mântrico geralmente é uma frase curta repetida com um profundo significado. Quando usado numa cerimônia espiritual ou em rituais (pessoais ou coletivos), os mantras têm a capacidade de alterar os níveis de ondas cerebrais de modo que uma pessoa possa atingir profundas realizações e um estado alterado de consciência.

Como usar um mantra para trazer benefício ao Vishuddha

Para cantar um mantra de vogal única para o Chakra da Garganta, use "AI". Os mantras audíveis modernos de sílaba única (que são diferentes dos bijas mantras tradicionais) para os outros chakras são: Base: UH; Do Sacro: OOO; Plexo Solar: OU; Coração: AH; Testa: AIE; Coroa: III.

1 Encontre um lugar silencioso, longe de vozes ou outros ruídos; sente-se e fique imóvel.
2 Respire de modo silencioso e rítmico pelas narinas e envie energia para baixo para o abdômen (respiração yogue completa).
3 Comece a entoar *em voz alta* um "AI" *suave e gentil*, beneficiando a região da garganta e seu chakra. Mantenha uma atitude relaxada e passiva em relação a qualquer coisa que o distraia.

No budismo tibetano, cantar um mantra pode levar a um estado alterado de consciência.

MANTRAS DE DIFERENTES TRADIÇÕES

Fonte	Mantra	Significado
Budista	Bhagavan Sarva Tathagartha Om Mani Padmi Hum.	Abençoados sejam todos os Budas Salve a joia no lótus.
Sikh	Eck Ong Kar Sat Nam Siri Wha Guru.	O supremo é um, seus nomes são vários.
Hindu	Hare Rama Shanti Shanti Om Namah Sivaya Om	Salve Rama! Paz, paz! Reverência a Shiva.
Islâmica	La Ilaha Illa'hah Ya – Sallam Na – Nur	Não há nenhum deus, senão Deus. Deus, a fonte de paz. Deus, a luz.
Judaica	Ehyeh Asher Ehyeh Eli, Eli, Elu	Eu sou o que eu sou. Meu Deus, meu Deus, meu Deus.
Cristã	Alleluia Ave Maria En moi Christus	Louvado seja o Senhor! Salve Maria! O Cristo em mim.
Sai Baba	Satya Dharma Shanti Prema	Verdade, caminho, paz e amor.
Sufi	Hu E – haiy Hu – La	Deus o que Vive. A palavra é o espelho no qual o Divino reverbera externamente.

Asanas de yoga para Vishuddha

Ativo: Dhanurasana (postura do arco)

Dhanurasana beneficia a área abdominal, uma vez que ao se completar a postura apenas o abdômen sustenta o peso corporal. É bom também para as costas, a bexiga e a próstata. Você deve respirar rapidamente e, de uma perspectiva do fluxo energético, essa postura beneficia o Chakra da Garganta. É comum a energia prânica em ascensão ficar bloqueada na garganta, e esse asana abre o Vishuddha, movendo a energia para cima da região abdominal, permitindo assim a liberação das toxinas em todos os níveis. O estado de consciência almejado é um estado mental objetivo conhecido como anandamayakosha (o Corpo da Felicidade). Visualize a respiração entrando e saindo como uma linda luz azul-turquesa. A figura 1 mostra um asana para iniciantes.

1

1 Deite-se de bruços, com a face para baixo. Dê um impulso para trás, dobrando os joelhos e agarrando os tornozelos. Mantenha os joelhos unidos em toda a postura.

2 Puxando os seus tornozelos, devagar e com cuidado erga o seu tronco e as pernas tão alto quanto possível. Alongue o pescoço. Sustente a postura.

Ativo: Simhasana 1 (postura do leão)

Apesar de sua aparência estranha, essa postura deve ser realizada com entusiasmo, mas sem esforço. Ela ajuda você a aprender os três bandhas que controlam o fluxo do prana no corpo físico e também a tornar a sua fala mais clara.

Esse asana é dedicado a Narasimha, a encarnação de homem-leão de Vishnu (*Nara* significa homem e *simha* quer dizer leão). Narasimha era uma criatura feroz que, ao ser invocada, apareceu subitamente de um pilar no palácio do demônio do mal, o rei Hiranya Kasipu, e salvou seu filho religioso Prahlado, que era um forte devoto de Vishnu.

1

1 Ajoelhe-se normalmente ou com os joelhos cruzados um sobre o outro à maneira da postura Gomukasana, ver p. 190). Alongue seu tronco para frente, mantenha o peito aberto e as costas retas. Coloque a palma direita no joelho direito e a palma esquerda no joelho esquerdo, depois endireite seus braços e dê aos seus dedos a forma de "garras" estendidas.

2 Abra bem os seus maxilares e estique a língua tanto quanto possível em direção ao queixo. Mova os olhos para cima e olhe para o centro de suas sobrancelhas. Fique nessa postura por cerca de 30 segundos, respirando pela boca. Repita com os joelhos cruzados para o outro lado, se for apropriado.

Passivo: Paschimottanasana (postura da pinça)

Os benefícios físicos dessa postura são semelhantes aos de Janusirasana (ver p. 226): o alongamento da parte posterior dos músculos das pernas, a soltura das articulações dos quadris e o alongamento da coluna em toda a sua extensão. Inteligente em termos energéticos, esse asana encoraja o fluxo ascendente e descendente do prana por todo o sistema de Chakras em direção ao Chakra da Garganta. Visualize o yantra apropriado à medida que você o executa.

1 Sente-se no chão com as pernas esticadas à frente. Coloque as palmas das mãos no chão ao lado dos quadris. Respirando, alongue-se sobre as pernas, inclinando-se a partir da região pélvica. Segure os tornozelos ou os artelhos (o que for possível alcançar com conforto).
2 Tenha como objetivo deixar as costas retas, mas não exagere no estiramento. *Quando você é iniciante no yoga, é muito melhor estirar-se na direção geral de qualquer asana do que forçar a posição.*
3 Com a prática, você poderá conseguir alongar-se além das pernas e tocar os joelhos com seu nariz!

1

263

Asanas de yoga para Vishuddha

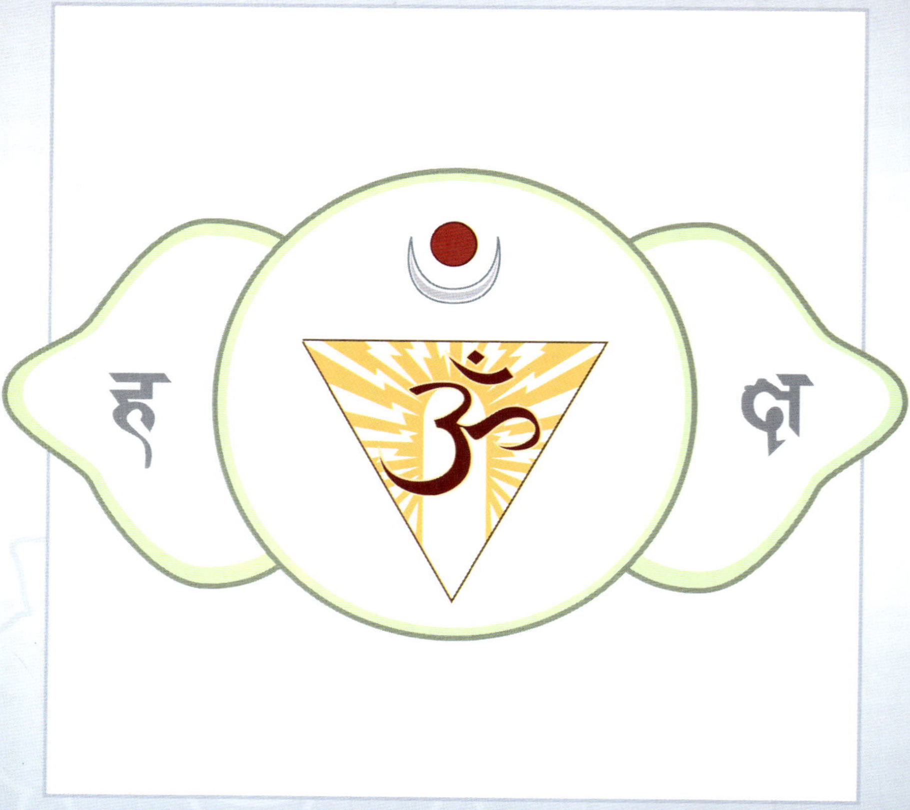
ह
ॐ
क्ष

Capítulo 7

O CHAKRA DA TESTA: AJNA

O Chakra Ajna

O Chakra da Testa, ou Ajna, é também conhecido como Chakra do Terceiro Olho, o Olho de Shiva, ajita-patra, ajna-pura, jnana-padma, dwidala, bhru chakra e bhruyugamadhyabila. Ele é ligado externamente ao corpo físico apenas entre as (e levemente acima das) sobrancelhas.

A palavra Ajna significa "criado" ou "comando" – no sentido do comando do guru na orientação espiritual. Ela é mencionada como o "oceano de néctar", o líquido que sustenta a vida e surge na boca de um yogue, quando ele alcança um estado de iluminação. Ajna é retratado com duas pétalas, que representam os dois aspectos do prana que se encontram aqui. O seu elemento é o Éter.

As funções de Ajna

No Tantra Yoga, o Chakra da Testa é associado ao "manas" ou mente, que está além até mesmo dos elementos mais sutis, embora ainda seja parte de nossa existência num corpo terrestre. Modernamente, no ocultismo e na Nova Era do Ocidente, o Ajna tem sido identificado como o "Terceiro Olho" – nosso olho da visão psíquica, um conceito não encontrado no sistema tântrico original. Quando nos associamos plenamente com o poder contido dentro de Ajna, somos capazes de ir além da mente, de todos os seus desejos e anseios, e entrar nos domínios do conhecimento e da sabedoria. Entretanto, se esse chakra estiver bloqueado, iremos confundir informação com conhecimento; ou seremos dominados por nossos próprios poderes de percepção intuitiva e os usaremos como recursos próprios ou mostraremos arrogância espiritual.

Chakras suplementares associados ao Ajna

O Ajna costuma ser descrito como tendo pelo menos quatro chakras secundários distintos (mas importantes) numa linha vertical acima dele: os chakras Manas, Indu, Mahanada e Nirvana, o último encontrando-se no topo da cabeça. Todos combinam as suas energias e ressoam uns com os outros para formar o Ajna, "Terceiro Olho" ou Olho de Shiva. Outro chakra secundário, o Soma, contém uma triangulação de energia desde as três nadis principais (sushumna, ida e pingala), que se combinam para formar a trindade de Brahma, o criador, Vishnu, o preservador e Shiva, o destruidor (ver pp. 82-3).

PRINCIPAIS CARACTERÍSTICAS NUM RELANCE

Cor	Branco ou azul-escuro
Questões fundamentais	Equilíbrio do eu superior/inferior e confiança na intuição
Localização física	O centro da testa
Área espinhal associada	Primeira vértebra cervical
Sistema fisiológico	Endócrino e nervoso
Glândula endócrina	Pineal e pituitária
Plexo nervoso	Hipotálamo
Aspecto interno	Intuição
Ação emocional	Clareza
Ação espiritual	Meditação

Questões de saúde e Ajna

Os teóricos darwinistas alegam que o Terceiro Olho é um resíduo de um estágio reptiliano da evolução humana, mas na verdade ele pode ter sido o "olho" primitivo a se formar dentro de nosso cérebro e deveria de fato ser chamado de Primeiro Olho!

Sistema corporal associado

As questões físicas associadas com Ajna são as dores de cabeça e problemas dentro do crânio em geral, incluindo os olhos e os ouvidos. Se você estiver continuamente estressado ou sentindo dores de cabeça, parte da solução é dar atenção ao Chakra da Testa. Talvez você não esteja propiciando a si mesmo momentos tranquilos de meditação e visualização, e deve aprender, pelo bem de sua própria saúde, a se desligar completamente desse mundo moderno barulhento. Ficar olhando para a tela de computador por demasiado tempo estressa os fotorreceptores dos olhos — e daí decorrem as dores de cabeça. Para combater isso, visualize a cor verde (como a luz vista através das árvores) ou simplesmente olhe para a grama ou para a vegetação do lado de fora ou faça intervalos regulares quando usar o computador, isso irá relaxar os olhos, ajudando a manter seus níveis de energia elevados e a sua saúde, boa, uma vez que o mundo da natureza beneficia todo o seu organismo.

Glândula endócrina associada

O Ajna tem conexão com a glândula pituitária (ver pp. 270-71) e, em termos energéticos, com a glândula pineal. A pineal lembra um minúsculo cone de pinha, no centro do cérebro diretamente atrás dos olhos. Pesquisas indicam que a pineal pode ser fotorreceptiva e capaz de sentir a luz diretamente, e os cientistas perceberam que ela tem uma estrutura semelhante à retina do olho. Répteis (especialmente os pequenos lagartos) possuem uma glândula pineal que recebe informação de um Terceiro Olho rudimentar com uma lente, e fotorreceptores semelhantes às retinas dos olhos. Isso torna possível a eles enxergarem alcances de luz que não são possíveis para os seres humanos — tais como o infravermelho e o ultravioleta (UV).

A glândula pineal também secreta melanina e serotonina, que entram em cena quando visualizamos ou relaxamos antes da meditação. Nossa glândula pineal é estimulada por uma gama inteira de energia eletromagnética; longe de ser uma glândula degenerada, ela é autoativadora à medida que a radiação de luz ultravioleta oscila em direção à Terra nos ventos cósmicos. Ao penetrar a camada de ozônio decrescente em torno de nosso planeta, a luz UV está começando a exercer um profundo efeito na elevação da consciência humana.

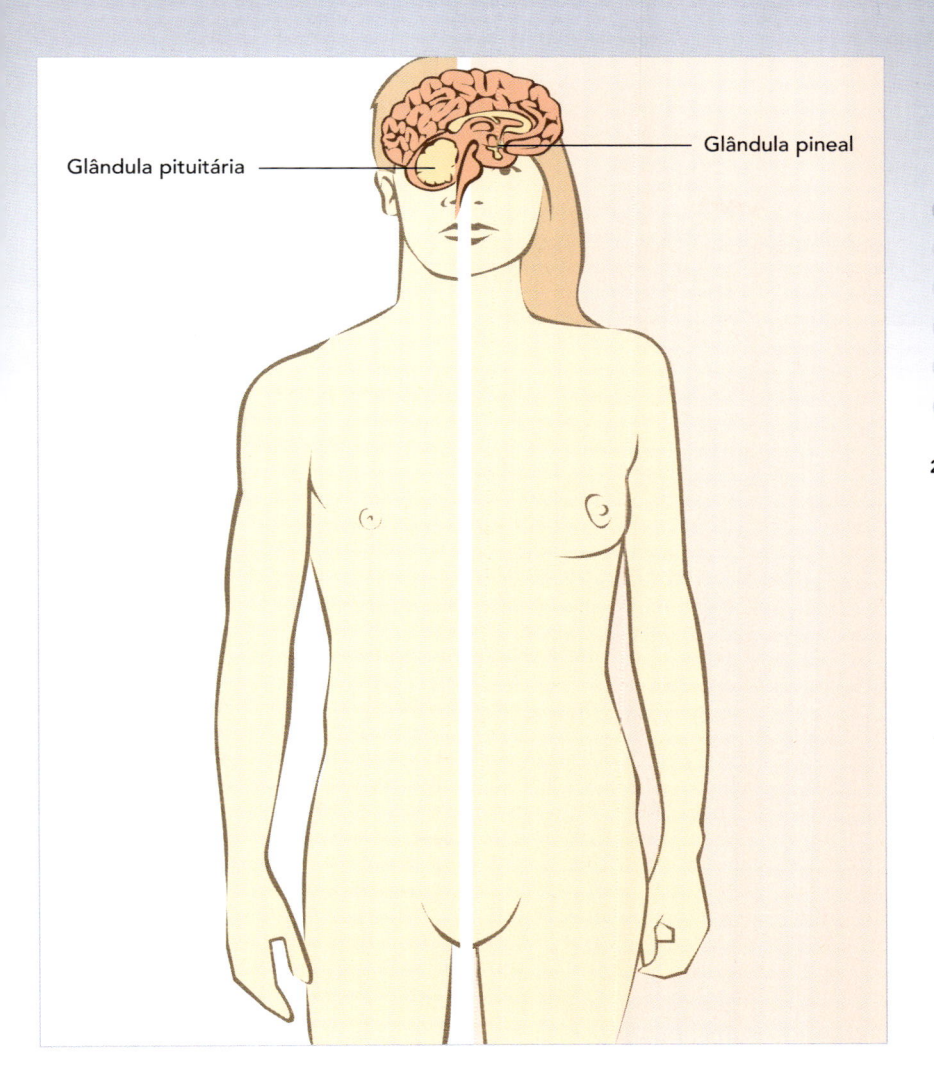

Glândula pituitária — Glândula pineal

Os desequilíbrios endócrinos associados ao Ajna

Ao considerarmos com mais profundidade o sistema endócrino e as funções hormonais de uma perspectiva metafísica, faz-se necessário, em primeiro lugar, compreender algumas noções básicas. Todas as glândulas endócrinas agem em conjunto, geralmente dirigidas pela glândula pituitária. E, em geral, o seu mau funcionamento se dá de duas maneiras distintas: ou a sua produção hormonal é escassa ou é demasiada. O equilíbrio pode ser recuperado pela glândula pituitária, que está associada ao Chakra da Testa.

Os desequilíbrios endócrinos associados com as energias de Ajna mal ajustadas são:

- **Hipertireoidismo** (secreção aumentada da tiroxina) e **tirotoxicose** (geralmente causada por excessiva quantidade de um hormônio estimulante da tireoide na glândula pituitária): o repouso é indicado e o estado da tireoide é equilibrado com drogas. Os remédios naturais a serem tomados com supervisão médica são algas marinhas, suco de cebola, couve, agrião e espinafre (observe que esses vegetais têm a cor verde do equilíbrio).

- **Hipotireoidismo** (deficiência da tireoide): Essa condição pode retardar o crescimento de bebês e de crianças pequenas; o mixedema é uma deficiência da tireoide nos adultos. Em combinação com o tratamento médico, as algas e um suplemento mineral contendo manganês devem ser ingeridos. No nível esotérico, as energias sutis devem ser melhoradas em torno da garganta e da cabeça para estimular esses chakras superiores e, assim, o equilíbrio hormonal. Isso pode ser feito com luzes ou tratamentos com cores e cristais (feito por um curador capacitado).

- **Transtornos do sono** Estes estão ligados com a produção de melatonina/serotonina e ao modo como respondemos à luz. É recomendado que o Ajna e o Sahasrara (o Chakra da Coroa) sejam equilibrados por um curador, e não por conta própria. Todavia, você pode fazer muito para ajudar a si mesmo, aprendendo a técnica de relaxamento mostrada nas pp. 44-5. Um profundo relaxamento de uma hora de duração pode ser tão benéfico para seu corpo quanto uma noite inteira de um sono inquieto.

Serotonina

Os níveis de serotonina afetam a regulação do humor, o sono, a sexualidade, os ciclos menstruais e o apetite, e têm um papel em diversos distúrbios, especialmente a depressão, a ansiedade e a dor de cabeça. Quando a luz natural é reduzida, nosso corpo converte a serotonina química do cérebro em melatonina. É prejudicial para o corpo dormir em um quarto parcialmente iluminado, ficar acordado a noite inteira ou viajar por longas distâncias com frequência.

Desequilíbrios nas energias de Ajna podem levar à diminuição da serotonina e a transtornos do sono.

O grau de risco de se ter problemas de saúde em longo prazo é agravado quando se vive ou trabalha sob luzes artificiais que não têm o espectro completo da luz do dia. A depressão de inverno, ou depressão sazonal, responde bem ao tratamento do espectro luminoso pleno, para estimular os níveis de serotonina.

Habilidades psíquicas e o Ajna

Os esotéricos alegam que, quando ativada com a Luz Divina, a glândula pineal se associa à glândula pituitária, tornando-se um canal de comunicação com os planos espirituais superiores e permitindo uma troca de informações. Eles dizem que o Chakra da Coroa aumenta de tamanho e força, e o ponto central de seu vértice de energia desce para a glândula pineal. À medida que isso ocorre, uma irrupção de pura energia prânica é recebida. Quando o Chakra da Coroa é ativado dessa maneira, os níveis vibracionais em todos os nossos campos áuricos tornam-se altamente carregados de Luz. Alguns acreditam que se as vibrações de Luz do corpo astral forem aceleradas o suficiente, este será capaz de se separar do corpo físico, levando à viagem astral.

Para ser possível a viagem astral, o Ajna (Terceiro Olho), a pineal e a pituitária devem em primeiro lugar estar todos ativados e vibrando em uníssono. Isso é possível por meio da meditação profunda. Esse é o modo mais seguro de desenvolver muitas habilidades psíquicas especiais (às vezes chamadas de "ocultas"), que incluem a viagem astral, a percepção extrassensorial, a clarividência e a clariaudiência. É útil desenvolver habilidades com um grupo de pessoas que apoiarão seus esforços e permitirão que você compartilhe dúvidas, embora não deva discutir suas experiências internas, uma vez que elas existem para a sua própria compreensão.

Clariaudiência

Clariaudiência significa ouvir além do seu alcance normal, à medida que sua audição se torna mais agudamente sintonizada. Você sabia que ouvimos com todo o corpo, e não apenas com os ouvidos? Coloque uma música agradável e faça o seguinte: sinta onde – ou em qual chakra – repercutem as diferentes batidas ou instrumentos musicais. Às vezes a sua audição pode captar altas frequências do mundo dos animais e dos insetos, ou frequências muito baixas tal como o gemido profundo na Terra em um terremoto distante. A prática de "canalizar" entidades beneficentes que podem transmitir uma mensagem pessoal ou global tem íntima ligação com a clariaudiência. Em termos xamânicos, esses são os "guias" de uma pessoa.

No esforço de despertar habilidades espirituais, é importante não apressar o processo. Se você não abordar o despertar da maneira correta, poderosas forças que interagem dentro de sua cabeça poderão causar dores de cabeça, de ouvido, enxaqueca ou outros problemas profundamente

---

A sociedade e a cultura são beneficiadas pelo desenvolvimento de poderes psíquicos positivos.

arraigados de uma natureza mental. Se você abordá-la do modo tradicional – recebendo instruções pessoais de um ser iluminado, um guru ou um professor, as forças positivas e as negativas interagirão em conjunto de uma maneira mais concentrada.

Quando combinadas em um "feixe" de superconsciência, elas se tornam fortes o bastante para criar uma experiência sublime da Luz Divina na cabeça. Com essa Luz você pode projetar-se para fora de seu corpo, carregar a Luz com você e ter a força da Luz para retornar ao seu corpo físico.

O poder dos siddhis

Existem diversos poderes convidativos, ou siddhis, a serem adquiridos por meio do desenvolvimento yogue. Com a prática, você poderá até mesmo a ser capaz de aprender como se separar de sua forma física. Mas, a menos que a sua vida seja dedicada a trabalhar com a energia espiritual de uma maneira profunda, isso não deve ser tentado. O que é importante é desenvolver o seu Terceiro Olho no domínio dos sonhos, da imaginação e da visualização. Esse é um passo vital no caminho da iluminação. Intuição, profecia, precognição, a capacidade de receber mensagens canalizadas e de expressá-las por meio de Vishuddha e Anahata estão entre as maneiras mais acessíveis de se aprender a atingir estados de superconsciência.

O poder da imaginação

Aprenda a honrar a sua intuição e a confiar em qualquer lampejo de percepção intuitiva (às vezes chamados de "segunda visão") com o qual você foi abençoado. Não diga: "Foi só a minha imaginação". A sua imaginação é poderosa; ela pode criar mundos; como diz o antigo adágio: "Conforme se pensa, assim se será". Perceba que a menos que você confie em sua intuição, por dedicação ao seu caminho espiritual, você irá bloquear o funcionamento de Ajna, que, por sua vez, bloqueará a entrada da luz UV e de sua contraparte, a Luz Divina. Não apenas o seu próprio caminho será lento, mas já que todos estão conectados, ele tornará mais lento o progresso dos outros seres sencientes, à medida que progredimos em nosso desenvolvimento na Terra como seres de Luz em corpos fisicamente visíveis. Cada um de nós faz diferença no "plano" Divino.

Na perspectiva yogue, à medida que a glândula pineal começa a ressoar com a Luz Divina, o nosso poder da kundalini começa a sua ascensão em espiral a partir do chakra da Base até os chakras da cabeça. A ciência espiritual afirma que essa Luz Divina é reunida no topo de nosso sutratma – um tipo de canal de luz, ou "fio da alma", que desce desde a parte mais elevada (a mais rápida em vibrações) de nosso campo áurico até o corpo físico.

É quando não honramos a nossa natureza espiritual que surgem os problemas, a radiância da energia se torna bloqueada e vêm as doenças. Com Ajna, podemos esperar doenças dos olhos, nariz, ouvidos ou cérebro. Dores de cabeça frequentes ou enxaquecas podem ser causadas por bloqueio de energia em relação a algo que você precisa ver ou ouvir, ou que é importante para o desenvolvimento de sua alma.

Essa estátua de uma deusa indiana mostra um Terceiro Olho desenvolvido, que é vital para a iluminação.

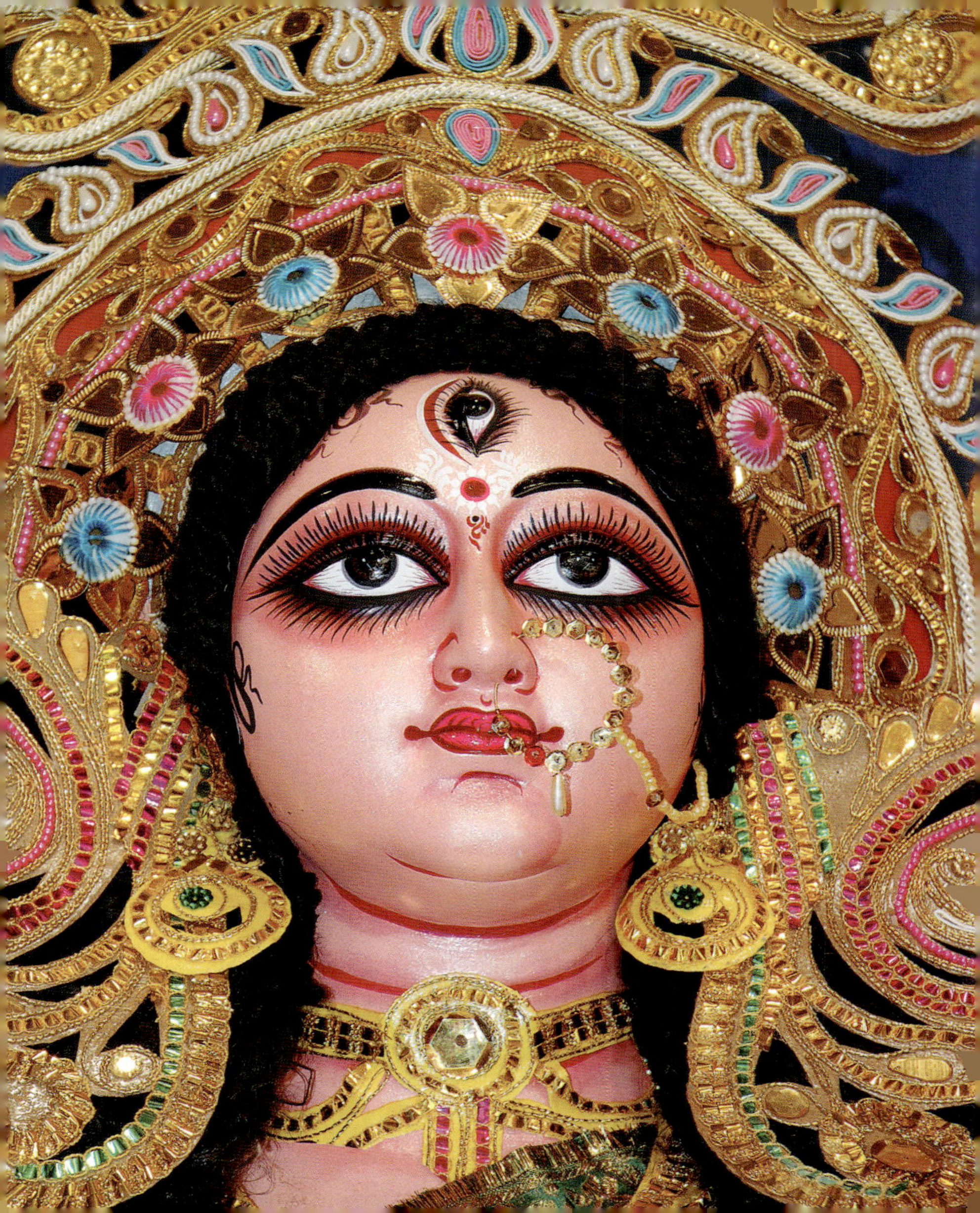

Meditação da vela para despertar a visão interior

Essa é uma técnica de yoga, cuja função é basicamente para abrir você para a radiância da "Luz na cabeça". Ao longo da vida, use-a como uma disciplina preliminar para desenvolver a viagem astral e outras habilidades ocultas, como, por exemplo, a visão de campos áuricos. Sem forçar os músculos dos olhos, você ativará a glândula pineal e o Terceiro Olho.

1. Coloque uma vela acesa a cerca de um metro à sua frente. Você precisa estar num aposento o mais escuro possível.
2. Relaxe e sente-se confortavelmente, seja na posição de lótus no chão ou numa cadeira.
3. Como acontece com todas as meditações profundas, desligue-se dos sentidos periféricos da visão, audição, tato, olfato e consciência física. Direcione sua atenção para o centro da cabeça, que é a região da glândula pineal. Nossas faculdades psíquicas perceptivas mais profundas e o ponto de realização espiritual estão concentrados na área entre o meio de sua testa e a glândula pineal.

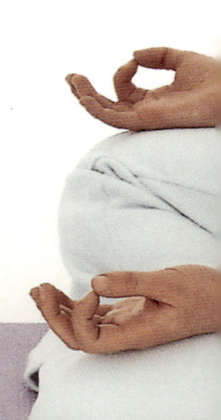

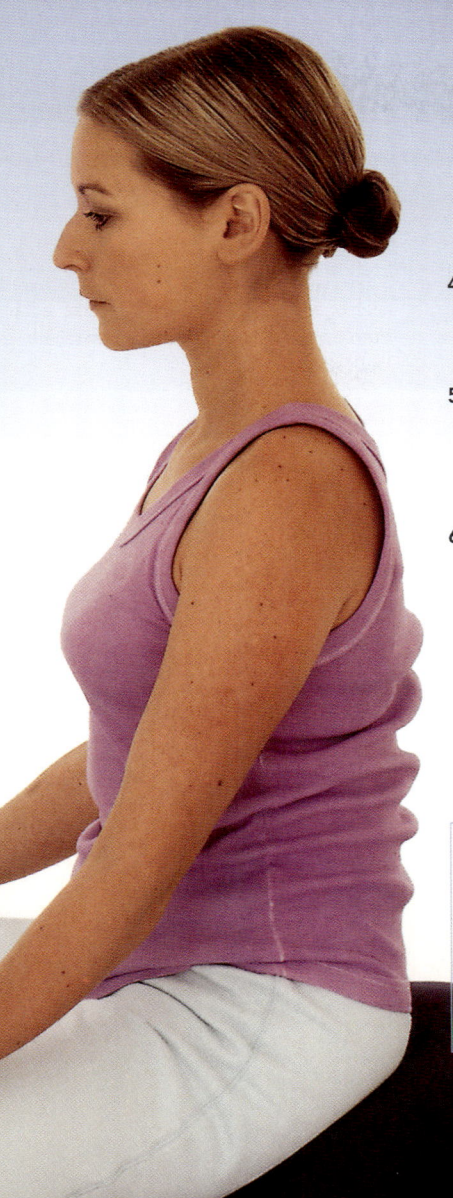

4 Com os olhos abertos e um olhar "tranquilo", olhe diretamente para a chama da vela. Mantenha os olhos focados nela e pisque apenas quando necessário.
5 Quando precisar fechar os olhos, gire-os para cima para a posição do Chakra da Testa no centro. Você verá uma imagem da chama ali projetada em sua "tela interna" e, provavelmente, muitas cores.
6 Visualize a chama muito atentamente, trazendo-a de volta se ela começar a desaparecer. Tente manter a imagem tanto quanto possível, depois respire profundamente, abra os olhos e volte para a realidade cotidiana.

Observação: Apenas meditadores avançados ou aqueles sob orientação de um mentor espiritual devem tentar "separar" o corpo astral do físico.

Como sentir as energias

As rochas e os cristais que ocorrem na natureza dão ao lugar onde surgem a sua essência particular, influenciando as pessoas, as plantas e os animais. Elas são parte do que é chamado de Espírito da Terra – as energias que captamos quando temos nossas primeiras impressões de um lugar.

Através dos tempos, essas energias receberam diversas formas e apareceram como fadas, pessoas pequeninas ou "devas" da paisagem (guardiões espirituais da Terra). Todos eles estão conectados com o elemento Terra. O elemento Água é o domínio dos espíritos chamados ondinas; o elemento Ar, dos silfos; dentro do Fogo, salamandras. Esses seres são tipos de energia que podemos ver se estivermos treinados. Às vezes não é possível localizar a energia tomando forma de fato; o que aparece é uma luz brilhante que se move rapidamente ou, simplesmente, sentimos que há algo ali.

Como sentir a aura pela radiestesia

Pratique o seguinte exercício para sentir a aura até obter resultados consistentes. (É aconselhável permanecer totalmente imparcial, sem nutrir expectativas.)

1 Com um pedaço de arame de metal dobrado, de cerca de 30 centímetros de comprimento, faça duas varinhas – o ideal é usar cabides de arame cortados.
2 Segure uma dessas varinhas em cada mão, pela parte mais curta.
3 Peça a um amigo para ficar à sua frente, não menos do que 5 metros de distância. E então diga: "Mostre-me a margem do campo áurico de meu amigo".
4 Ande em direção ao amigo, com as varinhas na horizontal e apontando na direção dele. Quando alcançar a margem do campo áurico dele, as varinhas reagirão, movendo-se de algum modo.

Como enviar energia a um amigo

Este é um modo simples, mas poderoso, de começar a sentir uma energia corporal sutil.

1 Sente-se em frente a um amigo.
2 Mantenham as palmas das mãos na direção um do outro, com cerca de 10 cm de distância.
3 Decidam quem será o "doador" e quem será o "receptor". Ambos devem fechar os olhos e se concentrar. Se você for o doador, peça para enviar energia em forma de luz curativa e dourada, do Chakra do Centro até as palmas de suas mãos e em direção às mãos e corpo do seu amigo. Este sentirá isso como um movimento de energia – talvez um puxão, um empurrão ou um formigamento.

4 Troquem de lugar, de modo que seu amigo envie energia curativa dourada para você.
5 Quando terminarem, sacudam as mãos, lavando-as depois em água fria para remover as energias mútuas.

As varas bifurcadas em suas mãos reagirão ao sentir a margem da aura da outra pessoa.

Como ver as energias

O exercício a seguir é um excelente treinamento para que você consiga enxergar fisicamente as energias, como os chakras rotatórios ou as emanações áuricas. Para tanto, você deve ter firme convicção em suas habilidades, ou seja, não duvidar delas, evitando assim criar impedimentos para si mesmo. Se nada acontecer, não diga: "eu não consigo fazer isso", mas "vou conseguir num outro dia". Lembre-se de que as crianças, vivendo em um mundo lúdico de fantasia, aceitam muito mais a existência de outras energias que a maioria dos adultos; portanto, devemos criar tempo em nossa vida ocupada para relaxar e brincar mais. Se você tiver filhos, encoraje-os a usar a imaginação – deixe que tenham amigos imaginários e falem com fadas. Você descobrirá que é comum as crianças pequenas verem auras ou luzes em torno das pessoas.

Embora algumas pessoas tenham a capacidade de ver energias desde que nasceram, outras precisam praticar muito para desenvolvê-la. Ser capaz de ver e sentir energias faz parte do treinamento de um curador espiritual profissional, sendo também uma habilidade xamânica.

Exercício para ver as energias de uma árvore

Talvez, a maneira inicial mais simples de ver energias é em torno de uma árvore.

1 Num ambiente natural, encontre uma árvore cuja copa esteja projetada contra o céu, a alguma distância de você. Pode-se fazer isso durante o dia, à luz do sol, à luz do luar ou no crepúsculo.
2 Peça para ver as energias da árvore – esse "pedir" é importante.
3 Olhe em direção à árvore, mas além dela, olhando para bem longe e você acabará localizando o campo de energia da árvore. Às vezes uma árvore antiga e grande tem uma aura enorme, que pode ser visível como um tipo de vapor ou como um movimento de luz rotatória ou, ainda, uma luz brilhante em torno de sua silhueta.

"Entre em sintonia" e peça para ver as energias da árvore – você pode ter uma agradável surpresa!

281

Como ver as energias

O yantra do Ajna

Ajna é como a Lua, maravilhosamente branco. Ele brilha com a glória da meditação. Dentro desse lótus mora a mente sutil. Quando o yogin... se dissolve nesse lugar, que é a morada do êxtase ininterrupto, ele então vê centelhas de luz brilhando distintamente.

Sat Cakra Nirupana

Descrição do yantra

Número de pétalas 96 – duas delas são representadas, envolvendo 48 de cada lado. As duas pétalas simbolizam o encontro das energias das nadis secundárias, ida e pingala (ver pp. 22-3) antes de ascender ao Chakra Sahasrara e representam a dualidade presente em todas as coisas.

Cor Branco ou azul-escuro.

Mantras O mantra "Hang", que representa Shiva, está num dos lados. "Ksham", representando Shakti, está do outro lado. Juntos eles formam a frase: "Eu sou o que sou".

Círculo branco Representa o vazio.

Triângulo apontando para baixo Contém o mantra OM e um lingam.

Linga itara Residência dos granthis (ou bloqueios) de Rudra, que devem ser dissolvidos se quisermos sustentar as percepções intuitivas atingidas até aqui por meio da ascensão da energia kundalini.

Quarto da Lua Mostrado no yantra, isso indica um vórtice de energia.

Bindu O ponto redondo simboliza a completa imparcialidade em relação ao nosso corpo feminino ou masculino. Mostrando controle do corpo, ele conseguiu se elevar acima do triângulo que representa a energia sexual num estado "impuro".

O bija mantra

O Ajna não tem um bija mantra verdadeiro, mas pode-se usar OM ou AUM (ver pp. 78-9), que está representado no triângulo dentro do círculo central. O som deste nos conecta com o próprio som cósmico primordial.

Uma intensa concentração no yantra do Ajna utilizando a sílaba OM abrirá o "Terceiro Olho" e os sentidos superiores; em termos físicos, os hemisférios direito e esquerdo do cérebro "fundem-se" e em termos simbólicos, ocorre o casamento do Sol e da Lua, da mente e do corpo.

O yantra do Ajna

Divindades associadas ao Ajna

Shiva

Shiva é o Destruidor (ver também pp. 80-1) e é representado no centro de Ajna por um triângulo invertido, que simboliza a trindade da divindade e o nível supremo que podemos atingir em nossa vida na Terra. Essa trindade é Sat, Chit, Ananda – ou realidade, consciência e alegria. Shiva é às vezes mostrado, em termos simbólicos, como um lingam (pênis) branco, dentro do triângulo dourado da yoni (sexualidade feminina), indicando o êxtase sexual divino.

Outras vezes, ele é retratado na postura tradicional de lótus em sua personificação de Kameshvara, o homem mais belo, com cobras em torno do pescoço, seu corpo azul repousando num bastão e seu Terceiro Olho, aberto.

Muitas vezes como Kameshvara, ele é mostrado abraçando sua amada Kameshvari, a mais bela deusa, que geralmente reside no Chakra da Base como energia kundalini, mas que agora ascendeu pelos chakras para encontrá-lo.

Shakti Hakini

Shakti Hakini geralmente é retratada num branco lunar ou numa mistura de branco, vermelho e preto. Ela tem numerosas faces (às vezes, chegando a seis), as quais têm três olhos. Normalmente, ela tem seis braços e segura um livro, um crânio, um tambor e um rosário de rudraksha. O crânio nos faz lembrar que temos muitas vidas na Terra, mas todas passarão e o que restará será nosso eu Divino. O pequeno tambor de duas extremidades que ela segura simboliza o Tempo. Shakti Hakini faz os gestos de conceder bênçãos e afastar o medo. Em geral, Hakini está vestida com um traje vermelho, sobreposto por uma peça branca e está sentada num lótus branco. As suas mentes são purificadas tomando o "néctar" Divino.

Cristais para ativar o Ajna

Se você quer desenvolver seus poderes intuitivos, sua visão, imaginação e clarividência, então o Ajna é o chakra com que você deve trabalhar, desde que os chakras inferiores já estejam equilibrados. Na verdade, não é vantajoso ter um Terceiro Olho altamente desenvolvido se você ainda não lidou com as funções básicas da vida, que se manifestam por meio do Chakra da Base, por exemplo.

Diamantes

Essas belas pedras preciosas não precisam de apresentação. Os diamantes nos ajudam a passar para níveis mais profundos. Eles são um dos exemplos mais refinados do mundo dos cristais que nos foi dado pela Mãe Natureza, e exibem toda sua beleza e atemporalidade.

Se usarmos os diamantes como joias de adorno, o seu poder aumentará e fortalecerá nosso campo energético, quer sejamos uma pessoa calma e feliz ou uma pessoa triste. Sejam quais forem nossas emoções, elas serão amplificadas nos níveis astral e emocional da aura; e sejam quais forem nossos processos mentais, eles serão amplificados no nível mental. Quando optamos por usar diamantes na meditação, amplificamos nossa aura nas áreas em que residem potentes essências espirituais, em torno de nossos corpos espiritual e causal.

Os diamantes, sejam brutos (esquerda) ou lapidados e facetados (acima), simbolizam a beleza eterna.

Diamante de Herkimer

Se não puder usar diamantes em seu trabalho de cura, um cristal encantador e naturalmente facetado (um tipo de quartzo) é o cristal de Herkimer. Os "Herkies" são claros e muito duros – quase tão duros quanto os diamantes – e vêm quase sempre com dupla ponta.

Como usar um Herkie para a ativação do Chakra da Testa

Tente ativar o Chakra da Testa apenas em si mesmo – não tente fazer isso em outras pessoas, a menos que você seja um curador qualificado.

1 Esfregue a área de seu Terceiro Olho de modo rápido e enérgico.
2 Deite-se, colocando um Herkie sobre o Terceiro Olho e relaxe. Se você estiver pronto para isso, o cristal pode ajudá-lo a ter visões ou orientação.

Herkimer protege do stress geopático, equilibra os distúrbios energéticos celulares e ajuda a acessar memórias de vidas passadas.

Em qualquer trabalho espiritual profundo, é sempre melhor ter uma clara intenção do que você está buscando e formar essa intenção em sua mente. Quando essa intenção está clara, luminosa e brilhante (assim como um diamante), você pode ser recompensado com níveis extraordinários de percepção. Essa ativação pode se tornar mais poderosa se você colocar Herkies em cada lado da cabeça, na altura das têmporas. As têmporas são chakras secundários; funcionam, de fato, como templos em sua cabeça, posicionados um de cada lado do crânio, prontos para receber oferendas, onde Vishuddha invoca de baixo e Sahasrara, o Chakra da Coroa, acena de cima.

Cristais para acalmar o Ajna

Devemos examinar o motivo pelo qual queremos acalmar o Ajna. Talvez você tenha dores de cabeça constantes causadas por um estilo estressante de vida; ou, talvez, se sinta perturbado por ideias novas que o fazem sair de sua zona de conforto. É possível que se sinta incapaz de lidar com um excesso de informações de natureza psíquica que entram no seu Chakra da Testa. Da mesma forma, a entrada da "caixa de correspondência" de seu Ajna pode estar vedada pela tabuleta "Fora de uso".

Entretanto, acalmar não significa necessariamente suprimir algo de natureza espiritual, e talvez seja o caso de você se abrir para novas possibilidades. Tente manter a mente aberta em relação às pessoas e eventos, e colocar os julgamentos "no modo de espera". Acalmar o Ajna possibilita um fluxo harmonioso, que iluminará *qualquer coisa* que você decida fazer de natureza mais elevada.

Talvez você não consiga dormir bem. Determine a quantidade de sono necessária para você. O problema pode ser simplesmente de natureza física (comer ou beber demais tarde da noite), ou talvez você não queira reconhecer a natureza dos seus sonhos. Negar nossos sonhos nos torna indivíduos estéreis e pouco interessantes. Ficamos incapazes de projetar uma paixão visionária por qualquer coisa que seja, e começamos a definhar, porque nossa imaginação e nossa percepção intuitiva atrofiam. Nossa caixa de correspondência fica vedada.

A safira e a esmeralda são as pedras indicadas para acalmar o Ajna.

Esmeraldas cortadas e facetadas ou peças brutas e turvas podem ajudar a acalmar o Ajna enquanto você dorme.

Esmeralda

A esmeralda acalma o Ajna pela vibração de sua cor. Na hora de dormir, cole uma fita adesiva com um pequeno pedaço de esmeralda em seu Terceiro Olho para ajudar a resolver questões que foram trazidas quase à tona por sonhos desconfortáveis. Use a esmeralda para as dores de cabeça também, fazendo um elixir de gema ou segurando o cristal durante a meditação. As enxaquecas podem ser aliviadas por meio da respiração Pranayama (ver pp. 154-55). Faça isso durante dez minutos; depois deite-se num quarto escuro e massageie seu Terceiro Olho, a base de seu pescoço (chakra Alta Maior, ver pp. 30-1) e as têmporas (chakras secundários). A seguir, segure uma esmeralda em seu Terceiro Olho. Descanse um pouco mais e sua enxaqueca começará a passar.

Safira

Use a safira da mesma maneira que a esmeralda, colocando-a sobre o Terceiro Olho com fita adesiva. Isso trará uma percepção profunda quanto a questões de natureza espiritual. As percepções intuitivas poderão ser então processadas por todo o seu complexo corpo-mente-espírito, porque nesta encarnação você recebeu a dádiva de ter um corpo físico e uma mente que responde a fantasias, sugestões e símbolos.

As esmeraldas são muito boas para enxaquecas, enquanto as safiras trazem clareza quanto a questões espirituais.

Cristais para equilibrar o Ajna

Em termos históricos, o Ajna teve um "caso de amor" muito especial com o lápis-lazúli. Esse cristal foi usado em diversas culturas antigas (incluindo a Atlântida) para equilibrar os poderes espirituais mais elevados de uma pessoa.

Se pudéssemos romper o nevoeiro do tempo e perscrutar o passado distante, descobriríamos que as pessoas eram mais desenvolvidas em termos espirituais do que atualmente. Elas tinham corpos de uma substância etérica mais fina e se diz que, nas épocas em que os belos templos eram construídos, os deuses e as deusas podiam entrar neles em espírito e manifestar corpos visíveis de Luz. Em toda parte, as pessoas conseguiam comunicar-se com facilidade com os animais, árvores, flores e cristais. Como disse Rudolf Steiner (o fundador da antroposofia, no século XX): "A intenção da civilização greco-romana foi enfeitiçar o Espírito, transformando-o em Matéria". Atualmente, o feitiço virou contra o feiticeiro e temos corpos etéricos densos, mas a realidade é que temos de viver essa densificação antes de poder devolver nossos corpos de energia à Luz.

Lápis-lazúli

O lápis-lazúli de boa qualidade é a pedra azul-escura na qual brilham pequenas pintas douradas de piritas de ferro, como se fossem estrelas; ele é, às vezes, chamado de "pedra da noite". É encontrado princi-

Lápis-lazúli, um cristal ideal para usar no "olho de Shiva" – o chakra Ajna.

palmente na Índia e no Afeganistão, ambas as áreas com uma rica herança cultural e espiritual. Essa pedra foi usada de maneira ampla na tumba de Tutankamon para decoração e pelas antigas egípcias para fazer sombra azul para os olhos.

Operando de maneira intensa e energética, o lápis-lazúli fortalece as glândulas tireoide e paratireoides e nosso sistema esqueletal, no qual a história do corpo está guardada. Supõe-se também que ele traga benefícios à depleção de energia que causa perda de audição e distúrbios sanguíneos e nervosos. No nível mental/emocional o lápis-lazúli é usado no Ajna para acessar nossa memória celular mais profunda, nossas mágoas e medos, ajudando-nos a aceitá-los em nossa vida, por meio da sabedoria da consciência superior. Quando isso ocorre, somos mais capazes de enfrentar qualquer coisa que a vida nos inflingir.

Uma maneira de sentir as energias espantosas do lápis-lazúli é fazer uma essência de cristal usando o método indireto (ver pp. 70-1). É uma pedra macia demais para se pôr na água usando o método direto, porque contém uma mistura instável de minerais.

Como usar o lápis-lazúli

O lápis-lazúli é um poderoso curador e equilibrador das energias de Ajna e você tirará proveito do tempo que passar conhecendo as suas qualidades.

1 Limpe-o cuidadosamente, mas não com água (por ser uma pedra "macia"); em vez disso, use sua intenção, segurando-o na palma da mão e respirando suavemente sobre ele. Dessa maneira, a energia prânica em sua respiração faz a limpeza.
2 Agora segure-o sobre seu Terceiro Olho e "peça" para entender o lápis-lazúli. Podem aparecer cores ou imagens em sua mente ou talvez você receba uma mensagem diretamente do cristal. Seja o que for, agradeça-o antes de desconectar a sua energia dele.

Aromaterapia e Ajna

A flor do maracujá, o papaia e o estragão são recomendados para o Ajna. A flor do maracujá, seja como preparação à base de ervas ou como essência floral, é usada para aliviar a nevralgia e a insônia. Como fruta, o papaia acalma os distúrbios do sistema digestório, ao passo que sua essência floral faz as pessoas lembrarem-se de suas lições kármicas. A erva fresca do estragão na forma de uma infusão de chá quente com um pouco de mel é diurética e digestiva; a essência floral estimula esse chakra e promove a autoexpressão e a percepção intuitiva.

Grãos resinosos de olíbano (esquerda) e folha fresca de manjericão (acima).

ÓLEOS ESSENCIAIS DO CHAKRA DA TESTA

Os principais óleos essenciais que têm ressonância harmônica com o Ajna são:

- **Frankincenso** Também chamado de olíbano, ele tem um maravilhoso perfume forte extraído da goma resinosa de uma pequena árvore do norte da África. É usado há séculos como óleo de embalsamar. Hoje, seus pedaços dourados e gomosos ainda formam o principal ingrediente do incenso queimado nas igrejas cristãs. Pode-se queimar diretamente o frankincenso sobre discos especiais de carvão ou usar o óleo essencial denso de cor âmbar em um vaporizador. Suas propriedades ajudam a meditação profunda e o foco no Chakra da Testa. O frankincenso promove uma sensação de relaxamento profundo e aprofunda a consciência da respiração, levando você a estados de sonho em que memórias passadas podem ser acessadas com mais facilidade. Para o corpo físico, além de trazer benefícios a infecções respiratórias e asma, ele ajuda a tornar a respiração mais lenta e profunda e é mais bem usado numa massagem suave no peito, ajudando a abrir essa área, frequentemente congestionada. O frankincenso produz nova pele e células, é anti-inflamatório, antisséptico, adstringente, antiflatulento, digestivo, diurético, expectorante e sedativo.

- **Manjericão e manjericão sagrado** Uma erva aromática, muito usada na cozinha italiana, antigamente o manjericão era pulverizado e aspirado pelo nariz. Vaporizar seu óleo essencial é excelente para limpar a cabeça e dar força, ajudando a equilibrar Ajna, Vishuddha e os chakras secundários da cabeça. O manjericão era valorizado nos tempos medievais. Ele é eficaz para distúrbios nervosos, memória fraca, falta de concentração e dores de cabeça causadas por congestão. O chá de manjericão é recomendado para tornar sóbrio alguém em estado de embriaguez. Seu óleo de massagem pode ser misturado com limão e gerânio, e não deve ser usado em excesso. Não deve ser usado como óleo de banho, pois pode causar irritação na pele; evite seu uso durante a gravidez. O manjericão é antisséptico, antiespasmódico, antiflatulento, digestivo, emenagogo, antipirético e tônico nervoso.

Asanas de yoga para o Ajna

Ativo: Adho mukha avanasana (postura do cão olhando para baixo)

Esse asana é particularmente útil como preparo suave para as posturas sobre a cabeça, porque ajuda você a se acostumar com o fluxo extra de sangue na cabeça. A postura é eficiente em termos energéticos; você deve se concentrar no Terceiro Olho enquanto a sustenta por tanto tempo quanto possível. Como alternativa, visualize uma luz azul-escura.

1 Fique de quatro e mova-se para a frente com as mãos, mantendo as palmas esticadas no chão.

2 Erga o tronco, endireitando as pernas e mantendo os pés inteiros no chão. Encolha o abdômen. A cabeça deve relaxar alinhada com os braços e o corpo. A forma desse asana é um "V" invertido.

Ativo: Yoga mudra em padmasana

Essa postura avançada é tradicionalmente realizada em Padmasana (a postura do lótus), mas se isso for difícil, você pode usar uma posição simples de pernas cruzadas. É preciso suspender a respiração durante a realização do mudra (por cerca de um minuto) e manter o foco no Ajna, o Chakra da Testa. Faça essa postura apenas uma vez em cada sessão de yoga. O propósito desse mudra é purificar as nadis para sustentar as práticas esotéricas do Hatha Yoga. Ao focar no Ajna, tornamos todo o campo de energia pronto para a concentração/meditação (dharana/dhyana). O estado de consciência que estamos buscando é o intuitivo, pois o nosso Corpo da Alma é nutrido pela intuição.

1 Sente-se com as pernas cruzadas na postura completa do lótus. Cruze as mãos por trás das costas, entrelaçando os dedos.

2 Numa expiração, incline-se para a frente e encoste o topo da cabeça no chão (ou tão perto quanto possível). Ao mesmo tempo, erga os braços retos por trás das costas. Sustente tanto quanto possível sem respirar.

Passivo: Halasana
(postura do arado)

Os benefícios físicos desse asana são inúmeros: os intestinos se movem livremente, a coluna se torna flexível, todos os órgãos internos se beneficiam e o fluxo aumentado de sangue no pescoço melhora a produção de hormônios da tireoide e paratireoides. A postura halasana, portanto, ajuda a controlar o peso, a emagrecer ou a engordar, de modo que você atinja o peso ideal para sua saúde. Da perspectiva do fluxo de energia, esse asana é supremo, tonificando todos os chakras ao mesmo tempo. Uma vez dominado, ele é também um dos asanas mais relaxantes, que permite tempo suficiente para que a energia flua para o seu Chakra da Testa, o que pode ocasionar algumas visões. Entretanto, não se esqueça de sair lentamente da postura, e não vá dormir! Se essa postura for nova para você, sustente as costas com as mãos ou apoie suas pernas numa cadeira ou banco colocados na altura e distância corretas atrás de sua cabeça (a ajuda de um amigo ou professor é útil).

1 Deite-se de costas, com as pernas e os joelhos esticados. Sustentando as costas, dobre os joelhos, erga os quadris do chão e erga o tronco perpendicularmente, apoiado pelas mãos, até que o peito toque no queixo. Mova as mãos para o centro da coluna. Suas pernas devem estar retas e os artelhos apontando para cima.

2 Solte o fecho do queixo e abaixe ligeiramente seu tronco. Estique os braços para fora no chão e, ao mesmo tempo, mova as pernas acima da cabeça, pousando os dedos dos pés no chão por trás dela. Mantenha as pernas retas e juntas o tempo todo. Permaneça nesse asana de 1 a 5 minutos, respirando normalmente. Para sair da postura, sustente as costas e abaixe os joelhos à medida que os traz acima da cabeça até o chão. É importante seguir esse asana com uma inclinação para trás, assim como o Matsyasana (a postura do peixe, ver pp. 228-29).

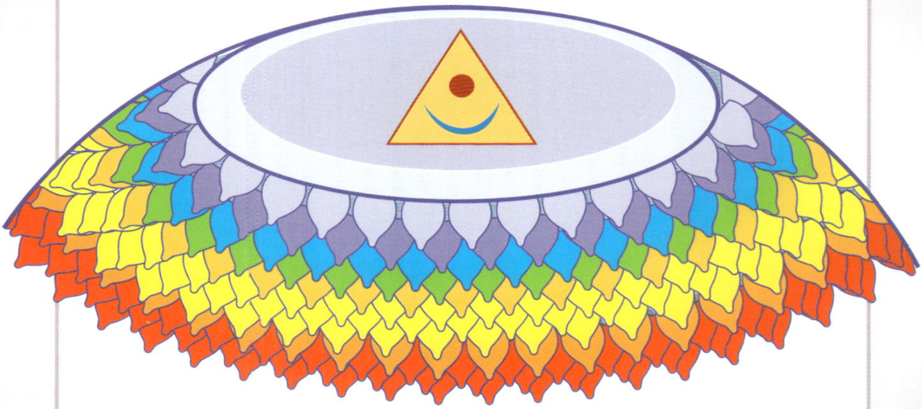

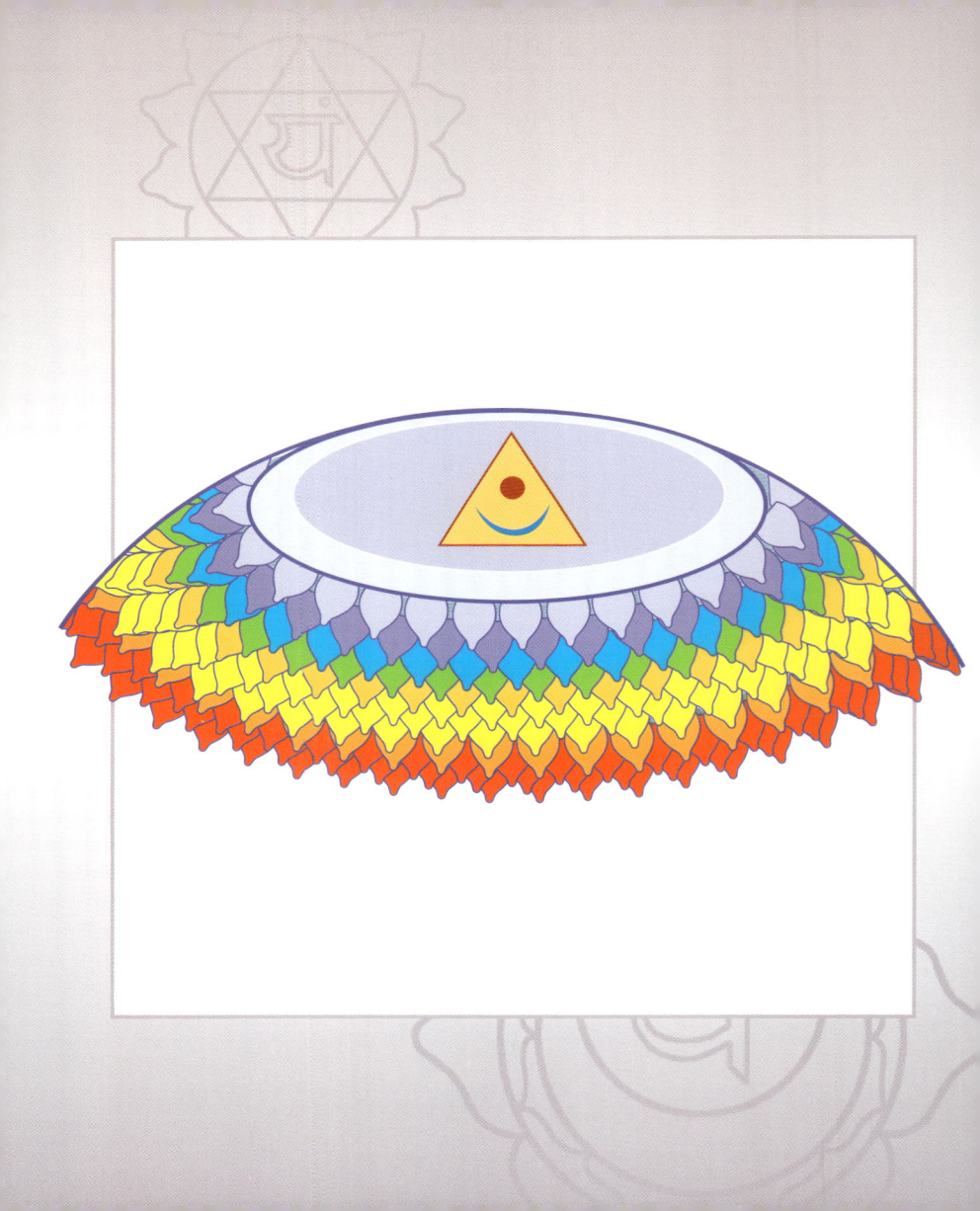

Capítulo 8

O CHAKRA DA COROA: SAHASRARA

O Chakra Sahasrara

O Chakra da Coroa, ou Sahasrara, é também conhecido como: o Lótus das Mil Pétalas, akasha chakra, sahasrara padma, sahasrara mahapadma, sahasrara saroruha, sahasradala, sahasradala padma, pankaja, kamala, adhomukha mahapadma, wyomambhoja, shiras padma, amlana padma, dashashatadala padma, shuddha padma e shantyatita pada.

Sahasrara, que significa "mil pétalas", segundo as tradições indianas, está situado acima da cabeça, ao passo que o pensamento teosófico mais moderno o situa no topo da cabeça. Os místicos descrevem as suas mil pétalas brancas dispostas em vinte camadas, cada qual contendo cinquenta pétalas, nelas estão escritas letras do alfabeto sânscrito (devanagari). As cores dessas pétalas mudam à medida que um arco-íris tremeluzente de cores passa por elas, embora no sistema de sete chakras seja atribuída a cor violeta ao Chakra da Coroa.

As funções do Sahasrara

Sahasrara é o lugar da pura consciência. A partir da anatomia sutil, sabemos que fica na extremidade da principal nadi sushumna, na qual ele se assccia com as energias da nadi pingala (energia solar e masculina) e da nadi ida (energia lunar e feminina) que se uniram no Ajna durante a ascensão da kundalini. O Chakra da Coroa simboliza o equilíbrio da dualidade dentro de nós e nossa capacidade de vivenciar a superconsciência e, em seguida, o êxtase da consciência transcendental. Como esse estado é impossível de descrever, às vezes, é chamado de "vazio". Talvez o melhor modo de começar a compreendê-lo é entrar com regularidade em meditação profunda, em que você abre mão de todas as coisas e descobre que tudo é paz.

Chakras suplementares no sistema tântrico

- O Chakra da Testa – também chamado de Indu ou Chandra (Lua) – tem 16 pétalas, é branco e "floresce" quando atingimos a consciência espiritual exemplar.
- O Centro Tântrico Inferior da Testa é também conhecido como Chakra de Manas (Mente). Ele tem seis pétalas que são normalmente brancas, mas adotam outras cores associadas aos cinco sentidos, mais a mente.

Esses chakras estão localizados entre Ajna e Sahasrara.

PRINCIPAIS CARACTERÍSTICAS NUM RELANCE

Cor	Violeta
Questões fundamentais	Sabedoria interna e morte do corpo
Localização física	Topo da cabeça
Área da coluna associada	Nenhuma
Sistema fisiológico	Sistema nervoso central e cérebro
Glândula endócrina	Pineal e pituitária
Plexo nervoso	Córtex cerebral
Aspecto interno	Liberação do karma
Ação física	Meditação
Ação mental	Consciência universal
Ação emocional	O estado de existir
Ação espiritual	Unidade por meio da consciência transcendental

Questões de saúde e Sahasrara

O ponto de conexão para o Sahasrara é considerado a "parte macia" da "moleira" (fontanela) na cabeça de um bebê recém-nascido. Quando esse local se fecha, o conhecimento do bebê acerca do universo infinito e da superconsciência fica preso. A seguir, para a maioria de nós, a personalidade e o ego tomam posse do corpo físico e pouco se pensa nas questões espirituais até contemplarmos a possibilidade de nossa morte. O modo como a alma deixa o corpo na hora da morte é diferente para um yogin que dedicou sua vida ao espírito. Os iniciados no yoga podem escolher o momento de sua morte e, quando decidem sair pelo Sahasrara, eles são libertados dos ciclos kármicos repetitivos da morte e do renascimento involuntário. Isso é chamado de Caminho Solar e Caminho dos Sábios.

Sistemas corporais associados

Os ensinamentos indianos indicam que todas as nossas enfermidades físicas são um resultado da separação do universo infinito. Nosso campo áurico e nossos chakras são essenciais para nos manter saudáveis. As doenças relacionadas ao Sahasrara incluem:

- **Dores de cabeça** Uma mente sobrecarregada em razão da supressão de pensamentos ou sentimentos, ou uma obsessão.
- **Epilepsia** Uma má comunicação entre nossos níveis físico, emocional e espiritual. Se já tiver buscado orientação médica, você pode trabalhar no nível energético dessas doenças no Sahasrara, usando técnicas de equilíbrio. Em caso de dúvidas, procure orientação profissional.
- **Paralisia** Retirada da energia de uma dada área, devido a um profundo trauma que nos faz negar a vida.
- **Mal de Parkinson** Tremores que podem indicar medo do passado, do futuro ou o modo como nos movemos em nosso corpo físico.
- **Hipertensão** Controle da raiva e das emoções, também ligada ao Chakra do Coração.

Glândulas endócrinas associadas

A pineal é considerada o "regente da orquestra" de todas as glândulas, ao passo que a pituitária é o músico principal – e ambas estão associadas ao Chakra da Coroa. Sahasrara, em combinação com as glândulas endócrinas, concentra a informação energética que vem por meio do campo áurico da coroa da cabeça. Em anos recentes, o estudo da psiconeuroendocrinologia começou a unir as verdades dos ensinamentos antigos do yoga e as disciplinas científicas modernas.

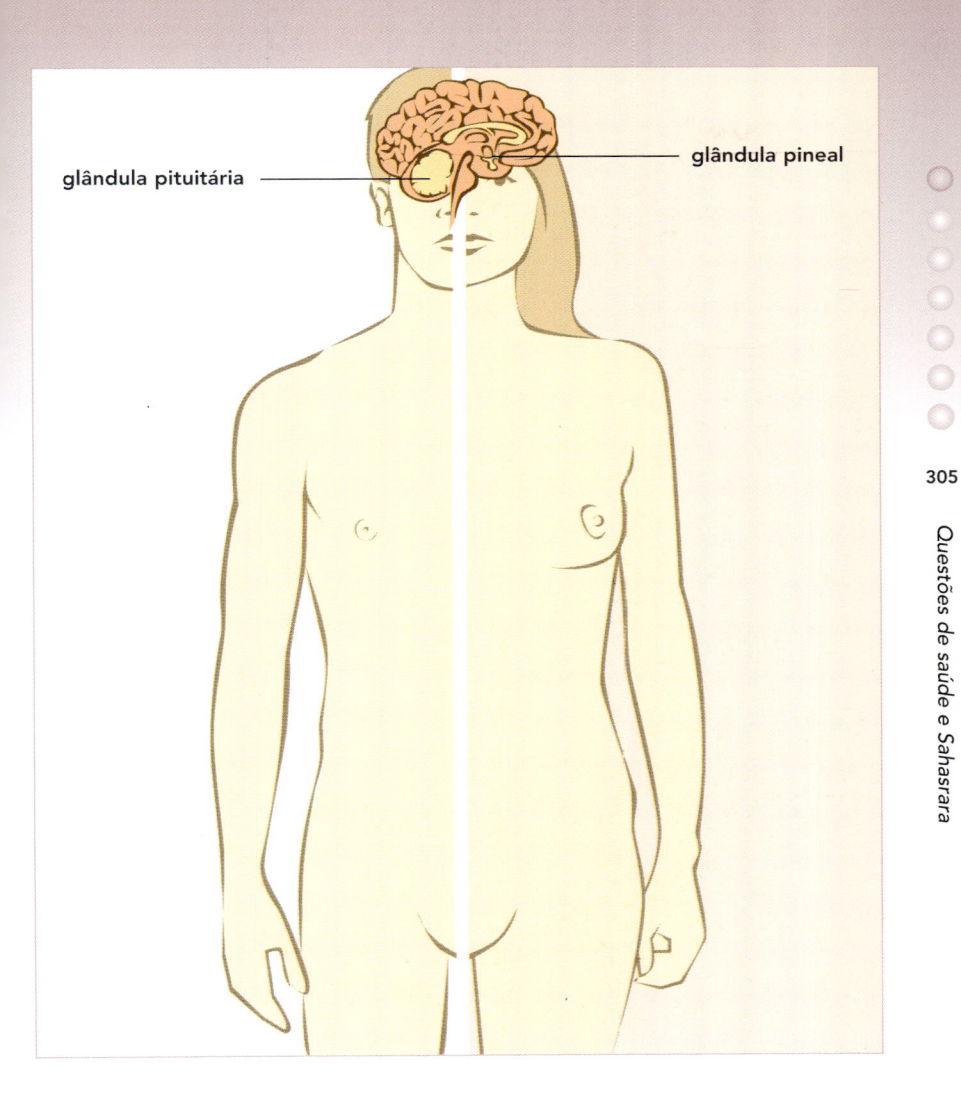

glândula pituitária — glândula pineal

Abrindo a mente: os estágios da meditação

Nos Yoga Sutras de Patanjali (recomendações escritas para praticantes de yoga), lemos sobre os três estágios de treinamento da mente:
- **Concentração** Dharana, cujo objetivo é focar a experiência interna.
- **Meditação** Dhyana, cujo objetivo é expandir a experiência interna.
- **Contemplação** Samadhi, cujo objetivo é aprofundar a experiência interna.

Dharana

A prática diária de concentração idealmente vem após você ter realizado os asanas de yoga. No sistema Raja Yoga, que é considerado uma das disciplinas mais elevadas, é comum instituir momentos específicos para praticá-la. A concentração da mente pode ser numa ideia abstrata ou num objeto. Na concentração, você deve *evitar* o fluxo associativo de sua mente; por exemplo, ao pensar numa laranja, você a associa com a árvore, com o Sol que ajudou a árvore a crescer, perguntar-se quem colheu a laranja e por aí vai. Isso não é dharana; em dharana, você se concentra apenas na laranja. O objetivo é acalmar o inquieto diálogo interno. Praticar ao amanhecer pode aumentar a sua eficácia.

Dhyana

Quando dhyana é atingido, não é mais necessário praticar a concentração, porque nesse ponto de sua trajetória espiritual a meditação diária substitui a concentração. O termo "meditação" pode significar muitas coisas para muitas pessoas. Entretanto, no contexto do sistema de Patanjali e do Raja Yoga, dhyana significa o seguinte: enquanto dharana contrai a mente, dhyana a expande em torno do objeto. Você alarga o campo da consciência para absorver a natureza espiritual de (nesse exemplo simples) uma laranja. Para a maioria das pessoas, dhyana/meditação é o estágio final – o samadhi raramente é atingido.

Samadhi

Sem dúvida, a prática de meditação não usa normalmente objetos como uma laranja! Para alcançar o samadhi, o mais provável é que você trabalhe com um conceito abstrato, como o amor incondicional, ou com um verso de um texto sagrado.

Samadhi pode ser interpretado como a união da consciência inferior ou eu com a superconsciência ou o eu superior. O princípio mais elevado, como disse Patanjali, "é quando o interesse da mente está apenas no objeto, até o grau de aparente não existência da própria pessoa, isso é Samadhi". Entretanto, nem toda meditação necessariamente termina com a experiência feliz de samadhi. Os meditadores experientes dizem que o samadhi vem quando menos se espera e que você não deveria tentar analisar a jornada.

"Sem sair de casa, uma pessoa pode saber tudo o que é necessário. Sem sair de si mesmo, uma pessoa pode compreender toda a sabedoria."
Lao Tzu

Como usar o poder da luz

Eis diferentes maneiras de aumentar a luz em seu corpo:

Mantras

Ajapa é um mantra incomum, porque *ajapa* significa não ser repetido verbalmente. Ele não é recitado, mas acontece de maneira contínua – dia e noite. Ele é a nossa respiração!

A respiração é um mantra porque a nossa expiração tem o som de "ha" e nossa inspiração tem o som de "tha". Juntas, essas sílabas formam "ha-tha". E o Hatha Yoga é o yoga das práticas corporais. Com a respiração vem o prana, que é luz. Essa luz está codificada com informações da vida e consequentemente, se aumentarmos os nossos níveis prânicos, poderemos viver a vida mais plenamente. À medida que aumentamos nossos níveis de luz, construímos o nosso campo áurico; e quanto mais forte esse campo, mais fácil é para a nossa luz espiritual brilhar. Os clarividentes e os que têm visão psíquica conseguem perceber a aura, e nos tempos modernos os cientistas tentaram numerosas maneiras de registrar esses níveis de luz em nossos corpos sutis. A investigação de ponta atualmente nos diz que toda a matéria é energia consciente e que nossos corpos/mentes são um só. Todas as coisas e todos os níveis estão enlaçados numa "ordem implicada".

Cura vibracional

Na década de 1920, Royal R. Rife, um pesquisador norte-americano, fez um microscópio de luz polarizada que mostrava a cor e, num momento seguinte, a frequência de vibração dos organismos. Ele desenvolveu um Feixe de Raio de luz que produzia campos eletromagnéticos com a frequência exata para destruir vírus e bactérias. Rife prosseguiu experimentando seus métodos na University of Southern California, onde conseguiu uma taxa de sucesso de 90% de cura para todos os tipos de câncer. É lamentável que as autoridades médicas tenham suprimido seu trabalho, como aconteceu com outros médicos pioneiros como Dinshah Ghadiali e Wilhelm Reich, que também desenvolviam tipos de cura vibracional.

Terapia de luz

Atualmente, a terapia de luz é empregada por vários profissionais e é recomendado que você siga um tratamento para qualquer doença grave. Se quiser experimentar a terapia de luz em casa, um modo muito simples é fazer água solarizada: determine o chakra e a cor que você deseja usar; a seguir, obtenha um copo da cor requerida. Encha o copo com água pura de fonte e deixe-o sob o Sol por até 12 horas. A vibração energética da luz do copo colorido será transferida para a água, que você beberá aos poucos durante o dia seguinte.

Para o Sahasrara, use água solarizada violeta para aumentar o crescimento espiritual e água solarizada amarela brilhante para estimular a capacidade mental. Para equilibrar enfermidades da cabeça, olhos e garganta, escolha a água solarizada azul-escura. Na verdade, o azul-claro é a escolha principal para a maioria do trabalho de cura. Se você desejar que seus animais de estimação tenham uma natureza amorosa e gentil, coloque um pedaço grande de cristal de quartzo na tigela de água deles. Não causa surpresa que a intenção original das forças policiais britânicas de usar azul-claro na porta da delegacia de polícia era acalmar as pessoas.

Uma terapia simples de luz pode ser feita com o preparo de água solarizada.

Ligação com a luz cósmica

Esta é uma meditação especial realizada em pé, para ligar você à Terra através de seus pés e às redes espalhadas pelo mundo inteiro de Luz e Vida (as grades sutis de energia da Terra).

1. Escolha um lugar silencioso fora de casa. Fique em pé, com os pés descalços, sobre a terra ou a grama.
2. Com os olhos fechados, respire na direção de todos os setes chakras principais, ativando-os.
3. Envie uma forte "raiz" que sai de seus pés para dentro da Mãe Terra (ver pp. 108-09).
4. Inspire e erga os braços, depois peça para ser preenchido com a Luz Divina da criação. À medida que você expira e abaixa os braços, imagine a luz enchendo a sua coluna de energia (a nadi sushumna).
5. Veja a luz como uma rede de finos filamentos dourados que se espalham em torno de você e que o atravessam. Eles são parte das redes de Luz e Vida espalhadas pelo mundo.
6. A partir do Chakra do Coração, no centro da coluna de energia, visualize que está enviando para fora a Luz Divina por meio dos filamentos dourados. Veja-a passando por eles para todos os lugares a sua volta que precisam limpar-se das energias negativas.
7. Faça a luz passar por todos os filamentos dourados que estão formando a "rede" ou grade energética em torno da Mãe Terra. Todas as partes tocadas pela Luz Divina são transformadas, de negatividade em ação positiva.
8. Finalmente, veja o planeta brilhando de luz; nesse momento, ele pode assumir seu lugar de direito, o de uma joia azul-esverdeada no cosmos.
9. Alegre-se sabendo que você terminou seu "trabalho de luz". Aos poucos, libere a luz a sua volta, sacuda seu corpo e retorne ao estado de consciência habitual.

"Enraizar-se" pelos pés o ajuda a se ligar às energias da Terra.

Como usar o poder da luz

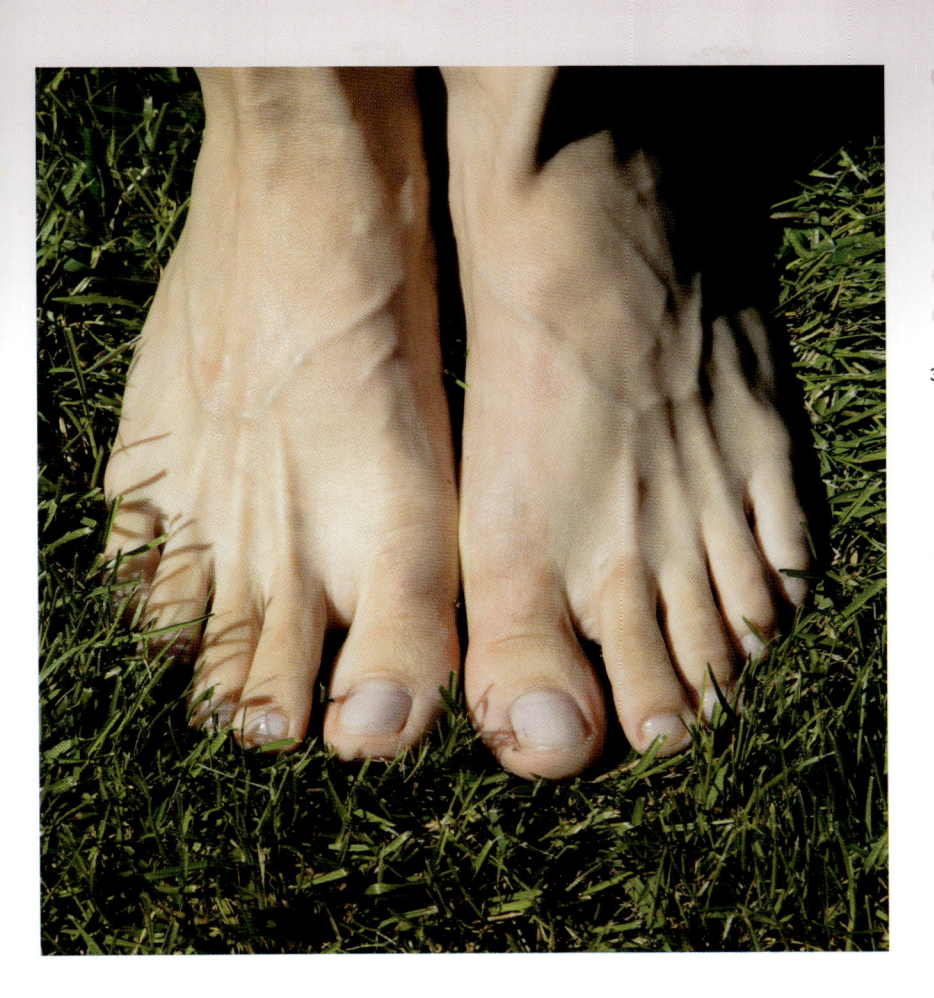

O Yantra do Sahasrara

O lótus das mil pétalas, resplandecente e mais branco que a lua cheia, tem sua cabeça virada para baixo. Ele encanta, lança seus raios em profusão e é úmido e fresco como o néctar. Os mais excelentes entre os homens, aqueles que controlaram a sua mente e conheceram este lugar nunca mais nascem Errantes, à medida que não há nada nos três mundos que lhes cause tolhimento.

Sat Cakra Nirupana

Descrição do Yantra
Número de pétalas Mil.
Cor Violeta.
Forma De sino, pode ser mostrado na cabeça de um yogin. Associado ao conhecimento Divino e à iluminação; costuma ser mostrado como um lótus aberto.
Mandala Surya (Sol) e Chandra (Lua).
Triângulo Dentro da mandala da Lua.
Nirvana-kala Dentro do triângulo. Diz-se que ele concede o poder do conhecimento Divino.
Bindu supremo No interior do Nirvana-kala. Representa o silêncio induzido pelo som de OM.

O bija mantra
O som do Sahasrara é o silêncio e ele não possui de fato um bija mantra associado, embora o OM (ver pp. 78-9) possa ser usado, como o som não manifesto do Todo, ou Deus.

O LÓTUS

O lótus é usado como símbolo dos chakras porque estes se parecem com flores abertas dentro do campo áurico. As flores de lótus têm sido um poderoso emblema na Índia por milhares de anos. A planta cresce de águas lodosas para a superfície de um lago e floresce na luz, simbolizando o crescimento humano: estamos frequentemente submersos nas águas lodosas de nosso subconsciente e podemos, de maneira obstinada, empurrar nossas raízes mais profundamente na lama, mas isso finalmente nos fará mais fortes. Uma vez libertos, crescemos para cima, superando qualquer perturbação em nossas emoções (representadas pela água), nutrindo dessa maneira nosso eu espiritual em nossa trajetória em direção ao sol espiritual.

313

O Yantra do Sahasrara

Divindades associadas ao Sahasrara

Shiva

Esse chakra é conhecido como a "morada de Shiva". Nele as divisões entre Shiva e Shakti são resolvidas e a deusa Dakini atinge o final de sua jornada, despertada do estado dormente no Chakra da Base (ver pp. 106-07).

O Senhor Shiva, cujo nome significa "Bom", é a terceira pessoa na tríade hindu de deuses (ver pp. 82-3), ele é tanto o destruidor como o regenerador da vida. Essa ilustração mostra Shiva além do poder da morte, com najas enroladas em seu pescoço. Elas representam o domínio da kundalini, o poder da serpente. Shiva está sentado sobre a pele de um tigre porque ele tirou a pele da criatura de Shakti, cujo "veículo" ou animal totem é esse. O seu cabelo é emaranhado porque ele é o Senhor do Vento e ele usa um diadema em forma de uma fina lua crescente. O tridente de Shiva é simbólico das três funções de criador, preservador e destruidor.

Shakti (Parvati/Durga)

Shakti é a contraparte feminina da energia masculina que sustenta o mundo, e recebe muitos nomes, indicando suas qualidades multidimensionais. Ela é basicamente conhecida como a Grande Deusa – Devi ou Mahadevi – embora em seu papel de consorte de Shiva ela seja chamada de Parvati ou Durga. Em toda a Índia ela é venerada todos os dias por milhões de pessoas, talvez ainda mais do que o próprio Shiva.

Ela é conhecida pelos seguintes nomes:
- **Parvati** A garota da montanha.
- **Gauri** Beleza de tez amarela.
- **Himavati** Filha do Himalaia.
- **Jagatmata** A Mãe do Mundo.
- **Uma** A Luz.
- **Bhavani** A Deusa do Universo. Em suas terríveis formas iradas ela é Durga (a inacessível); Kali (a deusa de tez negra); Chandika, a Temível; e Bhairavi, a Terrível.

Cristais para ativar o Sahasrara

Os principais cristais para ativar o Chakra da Coroa são a celestita e a safira azul.

Celestita

A celestita costuma ser chamada de "pedra do céu" e é um cristal límpido, azul-claro, que opera num padrão de vibração altamente refinado. É a expressão da mais poderosa beleza da luz azul conhecida na Terra. No corpo físico, ela reduz o stress ajudando o relaxamento nos reinos da Luz Divina. Ela também opera pelos chakras suplementares, além dos sete tradicionais, para alterar o seu padrão físico vibracional, o que resulta numa "renovação" de sua teia da vida. Uma pessoa espiritualmente consciente entende ser este o verdadeiro destino dos seres humanos, embora outras, de maneira inconsciente, resistirão às mudanças.

A celestita dá uma excelente essência de cristal feita pelo método indireto (ver pp. 70-1). Segure-a durante a meditação ou a coloque num altar para concentrar o raio de luz da água pura na Terra, onde a sua quietude é muito necessária nos dias de hoje.

Safira azul

As propriedades dessa gema já foram vistas (ver pp. 184-85). Ela descarrega livremente as suas energias para ativar todos os chakras superiores e deleita com sua manifestação de uma luz azul intensa e concentrada.

Um aglomerado de celestita azul-celeste (esquerda) pode reduzir o stress, e as safiras (acima) ativam os chakras superiores.

Se você tiver preparado um altar (ver pp. 108-09), sente-se à sua frente. Se preferir, encontre um espaço silencioso dentro de casa ou em meio à natureza. Certifique-se de ter limpado e dedicado os seus cristais primeiro – e também sempre os limpe após qualquer trabalho de cura. Agora, você pode começar.

1 Faça um círculo protetor de luz em volta de si mesmo, visualizando que você respira uma luz branca pura para dentro de seu corpo pelo Chakra da Coroa, que depois passa de suas mãos (mantidas na posição de prece) para todo o seu corpo.
2 Coloque a safira em sua mão não-dominante, deixando que ela se aninhe no centro da palma, onde há um chakra secundário. Segure o quartzo na outra palma, assegurando-se de que sua ponta esteja voltada para o seu pulso, de modo que a energia possa fluir pelo braço.
3 Agora relaxe, respire profundamente e comece a visualizar o estado do seu Chakra da Garganta, depois do Terceiro Olho e finalmente, o Chakra da Coroa. Conduza a luz clara da safira para cada chakra, um de cada vez.
4 Quando terminar, agradeça pela dádiva da cura e assegure-se de que cada chakra esteja equilibrado e de que você esteja enraizado na Terra (ver p. 108).

Exercício para sentir as energias da safira azul

Você vai precisar de uma pequena safira azul (pode ser a pedra bruta) e uma ponta de quartzo claro de cerca de 5 cm de comprimento. Pergunte ao deva (a presença de luz abundante) de cada cristal se você pode usá-los para que o ajudem em seu crescimento espiritual.

Cristais para acalmar o Sahasrara

A esmeralda (ver p. 288-89) é recomendada para acalmar as energias de Sahasrara, caso deseje mudar o seu foco das questões espirituais para as questões do dia a dia.

Charoíta e sugilite (ou luvulite)

Esses tipos de cristal são intercambiáveis, pois ambos têm qualidades semelhantes para partilhar com os seres humanos. Foi apenas em anos recentes que essas pedras nos foram reveladas pela Terra. Elas variam na cor do violeta-claro ao escuro, às vezes com a inclusão de minerais mais escuros. Embora não sejam normalmente classificadas como pedras preciosas, ambas são consideradas pedras de transformação com afinidades específicas com o Sahasrara. Os mundos cristalinos dessas pedras de transformação são capazes de converter quaisquer energias negativas que entram no chakra, em forma de ataques psíquicos que podem se manifestar como pesadelos.

A charoíta encoraja o sono profundo e auxilia os distúrbios energéticos do cérebro, como aqueles resultantes do autismo e profundos problemas emocionais. A sugilite (luvulite) é excelente para dificuldades de aprendizagem, e se considera que ela reorganiza os padrões cerebrais. A esse respeito, ela alivia dores de cabeça, purifica o

A sugilite ajuda a "canalização". As peças melhores e mais raras têm a cor violeta intensa.

A charoíta polida, recentemente descoberta na Rússia, ajuda a transformação espiritual.

sangue e a linfa e é considerada benéfica para atenuar os distúrbios energéticos da epilepsia – todos esses transtornos têm sido associados a um mau funcionamento e desequilíbrio do Sahasrara.

Cura com cristais e pontos de acupuntura

O quartzo claro, o diamante ou outras pedras preciosas podem ser usados com eficácia nos pontos transitórios de acupuntura Ah Shi, que ocorrem sempre que existe um bloqueio ou dor no corpo. Quando os cristais são deixados no lugar por um tempo apropriado, esses pontos entram em equilíbrio ou ressonância por meio do padrão vibracional dos cristais. Como os cristais ressoam numa ordem muito lenta, de um a três ciclos por segundo (comparados à consciência humana normal de 13-30 ciclos de nível de ondas cerebrais beta por segundo, no estado desperto), a colocação deles sobre o corpo ou perto deste permite que ocorra uma troca interdimensional. A matriz dentro da estrutura de cristal se torna superimposta como um padrão de "interferência" na área de tratamento do corpo e é esse padrão de "interferência" que leva a uma reprogramação das células a um nível de equilíbrio.

Cristais para equilibrar o Sahasrara

O quartzo claro e a ametista, em separado ou combinados, são excelentes para equilibrar as energias de Sahasrara.

Quartzo claro

Esse cristal existe em muitas formas e aspectos. Para uso nos chakras, recomenda-se uma "ponta" de quartzo claro de cerca de 5 cm de comprimento. Ele pode ter uma terminação única (com uma ponta em uma das extremidades) ou uma dupla terminação (uma ponta em ambas as extremidades); pode ser lustroso e polido ou em seu estado natural. Para algumas curas profundas, como a xamânica, quanto mais claro o cristal, melhor. Para quem deseja desenvolver poderes além do Chakra da Coroa, então o quartzo claro é o cristal que irá ajudá-lo.

Quartzo para proteger seus chakras superiores

Ao trabalhar com seus chakras superiores, é recomendado o uso de uma ponta de quartzo como uma peça de joia pendurada em seu pescoço, com a ponta voltada para baixo, em direção à Terra. Coloque-o na posição conhecida por alguns curadores nativos norte-americanos como "o ponto de enraizamento espiritual": bem na extremidade do esterno, entre o Chakra do Coração e o Chakra do Plexo Solar. Isso sempre manterá o campo eletromagnético ou aura perfeitamente clara. Qualquer negatividade que se aproxime de você será repelida pela luz transmitida pelo quartzo. Sempre escolha as suas joias de cristal de modo intuitivo e não se esqueça de limpá-la após o seu uso.

Um exemplo perfeito de um quartzo claro natural com dupla ponta.

Ponta de ametista natural (abaixo). A melhor ametista, como esse geodo (à direita) vem do Brasil.

Ametista

Esta pedra é disponível como um geodo (cavidade que se forma na rocha, revestida por formações cristalinas), um aglomerado ou como pontas únicas que foram "extraídas" de outro mineral. Geodos grandes e aglomerados são bons para se colocar em seu espaço de cura, para manter uma vibração de alta frequência, mas mantenha-os longe da luz do sol porque eles desbotam sob a luz forte. A ametista traz dons psíquicos e é uma excelente ajuda para a meditação. Ela não deve ser usada por ninguém com transtornos mentais, como a esquizofrenia, ou por crianças hiperativas.

A luz violeta é conhecida por reduzir a pressão alta, reduzir o apetite, acalmar estados de choque e reconstruir os glóbulos brancos do sangue. Os cristais de ametista exercem um efeito purificador e antisséptico, em virtude de sua cor, que é contígua à faixa ultravioleta de vibração mais elevada e mais rápida. Eles influem diretamente no Terceiro Olho, no lado direito (criativo) do cérebro, nas glândulas pineal e pituitária. Quando cooperamos com a ametista, ela abre o nosso corpo para a energia dos três novos chakras emergentes e transpessoais acima da cabeça, os quais serão estudados no capítulo seguinte deste livro.

Aromaterapia e Sahasrara

Diversas plantas, ervas e essências florais são usadas para o Chakra da Coroa, incluindo o inhame, a hamamélis, o confrei, o espinheiro e a lavanda. A lobélia, agora utilizada de maneira escassa como uma tintura de erva, antigamente era fumada nas cerimônias nativas norte-americanas que envolviam o cachimbo da paz. Ela age como um tônico para estimular e fortalecer o sistema nervoso.

A flor do limoeiro dá uma infusão de chá aromático para aliviar dores de cabeça.

ÓLEOS ESSENCIAIS PARA O CHAKRA DA COROA

Os seguintes óleos essenciais são usados por suas propriedades em relação aos aspectos emocionais e espirituais (e não para doenças físicas). Os primeiros três são usados como banhos afrodisíacos ou umectantes: coloque duas ou três gotas num óleo carreador ou no leite, e misture à água morna.

- **Ylang-ylang** Essa é uma flor exótica perfumada que cresce no Extremo Oriente. Ela ajuda o relaxamento, a calma e a sensualidade, mas uma alta concentração de ylang-ylang provocar dores de cabeça. Cooperação com os seres-flores invisíveis, invocados por meio da prece, meditação ou canto, ela nos abrirá para Gaia, a Mãe Terra.

- **Pau-rosa** Pode ser substituído por outras fragrâncias, porque as árvores que crescem nos trópicos do Brasil e Peru estão atualmente ameaçadas de extinção. Entretanto, é possível comprar este óleo essencial a partir de matas que foram cultivadas em plantações sustentáveis. O pau-rosa conecta e liga o Chakra da Base com o da Coroa. Mais uma vez, peça a cooperação dos mundos invisíveis.

- **Tília ou flor do limoeiro** Este não vem da fruta cítrica, mas da árvore *Tilia vulgaris*, e tem um perfume altamente concentrado ideal para abrir o circuito de canalização que corre num *loop* entre os chakras da Testa, do Alta Maior e da Garganta. Isso cria as condições de relaxamento e concentração necessárias para remover a consciência de nossos processos mentais cotidianos na preparação para entrar num estado alterado de consciência. Quando isso ocorre, algumas pessoas sensíveis são capazes de "canalizar" os Seres de Luz, incluindo anjos e mestres que ascenderam e aqueles que nos guiam a partir de outros planos. A tília também nos abrirá para canalizar os espíritos da natureza e os devas/anjos da paisagem.

- **Lótus ou ninfeia** Este é um óleo essencial muito raro. As propriedades doadas a nós pelos "seres-flores" do lótus e da ninfeia imediatamente abrem o Chakra da Coroa, trazendo um estado quase hipnótico de felicidade. Se você não conseguir obter o óleo essencial, o lótus é, às vezes, disponível em forma de essência floral (não perfumada).

Asanas de yoga para Sahasrara

Ativo: Salamba sirhasana 1 (postura sobre a cabeça)

Se você nunca fez uma postura sobre a cabeça antes, não deixe de fazer uma primeira preparação com asanas, como Halasana (ver pp. 298-99), Adho Mukha Avanasana (ver pp. 294-95) ou Bakasana (ver pp. 326-27), por diversos meses até se sentir completamente confortável com elas. Alguns professores aconselham um ano de prática regular de yoga antes de tentar uma postura completa sobre a cabeça. Não faça esse asana se tiver pressão sanguínea alta ou baixa; em vez disso, comece muito suavemente e devagar com Halasana (o arado). Uma vez dominada, a postura sobre a cabeça, e suas variações, é considerada o asana mais benéfico. Salamba Sirhasana é conhecido como o rei de todos os asanas, porque ele promove o fluxo do sangue saudável nas células cerebrais, aumentando assim a longevidade e beneficiando as glândulas pineal e pituitária, que agem como ponte para os chakras mais elevados. Assim, o Chakra da Coroa é especialmente energizado por esse asana.

> **Advertência**: Esse asana avançado é apenas para quem pode se equilibrar com segurança. Se você tiver algum problema de saúde, não faça asanas e, melhor, a menos que tenha orientação médica e a supervisão de um professor qualificado de yoga.

1 Dobre um cobertor e coloque-o à sua frente, depois se ajoelhe e apóie os cotovelos no cobertor. Repouse os antebraços no centro do cobertor. Una seus dedos em taça e feche-os, porque eles sustentarão o seu peso. Fique sobre a *coroa* da cabeça no cobertor, apoiada por suas mãos.

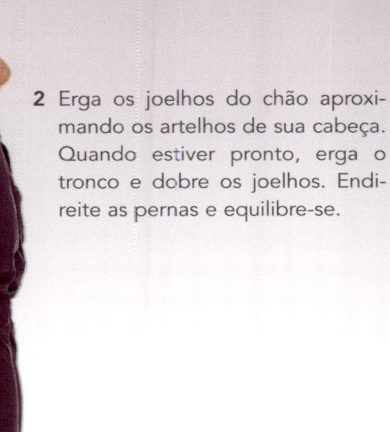

2 Erga os joelhos do chão aproximando os artelhos de sua cabeça. Quando estiver pronto, erga o tronco e dobre os joelhos. Endireite as pernas e equilibre-se.

Ativo: Bakasana
(postura do guindaste)

Bakasana ajuda você a obter um senso de equilíbrio e fortalece os seus braços, pulsos e costas, além de aumentar o fluxo de sangue na cabeça, no rosto e no pescoço. É esse fluxo extra de sangue que transporta a energia prânica fluindo para dentro e para fora do Chakra da Coroa. Em termos esotéricos, colocar a cabeça sobre a Terra demonstra humildade e a disposição de aprender e submeter-se à vontade do Criador. Assim, o Chakra da Coroa desenvolve suas "mil pétalas" de luz e união com todas as coisas. O estado de consciência que se está buscando no Chakra da Coroa é a superconsciência cósmica. Esta leva à união (significado verdadeiro do yoga) com a fonte Divina da criação – samadhi ou nirvana.

> **Advertência**: Este é um asana para iniciantes, mas observe os comentários já feitos (p. 324) relativos a problemas de saúde.

1 Dobre um cobertor e coloque-o à sua frente, depois se ajoelhe e fique de quatro. Coloque a *coroa* da cabeça no cobertor cerca de 15 cm na frente de suas mãos, que devem estar espalmadas e voltadas para a frente. Descanse a cabeça no chão e acostume-se a sentir um pouco de peso sobre ela. A posição da cabeça e das mãos deve formar um triângulo, para a estabilidade.

2 Agora, ande com os pés em direção às mãos, endireitando a coluna. Dobre o joelho esquerdo e coloque-o na "prateleira" de seu braço esquerdo.

3 Faça o mesmo com o joelho direito. Una os pés e equilibre-se. Se estiver confortável, sustente a postura por um ou dois minutos.

Passivo: Salamba Sarvangasana 1 (postura de inversão sobre os ombros)

Caso você faça essa postura em seguida de Halasana (o arado), você pode manter o forte fecho do queixo que é o principal aspecto do controle da energia sutil; isso também facilita o conforto do corpo físico. A inversão do torso tem a fama de ajudar numerosas funções corporais. Do ponto de vista da energia sutil, ela permite o fluxo livre das energias pelo corpo até que elas atinjam o pescoço. Nesse ponto, o prana é capaz de fluir para o cérebro, ao passo que há uma restrição de fluxo sanguíneo para ele. Quando a postura é desfeita, o sangue flui outra vez livremente para o cérebro. O Chakra da Coroa responde à estimulação energética com uma efusão de luz branca dourada cintilante. Você pode concentrar-se em sua Coroa e visualizá-la como uma fonte de luz no topo de sua cabeça sempre que fizer um asana do Chakra da Coroa.

Advertência: Apenas pratique esta postura sob a orientação de um professor de yoga, porque ela pode ser perigosa se você sofrer de pressão alta ou estiver menstruada.

Caso tenha qualquer problema de saúde, não tente fazer nenhum asana complexo, a menos que esteja sob supervisão médica e sob a orientação de um professor de yoga qualificado.

1 Deite-se de costas, com as pernas esticadas e firmes nos joelhos. Apoiando as costas, dobre os joelhos.

2 Levante os quadris do chão e erga o troco perpendicularmente, apoiado pelas mãos, até que seu peito toque no queixo.

3 Desloque as mãos para a parte central de suas costas. As pernas devem estar retas, com os dedos apontando para cima. Permaneça nessa posição por até 5 minutos, respirando uniformemente. Concentre-se para se equilibrar nos ombros e mantenha-se imóvel – não gire a cabeça.

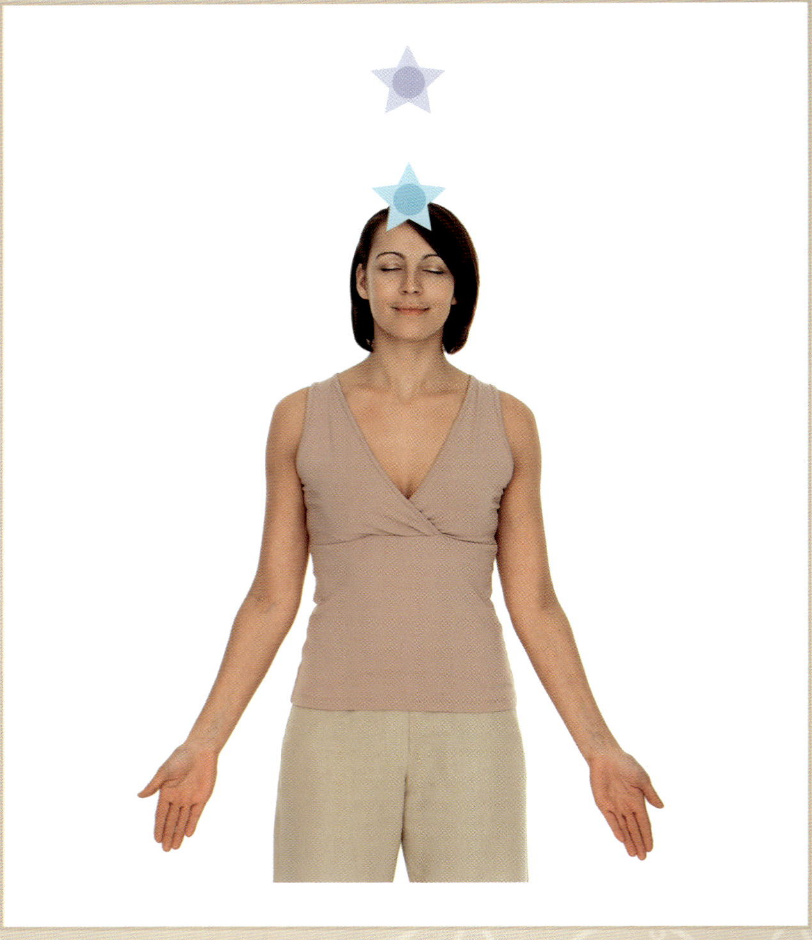

Capítulo 9
OS NOVOS CHAKRAS

○ ○ ○ ○ ○ ○ ○

Neste capítulo do livro, algumas interessantes
descobertas sobre novos chakras serão
apresentadas e exploradas detalhadamente.

Chakras Transpessoais

Vimos que os chakras são centros de energia correlacionados com áreas e funções do corpo físico que foram identificados desde os tempos védicos na Índia. Durante os séculos XIX e XX, seguidores da escola Teosófica (ver pp. 26-7) desenvolveram uma filosofia esotérica vinculada ao progresso científico. Eles atribuíram cores a cada um dos sete chakras convencionais, de modo a combinar as cores do arco-íris na ordem em que elas ascendem pelo corpo. Com isso, atualizaram a sabedoria antiga à luz do que eles próprios perceberam com sua visão áurica.

Como sabemos, aqueles que conseguem ver o campo áurico descrevem áreas de cores em redemoinho, em constante mutação e deslocamento. Às vezes, essas cores são vistas em "camadas" particulares descritas como os diferentes "corpos" (ver pp. 14-5), ou focos de vórtices específicos de energia, quando são conhecidas como chakras. Entretanto, atualmente as energias que chegam até nosso mundo, vindas do cosmos, estão mudando.

Em direção ao futuro

Em nosso planeta pequeno e frágil, temos sido saturados de novas energias cada vez mais potentes e variáveis, vindas de nosso sistema solar e da galáxia. Essas energias, mais bem descritas como luz de alta frequência, estimulam nosso potencial evolutivo. Quando examinamos com cuidado, usando nossa consciência superior, começamos a perceber que o sistema de sete chakras (juntamente com os sete chakras secundários que já mencionamos) foi apropriado durante os últimos dois milênios. Mas é imperativo nos basearmos nessa "memória" para caminhar em direção ao futuro. Podemos fazer isso conectando-nos com as novas energias. No decorrer desse grande trabalho, nossa aura se expandirá e outros chakras de grande importância entrarão em cena.

Chakras recentemente descobertos

Os novos chakras transpessoais, disponíveis para a humanidade neste momento, em ordem crescente são: Chakra Estrela da Terra, Chakra do Hara/Umbigo, Chakra Causal, Estrela da Alma e Portal das Estrelas. Esses chakras foram nomeados pela primeira vez por Katrina Raphaell em seu livro *The Crystalline Transmission* (1990), e muitos curadores e professores que ensinam sobre cristais ainda estão trabalhando para aprofundar seu conhecimento desses chakras. É evidente que estamos recebendo um novo tipo de fortalecimento espiritual pessoal que não está vinculado a nenhuma religião.

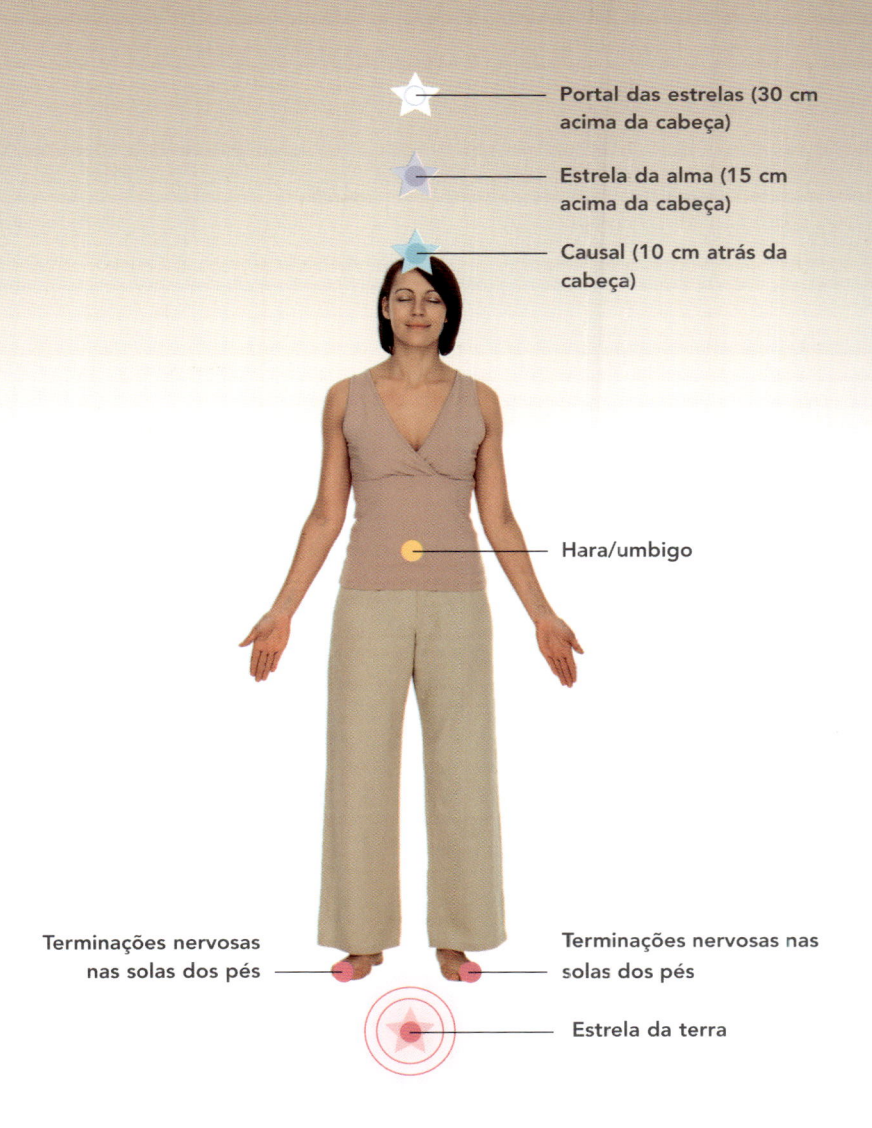

- Portal das estrelas (30 cm acima da cabeça)
- Estrela da alma (15 cm acima da cabeça)
- Causal (10 cm atrás da cabeça)
- Hara/umbigo
- Terminações nervosas nas solas dos pés
- Terminações nervosas nas solas dos pés
- Estrela da terra

Chakras Transpessoais

O Chakra Estrela da Terra

Esse chakra é como um "retorno ao futuro". Em civilizações passadas, tais como Mu e Atlântida, vivíamos na Terra como Seres de Luz conscientes de que tínhamos vindo das estrelas – e que para elas retornaríamos. Mas todas as coisas mudam, nossos corpos se densificaram, e o que nos restou foi nosso campo áurico que mal pode ser visto. Segundo os antigos ensinamentos, movemo-nos em espiral pelo universo, jamais retornando ao mesmo lugar no espaço; no entanto, carregamos um pouco da recordação de tempos passados codificada em nossas células corporais.

Despertando o Chakra Estrela da Terra

Por onde quer que caminhemos, o Chakra Estrela da Terra está abaixo de nossos pés e conectado fisicamente conosco por terminações nervosas nas solas. A sutil conexão de energia se dá pelos pontos de reflexologia do chakra na parte interna de cada pé (ver pp. 50-1). Atualmente, alguns de nós estamos lembrando de nossas origens: recordando que onde quer que caminhe um Ser Iluminado, a atmosfera circundante "se ilumina". Na maioria das pessoas, o Chakra Estrela da Terra tem a cor escura, quase preta. Mas nos seres iluminados, quando seus pés tocam o chão, um brilho de cor magenta os acompanha – o seu Chakra Estrela da Terra está desperto e se torna uma parte de seu campo áurico expandido. Esse campo áurico intensificado combina seu halo dourado no Chakra da Coroa com a luz radiante dos três outros chakras principais, acima da cabeça. Nesse ponto, embora eles ainda estejam num corpo físico (se bem que altamente refinado), terão passado pela quarta e quinta dimensões, preparando-se para ascender à sexta dimensão.

Para caminhar de maneira consciente, em contato com o chão, envie suas "raízes" para baixo a partir de sua coluna e as solas de seus pés até o coração cristalino da Mãe Terra (ver p. 108). Isso também conecta você com o Chakra Estrela da Terra e, juntamente com as ativações de cristal de uma natureza espiritual, é o primeiro estágio em sua jornada de volta para as estrelas.

PRINCIPAIS CARACTERÍSTICAS NUM RELANCE

Cor	Preta, mas magenta quando ativado
Questões fundamentais	Recriação da matéria
Localização física	Abaixo dos pés, espalhando-se num círculo
Área físicas associadas	Terminações nervosas nas solas dos pés
Área da coluna associada	Nadi central sushumna
Aspecto interno	Reestruturação do DNA humano
Ação física	Consciência da natureza
Ação mental	Superação da polaridade
Ação espiritual	Preparação para ascensão do Corpo de Luz
Gema para ativar	Quartzo claro

Cristais e os três chakras celestiais

Antes que a ativação do Chakra Estrela da Terra ocorra, outro chakra importante normalmente entra em ação: o Chakra do Hara/Umbigo, localizado logo acima do Sacro. O Hara costuma ser mais desenvolvido em pessoas que fazem práticas espirituais orientais; os ocidentais costumam ter um Chakra do Sacro mais desenvolvido. O Hara é amarelo-alaranjado e opera nos nossos rins, digestão e a absorção de alimentos. Como ele nos proporciona suporte físico e força (assim como fazem as artes marciais orientais), essa é uma área essencial para melhorar o metabolismo e a perda de peso, em combinação com o seguimento de práticas orientais. Os cristais olho de tigre e cornalina ajudarão a trazer luz a esse chakra.

Os três chakras transpessoais e celestiais acima de nossas cabeças são o Chakra Causal, a Estrela do Sol e o Portal das Estrelas. Eles estão localizados dentro e além de nosso campo áurico e podem ser vistos como nossas estações retransmissoras pessoais com as estrelas; elas transmitem e recebem uma multiplicidade de energias que passam para todos os outros chakras.

Use o olho de tigre (esquerda) ou cornalina (acima) para equilibrar o chakra do Hara/umbigo.

A cianita (acima) dirige a energia, enquanto a celestita (esquerda) e a pedra da lua (direita) equilibram as energias do Chakra Causal.

O Chakra Causal

Ele está localizado a cerca de 10 cm para trás do Chakra da Coroa e se alinha em termos energéticos com o Alta Maior e a coluna vertebral. Enquanto o Alta Maior tem relação com a memória distante, o Chakra Causal, quando ativado, está pronto para guiar a nossa vida presentes quando estamos num caminho da exploração espiritual. Nesses momentos, ele age como um filtro benéfico para "colorir" as nossas intenções em relação ao bem maior de toda a humanidade. A partir disso, é possível entender que se estivermos presos ao ego, esse chakra não funcionará. O Chakra Causal nos permite reprogramar a nossa vida de maneira consciente por meio da paz interna silenciosa. Ele ressoa com os cristais da cianita, pedra da lua e celestita, e com a cor verde-água. A ativação do Chakra Causal é ajudada pela atenção concentrada de um curador habilidoso que, na condição de "trabalhador da Luz", compreende o papel que a luz desempenha na elevação da consciência humana.

A Estrela da Alma

Esse chakra está localizado a aproximadamente 15 cm acima do topo da cabeça, numa linha direta com (e se fundindo com) as energias que lembram uma fonte, de cor violeta-dourada, do Chakra da Coroa abaixo. É a nossa conexão com a totalidade da nossa galáxia da Via Láctea e pulsa informações desde a fonte galáctica até cada indivíduo desperto. Em troca, as almas despertas transmitem formas-pensamentos de volta para a fonte enquanto ainda estão num corpo físico; mas quando se libera do corpo, na morte, uma semente de tudo o que foi um Ser Iluminado permanece na Estrela da Alma. É por esse motivo que os povos antigos diziam que eles se tornavam estrelas no céu noturno e afirmavam que, embora seus corpos pudessem morrer, isso nunca aconteceria com as suas almas. A Estrela da Alma pode ser ativada por um curador habilidoso com cristais, usando uma "varinha" de selenita, e a ela é atribuída a cor delicada de um pêssego rosa-claro.

Cristais de selenita medindo até 1 m de largura e 30 m de comprimento foram encontrados em Naica, México.

A moldavita, frágil e verde-escura, tem afinidade especial com o Portal das Estrelas.

O Portal das Estrelas

Esse é o elo mais elevado que podemos ter com a criação neste momento particular na evolução da humanidade. Ele está geralmente localizado a 30 cm do topo da cabeça, mas, como os outros dois chakras celestiais, a sua posição varia enormemente. De fato, entende-se que esse chakra de luz, que nos conecta ao cosmos, é multidimensional, holográfico, interestelar e atemporal.

Nesta encruzilhada espiritual particular da humanidade, a criação está usando o Portal das Estrelas para evocar os seres humanos despertos, com o objetivo de iluminá-los com a radiância da Luz Divina de toda a criação. Não há nada que possamos fazer pessoalmente para ativar esse chakra – isso ocorrerá apenas quando a humanidade estiver pronta em termos coletivos. Entretanto, há muitas coisas que podemos fazer para nos preparar, praticando diariamente atos de amor incondicional, abstendo-nos de julgamentos e agindo com compaixão e graça em relação a todos os seres vivos.

Como meditar com a moldavita

Para ajudar a consciência do Portal das Estrelas você pode meditar com a moldavita – um cristal verde-claro, poderoso e raro, de origem extraterrestre. Basta segurar a moldavita durante a meditação e pedir-lhe que dê a você a visão interna de um tipo estrelado interdimensional – às vezes chamado de "cosmovisão". Ela estimula a clareza do propósito e a intenção superior, de modo que as energias de mudança que entrarem possam ser ancoradas no planeta por meio do seu sistema de chakras. A moldavita ajuda a purificar padrões kármicos inúteis trancados em qualquer de seus chakras, e traz clareza de propósito em relação ao futuro.

Os três chakras celestiais

Embora muitos entre nós possam apenas aspirar a compreender os três chakras celestiais há pouco mencionados, nós agora revisitaremos os sete chakras principais à luz de uma nova consciência, que nos diz que eles processam propriedades astrofísicas. Todos os sete chakras recebem e transmitem radiância solar. Nossos dois chakras das têmporas, nossos mamilos/seios e nossos genitais/ovários recebem e transmitem a radiância lunar. Os chakras secundários remanescentes, pequenos e de alta frequência e o Alta Maior, bem como inúmeros outros nós de energia que são essenciais para o bem-estar de nossa conexão alma-espírito-corpo, todos recebem e transmitem a radiância cósmica. Assim, estamos vinculados aos poderes da Luz e da criação por meio desses numerosos chakras:

- Sete chakras solares.
- Seis chakras lunares.
- Muitas centenas de chakras cósmicos.

Nossos corpos têm seis chakras que estão ligados pela Lua ao poder da luz e da criação.

Os efeitos da Lua e do Sol

Há muito tempo já se compreende a influência que a Lua tem sobre as marés de nossos oceanos e nos ciclos dos nossos corpos (especialmente os ciclos menstruais das mulheres). Além disso, muitas culturas antigas do mundo inteiro deram atenção especial aos poderes dentro e além do Sol. Os ensinamentos antigos dos maias na

América Central atribuíam grande significado ao Sol, sugerindo que um tipo diferente de energia solar ocorre a cada dia, por causa das mudanças de posição do planeta à medida que o nosso sistema solar se move em espiral em direção ao centro galáctico. Alguns indivíduos são capazes de conectar frequências energéticas específicas do sistema estelar em seus chakras principais, por meio de intenso trabalho com os cristais. Quando isso se realiza e o chakra fica ativo, é como se eles tivessem um "portão estelar" dentro de seu campo corporal energético, resultando num brilho intenso dentro de sua aura.

A luz da criação

Os seres humanos não podem viver sem luz e cor. A luz das estrelas distantes pode ser analisada por uma técnica científica que divide o espectro da luz estelar em suas partes componentes, revelando a composição das estrelas por elementos químicos. Os tipos de cristal também são identificados por um processo semelhante de análise espectrográfica. Quando levarmos em consideração que os maravilhosos cristais na Mãe Terra são semelhantes em composição com as estruturas líquidas cristalinas dentro de nosso corpo, teremos um profundo conhecimento interior de que somos feitos tanto de estrelas como de pedras. Isso faz de nós, de fato, Seres de Luz cósmica em corpos físicos, permitindo que nos identifiquemos com cada ponto estrelado de luz no céu da noite.

As culturas do mundo inteiro consideraram o Sol como um símbolo de energia criativa.

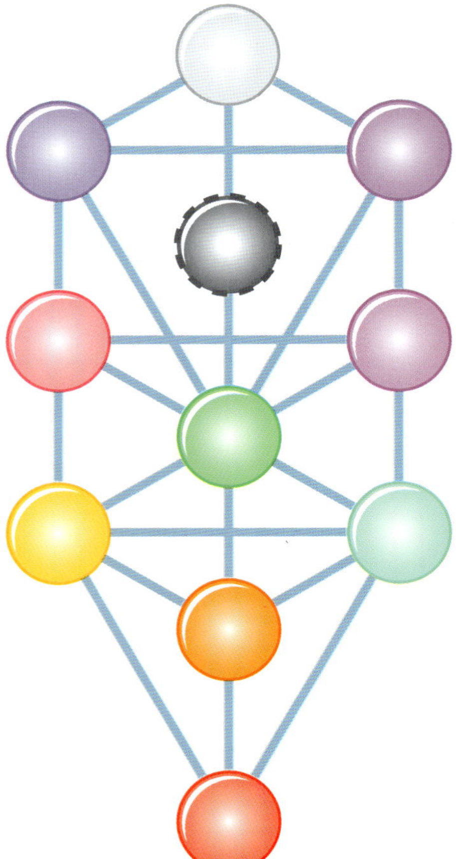

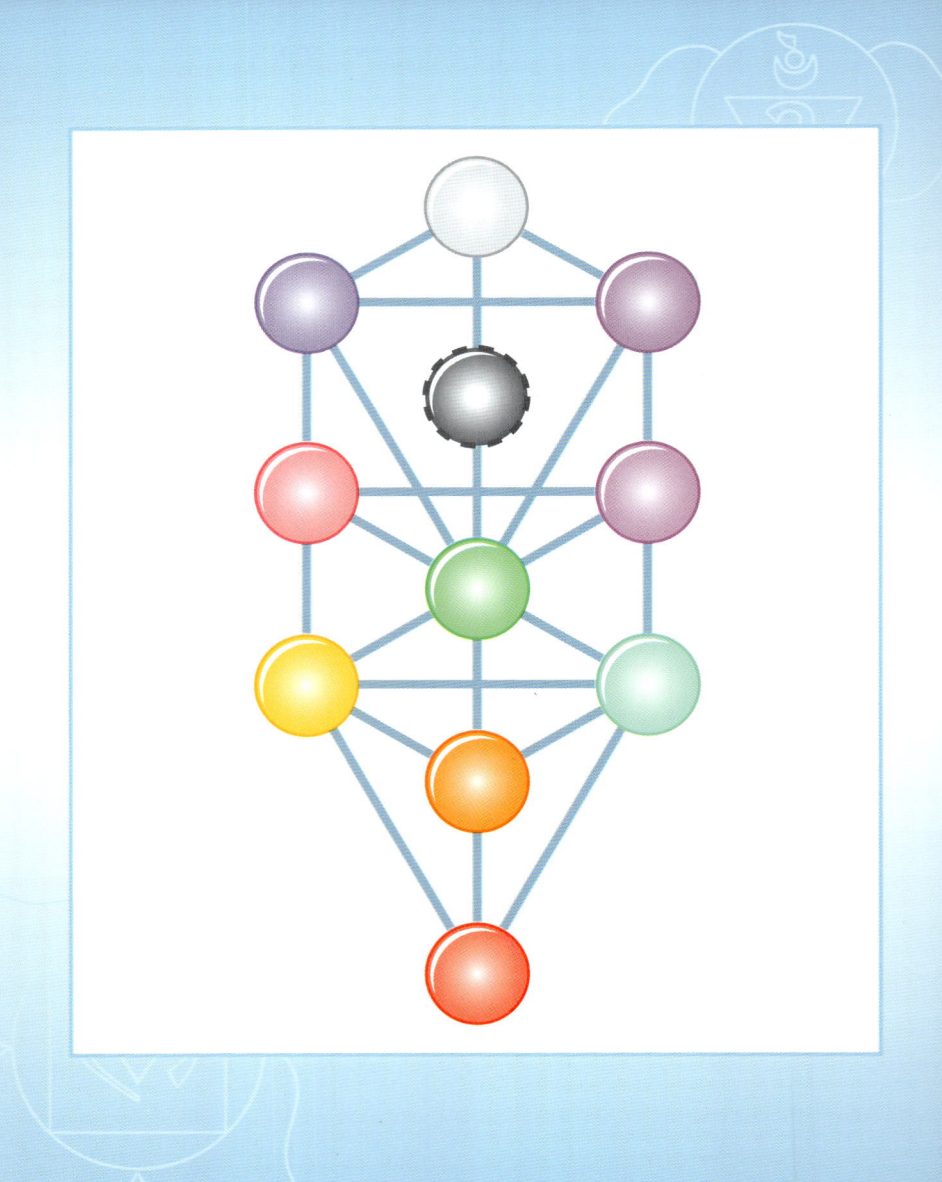

Capítulo 10

OS CHAKRAS EM OUTRAS TRADIÇÕES

○ ○ ○ ○ ○ ○ ○

Neste capítulo, os chakras estão inseridos dentro do contexto de outras tradições, tais como o taoismo, a cabala, o sufismo, os ensinamentos inca e maia e o xamanismo.

O taoismo e os chakras

Por volta de 3500 a.C., o povo chinês desenvolveu os princípios do "Caminho da Longa Vida", que incluíam a dieta de ervas, a medicina, o kung fu e a respiração terapêutica. Esse foi o início do taoismo. O primeiro médico chinês de que se tem registro parece ter sido Bian Que, que viveu de 407 a 310 a.C. e dava tratamentos médicos, ginecológicos e pediátricos e aplicava acupuntura. O dr. Zhang Zhongjing, que viveu em torno de 200 a.C., escreveu amplamente sobre as doenças, dividindo-as em seis tipos seguindo os princípios Yin e Yang, sendo-lhe atribuída a realização do primeiro "mapa" de linhas de energia (meridianos) usado na acupuntura.

O taoismo se desenvolveu de três maneiras: o estudo recluso do *Tao Te Ching* (o clássico texto chinês, *O Livro do Caminho*), o xamanismo tradicional e os aspectos metafísicos e ocultos que hoje são chamados de taoismo interno. Pelo fato de o último ser uma busca pela imortalidade, ele se situa como a contraparte chinesa do tantra indiano e tibetano. Atualmente, existem diversas escolas taoistas. Segundo os ensinamentos básicos dos taoistas esotéricos, temos apenas um estoque limitado de força vital (ch'i ou qi, equivalente ao prana no yoga). Em comum com as práticas xamânicas, a crença que o ch'i se perde na vida cotidiana conduz a práticas para aumentar o ch'i, melhorar a saúde e o prazer sexual e prolongar a qualidade de vida. Entretanto, o Tao Eterno é a Sabedoria Infinita, o Amor Infinito e a Simplicidade Infinita.

A órbita microcósmica

Os taoistas internos controlam e manipulam o ch'i com exercícios detalhados que canalizam a energia pelo corpo. O principal método requer um circuito de energia chamado de Circulação da Luz ou Órbita Microcósmica. Essa órbita compreende dois meridianos de acupuntura:

- O Vaso Governador que sobe das profundezas do abdômen inferior, passando pelo centro das costas até a raiz da língua.
- O Vaso da Concepção, que sobe das profundezas do abdômen inferior, até as costas, por cima da cabeça e termina sob o lábio superior.

Ao longo desses meridianos, existem pontos de acupuntura que correspondem a posições dos chakras. Por meio tanto da respiração rítmica como da visualização, o objetivo do taoista esotérico é fazer circular o ch'i, equilibrar Yin e Yang, atingir a consciência cósmica, tornar-se um imortal e retornar ao Tao. Às vezes, essas realizações esotéricas são atingidas por meio do sexo prazeroso e prolongado, com o objetivo de reter o sêmen. Na antiga literatura chinesa, está escrito que o Imperador Huang Di (o Imperador Amarelo) tinha poderes sexuais inesgotáveis e se tornou um deus.

Técnicas orientais de energia

Numerosas técnicas de energia foram desenvolvidas no Oriente, entre elas o tai chi, shiatsu, kung fu, qi gong, lok hup, ba fa e outras artes marciais internas. Todas essas práticas movem e aumentam o poder do ch'i. Uma compreensão básica dessa energia é a seguinte:

- A energia masculina na forma da Força do Céu é Yang por natureza, ela se contrai e é centrípeta na ação, e espirala para dentro do topo da cabeça – que corresponde ao Chakra da Coroa. Ela então desce pela Testa, Garganta, Coração, Estômago (Chakra do Plexo Solar) e Tan Tien/Hara (Chakra do Sacro) até os genitais (Chakra da Base).
- Enquanto isso, a energia feminina na forma da Força da Terra ascende a partir dos pés e da região genital. Essa energia complementa a masculina, porque ela é

Uma praticante de artes orientais focando e mantendo a energia.

Yin por natureza, e é centrífuga e expansiva na ação. Entrando no corpo, ela ascende por meio dos mesmos órgãos e chakras até alcançar a Coroa. Nos chakras, o bioeletromagnetismo flui para fora e o ch'i/prana flui para dentro, para carregar as funções internas do corpo. A carga excessiva aumenta a função do chakra ao passo que uma carga diminuída o torna mais lento, predispondo os chakras a doenças. Portanto, assim como no yoga, um praticante oriental busca a harmonia e o equilíbrio em todas as coisas.

OS TRÊS TESOUROS

- **Energia gerativa,** ou Ching (Jing), é armazenada no Tan Tien inferior, no qual ela pode ser "queimada" quando alguém trabalha para transformar e liberar os desejos sexuais. Isso é conhecido como o "emergir da flor de chumbo". Essa área corresponde ao Chakra do Sacro (Hara). A energia gerativa Ching viaja para baixo pelos ossos, tendo as qualidades de Yin e da água.

- **Energia vital,** ou ch'i (qi), é armazenada na parte média do Tan Tien quando uma pessoa está trabalhando ativamente sobre os desejos sexuais ou para subjugar as emoções. Então é conhecida como o "emergir da flor de prata". Essa área é composta pelos Chakras do Plexo Solar, do Coração e da Garganta. O ch'i viaja no sentido ascendente ou descendente pelos meridianos, tendo as qualidades da vida e do ar.

- **Energia do espírito,** ou shen, é armazenada na parte superior do Tan Tien. Quando uma pessoa está altamente desenvolvida em termos emocionais, e seus pensamentos estão acalmados, isso é chamado de o "emergir da flor de ouro". Essa área corresponde aos Chakras da Testa e da Coroa. Shen viaja para cima pelos meridianos, tendo as qualidades de Yang e do fogo.

A Cabala

A Cabala (Kabbalah, Cabbala, Cabalah ou Qabala) é um antigo sistema esotérico judaico que data do século XII. Ela contém o conhecimento secreto da Torá (revelação divina) não escrita, que foi dada por Deus a Adão e Moisés, o que remonta ao início da Criação. No primeiro capítulo da Bíblia (Gênesis), Deus cria o mundo em seis dias e descansa no sétimo. Os sete níveis da Cabala simbolizam isso.

Um senhor cabalista segura na mão a árvore sefirótica.

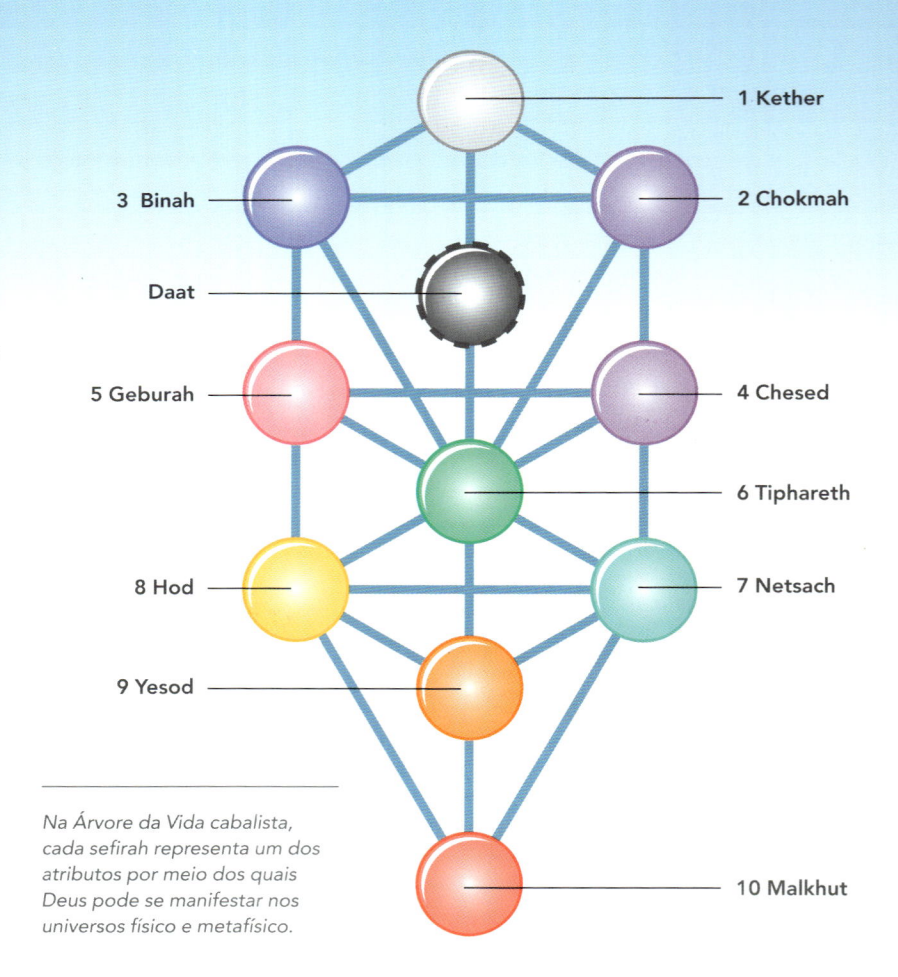

Os chakras em outras tradições

348

- 1 Kether
- 3 Binah
- 2 Chokmah
- Daat
- 5 Geburah
- 4 Chesed
- 6 Tiphareth
- 8 Hod
- 7 Netsach
- 9 Yesod
- 10 Malkhut

Na Árvore da Vida cabalista, cada sefirah representa um dos atributos por meio dos quais Deus pode se manifestar nos universos físico e metafísico.

A Cabala descreve o caminho descendente do Divino para o reino material, e o caminho ascendente para o reino mais elevado da espiritualidade. Por meio da contemplação e da meditação, o objetivo de um cabalista é ascender essa "Árvore da Vida" simbólica. Dez sefirot compõem a Árvore da Vida (essa palavra tem suas raízes em "cifra" ou "número" e pode também ser traduzida por "safira") e têm uma correlação direta com os sete chakras.

Quando representada, a Cabala também tem três "pilares" ou Poderes: A Vontade Primordial, a Misericórdia e a Justiça. A Vontade Primordial é percebida como o equilíbrio entre a Justiça e a Misericórdia, e os três pilares são mantidos em um arranjo energético potente, emanando um padrão de equilíbrio dentro da Árvore da Vida.

Os significados das Sefirot

Da perspectiva yogue, à medida que um buscador espiritual ascende a árvore para a sefirah seguinte, a kundalini sobe para o chakra seguinte. Os números e significados básicos das sefirot são:

10 Malkhut, ou Reino Essa é a primeira das sefirot com que se deve trabalhar, e o aspirante então prossegue a subida da árvore. Ela é um complemento do Kether na Coroa, e é o jardim do paraíso do reino Divino de Deus na Terra. Ela corresponde ao Chakra da Base.

9 Yesod, ou Fundação Referido como o "espelho dos espelhos", esta é uma energia composta de todas as sefirot seguintes. As suas funções têm a ver com ritmo, crescimento orgânico, as marés do mar (e da vida) e as mudanças cíclicas; ele é essencial para as funções biológicas da vida. Como o Chakra do Sacro, ao qual corresponde, ele está associado com a Lua.

8 Hod, ou Reverberação A sefirah da aprendizagem, comunicação, negócios, viagem, comércio e o intercâmbio de ideias. Ele está conectado com a arte da mágica, quando as energias da vontade estão controladas. Corresponde aos aspectos Yin do Chakra do Plexo Solar.

7 Netsach, ou Eternidade A sefirah dos relacionamentos em muitos níveis. Ela contém as qualidades das ações impulsivas ou instintivas que ocorrem após a vivência da disciplina, paixão, compreensão, sabedoria ou visão. Corresponde aos aspectos Yang do Chakra do Plexo Solar.

6 Tiphareth, ou Beleza Esta é atribuída a Cristo, o Sol, o coração da árvore, o núcleo central do ser. Tiphareth representa todas as questões de cura, vida, abundância e sucesso. Como o Chakra do Coração ao qual corresponde, ele harmoniza as forças superiores e inferiores.

5 **Geburah, ou Justiça** Esta sustenta a Misericórdia com as qualidades da disciplina, discernimento, rigor e julgamento. Ela também representa o conflito e a violência, e governa a mudança, derrubando velhos sistemas de pensamento e substituindo-os por outros. Corresponde aos aspectos Yin do Chakra da Garganta.

4 **Chesed, ou Misericórdia** Sua virtude da obediência indica cooperação com as regras da sociedade. No nível interno, ela conduz à consciência emocional das qualidades do coração e da mente conforme expressas pela voz. Isso é refletido nas tendências humanas em relação ao amor, tolerância, aprendizagem e generosidade. Ela corresponde aos aspectos Yang do Chakra da Garganta.

- **Daat, ou D'aath** A sefirah da abstração e do reino do Espírito Sagrado. Ele simboliza o conhecimento verdadeiro ou a experiência nascida de uma combinação de Compreensão e Sabedoria, quando os lados esquerdo e direito do cérebro se unem. Daat não é numerado e está oculto na árvore, colocado logo abaixo da Sabedoria e da Compreensão. Não lhe é atribuído um chakra.

3 **Binah, ou Compreensão** O lugar onde a revelação Divina se estabelece em nossas percepções diárias. Ela é representante do intelecto e é, às vezes, chamado de Grande Mãe do nascimento, bem como da morte. Ela corresponde aos aspectos Yin do Chakra da Testa.

2 **Chokmah, ou Sabedoria** O ponto de contato onde a roda gira entre a mente Divina e a percepção humana da mente Divina. É o lugar das visões e dos sonhos. Dentro de Chokmah, é percebida a Luz que causa a expansão da consciência. Ela representa o Pai Divino e os aspectos Yang do Chakra da Testa.

1 **Kether, ou Coroa** A Virtude da Realização. Esta representa a energia da Luz Divina que entra no padrão cabalístico da árvore e flui de modo descendente por ela como um "clarão de relâmpago". Este é o lugar do início e do fim. Ela corresponde ao Chakra da Coroa.

Sufismo e os sete Lataif

O Sufismo é a prática de um ramo esotérico e místico do islamismo. O misticismo permite uma percepção direta da realidade, Deus ou o Absoluto, sem a necessidade de uma instituição (como uma igreja ou mesquita) ou discussão. Para um sufi, a evolução interna é atingida por meio da contemplação (muraqaba) e da renúncia (fana). Acredita-se que isso não só seja benéfico para o indivíduo, mas também para o mundo mais amplo com o qual ele entra em contato e para toda a sociedade.

Abu Hashim, de Kufa (século VIII d.C.), foi a primeira pessoa a ser chamada de sufi. A palavra vem de um termo árabe que significa "lã" (aludindo ao manto de lã vestido pelos seguidores do sufismo). O sufismo se disseminou por todo o Oriente Médio desde suas origens no Iraque e alcançou a Pérsia, o Paquistão, o norte da África e a Espanha muçulmana.

Uma mulher, Rabi'a al-'Adawiyya (c. 717-801), de Basra no sul do Iraque foi uma das mais famosas místicas islâmicas. St. Rabi'a inspirou profundamente os sufis posteriores e seus ensinamentos influenciaram intensamente a disseminação do amor místico europeu e as tradições de trovadores. Ela era conhecida pela sua paixão por Deus. Por volta da metade do século IX houve uma divisão entre o ascetismo e o misticismo, e o movimento sufista parece ter se desenvolvido mais além em Basra. Nessa época, foi formulada a ideia segundo a qual Deus estava presente em toda e qualquer parte de sua criação.

Os sufis atingem a evolução interna por meio da contemplação e da renúncia.

Os Lataif

A doutrina dos Lataif (singular latifa) foi formulada pelo sufi persa dos séculos XIII-XIV, Alaoddawleh Semnani. Ligando os sete profetas do Corão com as propriedades místicas dos sete Lataif, ele nomeou sete graus do ser que incluem a ascensão da alma até a Divindade. Posteriormente, nos ensinamentos mais modernos, costuma-se fazer referência a diversos órgãos ou centros sutis, chamados de Lataif.

Em geral, acredita-se que um Latifa tem um brilho sutil maravilhoso, como um halo de luz, em torno de si. Vale lembrar que essas cores são vibrações de luz e não pigmentos (preto ou cinza-escuro é uma ausência quantitativa de luz).

Os significados dos Lataif são complexos e variam com as diferentes tradições e escolas. Considera-se que eles jazem dormentes em cada pessoa, e é necessária a ajuda de um guia para ativar as qualidades dentro deles.

Os versos do Alcorão também mencionam os Lataif, conhecidos como Lataif-as-Sitta ("as seis sutilezas"), sendo elas: Nafsiyya, Qalbiyya, Sirriyya, Ruhiyya, Khafiya e Akhfa. Às vezes, são referidas como órgãos psicoespirituais que possuem capacidades supersensoriais. Além disso, Latifa Qalibiyya corresponde ao Corpo Etérico. Em muitos aspectos, eles também são semelhantes aos chakras. Essas seis sutilezas formam a base da filosofia sufi ortodoxa.

Elas levam o aspirante pelos estágios de purificação, limpeza, receptividade, iluminação do espírito, liberação do ego e lembrança das qualidades de Deus, respectivamente. A conclusão do caminho ocorre quando os dois últimos Lataif, Khafiya (segredo) e Akhfa (máximo segredo) são purificados. Esse é o caminho ou "trabalho" interno sufi e quando terminado o sufi é chamado de Homem Completo.

Latifa Akhfa – esse latifa simboliza a Sutileza mais profunda, obscura e oculta. A sua posição no corpo alterna-se entre o fundo do cérebro, dessa forma em associação com o Chakra da Coroa, e o centro do peito, o Chakra do Coração. É chamado de Nuqta-e-wahida (significa ponto de unidade) que é onde o Tajalliat (ou visões beatíficas) de Alá são diretamente reveladas aos seres humanos. Entrando fundo nessas misteriosas profundezas, o iniciado pode descobrir informações sobre o conhecimento oculto do universo. Esse centro é tão sutil que precisa da profunda percepção de um verdadeiro sábio para acessá-lo.

Em resumo, muito da compreensão básica sufi se assemelha à Cabala, ao sistema de chakras indiano e aos oito passos ou estágios de desenvolvimento do yoga conforme esboçados por Patanjali (ver p. 99). Hoje reconhecemos que no núcleo de todos esses caminhos de compreensão são encontradas vibração e frequência.

OS SETE LATAIF

Latifa	Parte corporal correspondente	Cor	Denominado
Latifa Qalibiyya	Corpo etérico	Preto ou cinza-escuro	Adão do próprio ser
Latifa Nafsiyya	Sentidos vitais e alma animista	Azul	Noé do próprio ser
Latifa Qalbiyya	Coração espiritual	Vermelho	Abraão do próprio ser
Latifa Sirriyya	"O Segredo" à beira da superconsciência	Branco	Moisés do próprio ser
Latifa Ruhiyya	Espírito, que é sinônimo de Deus	Amarelo	David do próprio ser
Latifa Khafiya	Órgão de inspiração espiritual	Preto-luminoso	Jesus do próprio ser
Latifa Akhfa	Centro Divino do Selo Eterno	Esmeralda verde sagrada (cor do islamismo)	Maomé do próprio ser

OS DERVIXES RODOPIANTES

Algumas ordens sufi realizam cerimônias ritualistas (dhikr), que podem incluir a recitação, o canto, a música instrumental, costumes tradicionais, a meditação, o êxtase do transe e a dança. A poesia sufi é considerada como alguns dos versos mais belos e pungentes jamais escritos. Os dervixes sufi da ordem Mevlevi, na Turquia, são famosos por sua dança rodopiante: um tipo de meditação realizada depois de jejuar. Quando os dançarinos entram de início, eles vestem longos mantos pretos que representam o túmulo. A seguir os dançarinos, vestindo longos mantos brancos que simbolizam a mortalha, e um chapéu alto, começam a girar rapidamente no mesmo lugar. No centro está o Sheikh que representa o sol; os dervixes representam os planetas que giram em torno dele no sistema solar de Mevlana. Eles começam com as mãos cruzadas nos ombros e movem seus braços de modo que o braço direito é mantido para o alto, palma para cima, e o braço esquerdo fica baixo, palma para baixo. A energia que vem de cima entra pela palma direita no corpo e passa para a Terra pela palma esquerda. Os dançarinos que sentem desconforto por rodopiar no sentido anti-horário podem mudar para o giro no sentido horário. Finalmente, eles caem no chão e o processo de descanso tem lugar calmamente. Isso ocorre enquanto o dançarino pressiona o seu plexo solar e abdômen exposto (por isso os Chakras do Plexo Solar e do Sacro) contra o chão. Os Dervixes rodopiantes podem ser vistos dançando perto do Mevlevi Museum em Konya, na Turquia.

Às vezes, as músicas ou danças místicas sufi são realizadas como um apelo pela presença de Deus, seus profetas e anjos. Qawwali é outro tipo de música devocional sufi comum na Turquia, Paquistão, Norte da Índia, Afeganistão e Irã. Alguns de seus mestres modernos incluem Nusrat Fateh Ali Khan e os Sabri Brothers. Na cultura Uyghur, "ouvir" se refere a práticas de veneração sufi que envolvem música e dança.

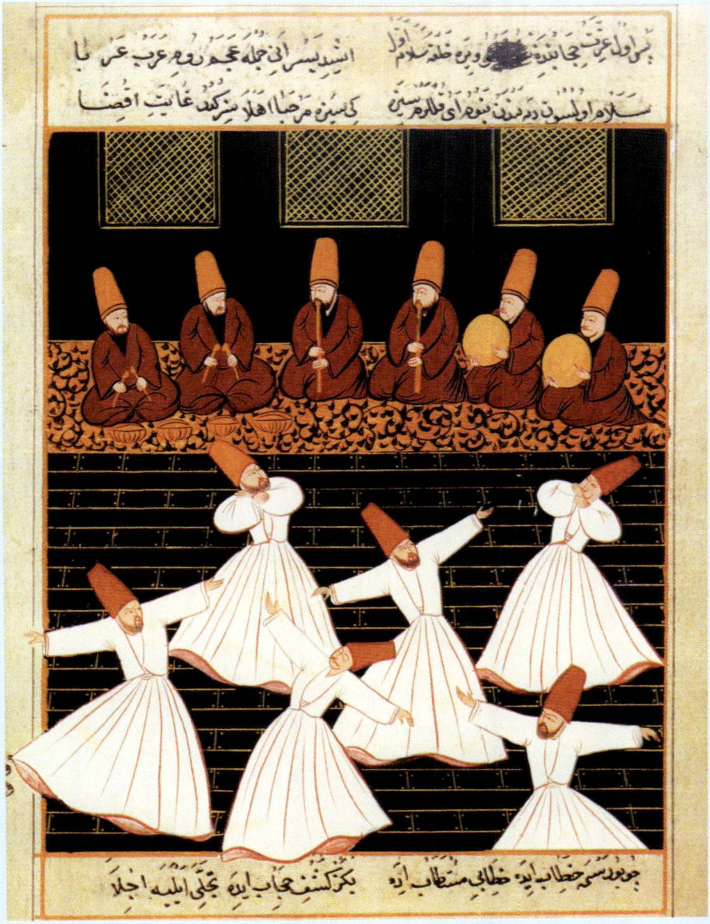

Ensinamentos incas e maias

O império inca da América do Sul, que se desenvolveu do século XII ao XVI, tornou-se o maior império na América pré-colombiana – e um dos maiores impérios do mundo antes que seu último imperador fosse assassinado em 1533. O ensinamento espiritual inca sugere que do Peru nós, seres humanos, formamos uma ponte entre o Céu e a Terra (que é feminina por natureza e é conhecida como Pachamama). Ao nos transformarmos em "Saywachakuy", um pilar de luz, podemos conectar os dois reinos. Os sacerdotes xamãs incas supostamente traziam dentro de si o número incrível de cem mil anos de ensinamentos espirituais.

Os incas usavam um sistema de centros de energia bastante diferente e apartado do yoga, no qual o foco dos poderes de uma pessoa é visto no campo áurico como "nawis" ou olhos, cada um dos quais é associado com um elemento, uma cor e qualidades humanas específicas. Podemos pensar nos nawis como algo semelhante ao padrão de "olhos" nas penas coloridas iridescentes de um pavão.

Templo das Inscrições, Nah Chan-Palenque, onde os sacerdotes maias ensinavam os segredos do universo.

Os sete poderes

Os ensinamentos esotéricos do povo nativo maia na América Central – que têm raízes numa refinada civilização meso-americana que floresceu de 250 a 900 d.C. –

chamavam os chakras de "Sete Poderes", e atribuía a cada um deles sete níveis de vibração. Eles foram encontrados, juntamente com representações da aura, marcados em numerosas esculturas de pedras do povo maia e desenhados em seus livros sagrados chamados códices. Os Sete Poderes ainda são ensinados hoje nos estudos esotéricos maias e no treinamento xamânico. O primeiro nível que precisamos equilibrar é o nível físico, nosso poder da serpente. O nível superior é quando podemos voar para outras dimensões, como uma águia.

OS SETE NAWIS

Nawi	Elemento	Cor	Qualidade
Sacro	Água	Preto	Impulsos humanos
Qosqo/umbigo	Terra	Vermelho	Paixões
Coração	Sol/Fogo	Dourado	Intuição/sentimento
Garganta	Vento	Prata	Pensamento/expansão
Testa	Éter	Violeta	Conexão com a fonte
Olho esquerdo	Os olhos passam informações energéticas ao cérebro e à cabeça		
Olho direito			

Xamanismo, animais de poder e os chakras

As práticas xamânicas são derivadas de culturas e épocas extremamente dispersas. Acredita-se que o termo "xamã" tenha vindo da região de Altai, na Sibéria, embora o termo 'x'man' (pronunciado da mesma maneira) seja parte da língua maia da América Central. O uso moderno da palavra aplica-se de maneira imprecisa a qualquer um que recebe poder da natureza e concentra as suas habilidades psíquicas de uma boa maneira para ajudar os outros de seu grupo ou tribo.

Um animal de poder é uma energia que assume as características ou forma de um animal para o observador. Típicos animais de poder podem aparecer em sonhos ou durante "jornadas" xamânicas, para dar seu poder ou "medicamento" para ajudar a completar as energias do receptor. Os guias animais são bastante diferentes, uma vez que são professores internos que escolheram instruir ou proteger o xamã.

Rodas medicinais

Os que têm familiaridade com os ensinamentos xamânicos e utilizam a roda medicinal como um mapa da consciência podem escolher trabalhar ou meditar em quadrantes apropriados para iluminar chakras específicos. Tribos diferentes tradicionalmente usavam suas próprias cores para esses quadrantes, mas você pode tentar as seguintes sugestões:

As rodas medicinais eram feitas pelos nativos da América do Norte e Central para propósitos espirituais e ritualísticos.

ANIMAIS DE PODER LIGADOS AOS CHAKRAS

Os seguintes animais de poder têm sido tradicionalmente associados com os sete chakras principais nas tradições nativas americanas e indígenas.

Chakra	Americano nativo	Indígena
Chakra da Base	Cobra/serpente	Elefante com sete trombas
Chakra do Sacro	Golfinho	Makara (crocodilo mítico)
Chakra Plexo Solar	Pássaros	Carneiro (macho)
Chakra do Coração	Todos os mamíferos	Antílope/veado
Chakra da Garganta	Toda a humanidade	Elefante branco
Chakra da Testa	Guias e ancestrais do espírito	Garuda (águia)
Chakra da Coroa	Kachina Espírito Universal	Ser humano iluminado

- O quadrante Leste recebe a cor vermelha/elemento Fogo; é o lugar de entrar em ressonância com seu Chakra da Base.
- O quadrante Oeste recebe a cor azul/elemento Água e tem relação com o Chakra do Sacro.
- O quadrante Norte recebe a cor branca/elemento Ar, e se relaciona com o Chakra do Coração.
- O quadrante Sul recebe a cor amarela/elemento Terra, e é a sua consciência da Terra-Sol no Plexo Solar.

No centro da roda medicinal, você equilibra todos esses quatro elementos com a cor verde-claro da natureza, e trabalha com as energias dos chakras superiores acima do coração.

Chakras da Terra

Pode ser surpreendente saber que existem Chakras planetários e da Terra, bem como os nossos próprios chakras de energia corporal. Entretanto, o nosso planeta lançando-se no espaço é um organismo vivo também, como já afirmava o povo nativo americano há muito tempo.

Se quiser descobrir os sete principais Chakras da Terra em sua região, note que eles estão associados a lugares onde as linhas ley convergem. As linhas mestras são correntes energéticas que fluem acima e/ou abaixo do solo. Uma boa maneira de encontrá-las é obter antigos mapas da área e ligar (usando as linhas desenhadas no mapa) pontos significativos, tais como antigas igrejas, cruzes, as origens de nascentes, poços, antigos bosques de árvores, fortificações neolíticas, locais de antigas habitações, túmulos e colinas. Em seguida, confirme os seus achados com um pêndulo acima do mapa, ou visite os locais para sentir as suas energias com varas bifurcadas de radiestesia.

Lugares sagrados e os chakras

Em todo o mundo, as construções religiosas foram feitas em lugares que já eram considerados sagrados. Na Europa, as primeiras igrejas cristãs foram erigidas em locais associados à fé religiosa, as quais, no decorrer de séculos de uso, mantiveram um equilíbrio com as forças naturais da Terra. Assim, você poderá descobrir que sob uma antiga igreja ainda existe água subterrânea, que outrora subia à superfície como uma fonte para abençoar ritos pagãos. Talvez você sinta que esse ponto é o Chakra do Sacro da área. À medida que aprofundar o seu contato com as forças ocultas da Mãe Terra, você chegará a ver as cavernas e fendas na terra como o Chakra da Base; os lugares onde os fogos cerimoniais eram tradicionalmente acesos, como o Chakra do Plexo Solar; os locais de encontro onde os líderes se dirigiam ao povo como o Chakra da Garganta; talvez um topo de colina que dava para uma cidade atual seja o Chakra da Testa. Nesse ponto você estará "sintonizado" com as energias da Terra e intuirá com facilidade o Chakra do Coração, e depois descobrirá o Chakra da Coroa, onde o fluxo mais forte de energia cósmica entra na região.

Assim como o fluxo de energia através dos chakras do corpo, os Chakras da Terra estão clamando por equilíbrio. Grupos de pessoas comuns se reúnem para enviar pensamentos positivos e focar em meditações globais, geralmente usando uma rede de linhas mestras locais e chakras, como ponto de partida. Quando a energia positiva estiver novamente pulsando nesses locais, eles poderão funcionar conforme o pretendido: como nervos, artérias e órgãos da própria Terra.

As pedras de Callanish nas Ilhas Hébridas foram colocadas ali para focar as energias cósmicas e a Terra.

Chakras planetários

Onde os Chakras da Terra são "pontos quentes" energéticos locais associados a linhas ley convergentes, os Chakras Planetários são parte de toda a grade global de energia. A teoria de que a matéria viva da Terra funciona como um simples organismo foi proposta pelo cientista e pesquisador James Lovelock em sua hipótese Gaia na década de 1960, e desde então tem sido apoiada por outros pesquisadores e místicos.

A grande serpente da Terra

Esta é um arco-íris permanente de luz que se move em espiral em torno de nosso planeta azul-esverdeado unindo os principais Chakras Planetários. É uma poderosa corrente de energia, compreendendo linhas luminosas de energia sutil que,

O fluxo dos chakras pelo planeta formam as linhas principais de energia da Terra.

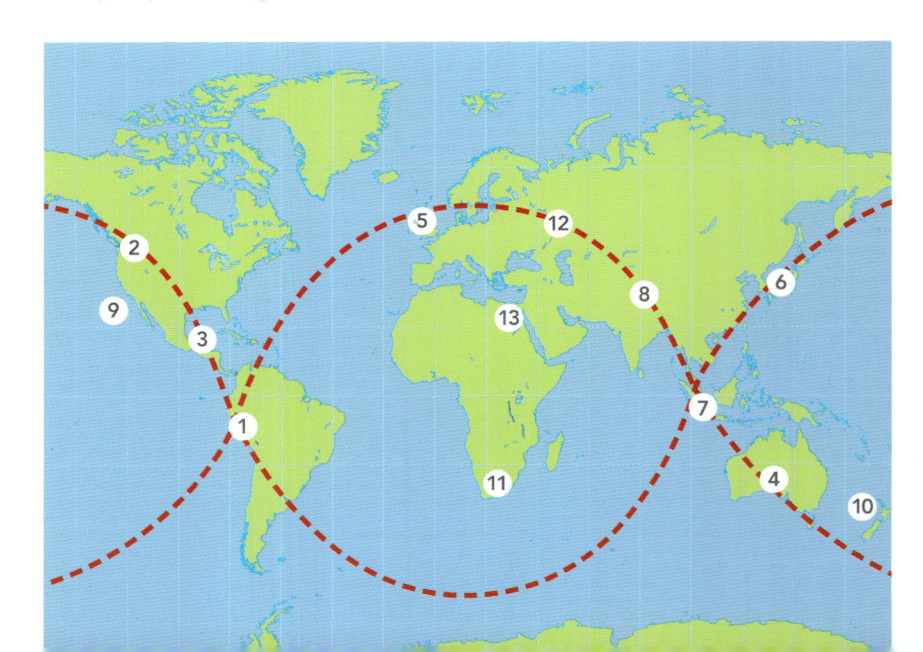

OS CHAKRAS GLOBAIS PLANETÁRIOS

Existem sete Chakras Planetários principais, o Hara e três portais de energia suplementares: Chakra Causal, Estrela da Alma e Portal das Estrelas. O portal em Moscou é a Estrela da Terra e a Grande Pirâmide do Egito se ativará em termos energéticos quando o seu "capeamento etérico" for simbolicamente substituído.

1. **Chakra da Raiz:** Lago Titicaca, entre Peru e Bolívia.
2. **Chakra do Sacro:** Monte Shasta, na Califórnia, USA.
3. **Chakra do Hara:** Nah Chan (Palenque), no México.
4. **Chakra do Plexo Solar:** Uluru (Pedra Ayers), na Austrália.
5. **Chakra do Coração:** Triângulo aquariano centrado em Glastonbury, na Inglaterra.
6. **Chakra da Garganta:** Monte Fuji, no Japão.
7. **Chakra da Testa:** Gunung Agung, em Bali.
8. **Chakra da Coroa:** Monte Kailas, no Tibete.
9. **Chakra Causal:** Cratera de Haleakala, Maui, no Havaí.
10. **Estrela da Alma:** Lago Taupo, na Nova Zelândia.
11. **Portal das Estrelas:** Montanha da Mesa, na África do Sul.
12. **Portal de energia Estrela da Terra:** Moscou, na Rússia (esse portal apenas se abre se os outros doze estiverem abertos e equilibrados).
13. **Portal de energia:** Grande Pirâmide, no Egito (esse portal reabrirá apenas quando seu "capeamento etérico" for substituído.

como a kundalini, se encontram, se cruzam e se enrolam nos locais sagrados de poder de Gaia. A Serpente da Terra se enrola em torno da esfera giradora da Mãe Terra em um abraço amoroso, buscando o coração dela. Dessa maneira, os Chakras Planetários são sincronizados e o equilíbrio harmônico da Terra é delicadamente mantido.

A serpente aparece em histórias aborígenes australianas de Kuniya e seu sobrinho Liru, que estão em Uluru, no centro do continente. No México, a grande Serpente com Penas de Arco-Íris era conhecida como Quetzalcoatl pelos astecas/toltecas e para os maias como Ku'kuul'kaan. Na China, as serpentes assumem a forma de dragões voadores naturais respirando fogo ou água. E a mitologia da Europa celta está repleta de histórias de dragões.

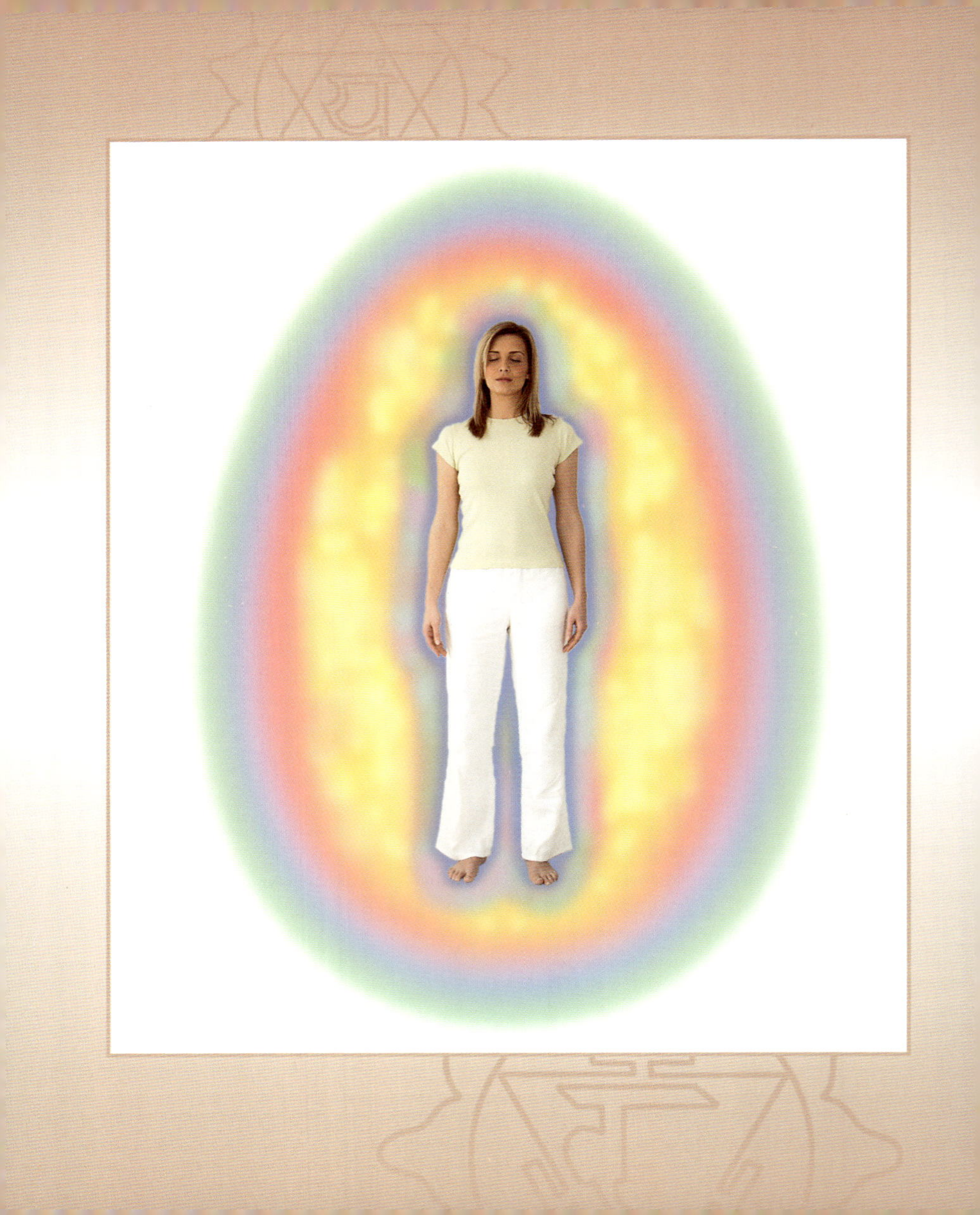

Capítulo 11
CHAKRAS E CURA

○ ○ ○ ○ ○ ○ ○

Este capítulo do livro explica como administrar a cura mesmo que seu receptor não esteja presente.

Cura com o espírito

As pesquisas modernas estão confirmando o que os místicos têm demonstrado ao longo dos séculos – existe uma força universal de cura, que é uma parte intrínseca de nossos corpos. Os cientistas podem medir campos de força bioeletromagnéticas sendo geradas pelo corpo; o coração tem o campo de força mais intenso e foi medido em 4,5 m de distância. A combinação de todos os campos biomagnéticos de diferentes órgãos, músculos e ossos compõem nosso campo áurico semelhante ao arco-íris.

Campos bioeletromagnéticos

Segundo um princípio do magnetismo, um campo de força interage com outro – isso é chamado de indução. E é isso que acontece quando um curador concentra uma ação de cura. Nossas mãos têm um campo bioeletromagnético que as circunda. Foram registradas medidas da força de campo das mãos de um curador mostrando uma força de campo de 0,002 Gauss, o que é mil vezes mais forte que qualquer outro campo de força emitido pelo corpo. A frequência do pulso nos campos varia entre 0,3 e 30 Hertz, com a maior parte da energia ficando em torno de 7-8 Hertz. Essa frequência está dentro do nível alfa de onda cerebral e, de maneira interessante, o centro de nosso tálamo dentro do cérebro controla as ondas cerebrais que são conhecidas por modular as correntes do campo.

Durante estados de stress ou doenças do corpo, sentimos campos bioeletromagnéticos instáveis. Quando os curadores transmitem energia (geralmente pelas mãos), eles mantêm um campo estável para seu cliente, que para a maioria das pessoas é preferível a um instável (como o criado por uma corrente alternada). Segundo o pensamento científico moderno, todas as vezes que os curadores transmitem energia para uma outra pessoa, os campos de força produzidos afetam partículas carregadas de maneira leve, até mesmo nas galáxias mais distantes.

Campo áurico

Um estudo feito pela Dra. Valerie Hunt da Universidade da Califórnia, em 1977, mostrou que as cores áuricas são produzidas no raio de ação de 100-1200 ciclos por segundo (Hertz). Isso é semelhante às frequências de energia e de telefone, um pouco acima das frequências normais das ondas cerebrais, que variam de 0,5 a 35 ciclos por segundo, e acima das frequências dos músculos, medidas por eletrodos na superfície da pele. Essa energia que se aproveita para ajudar a curar os chakras.

Os curadores transmitem energia para ajudar seus clientes a manter um campo bioeletromagnético estável.

367

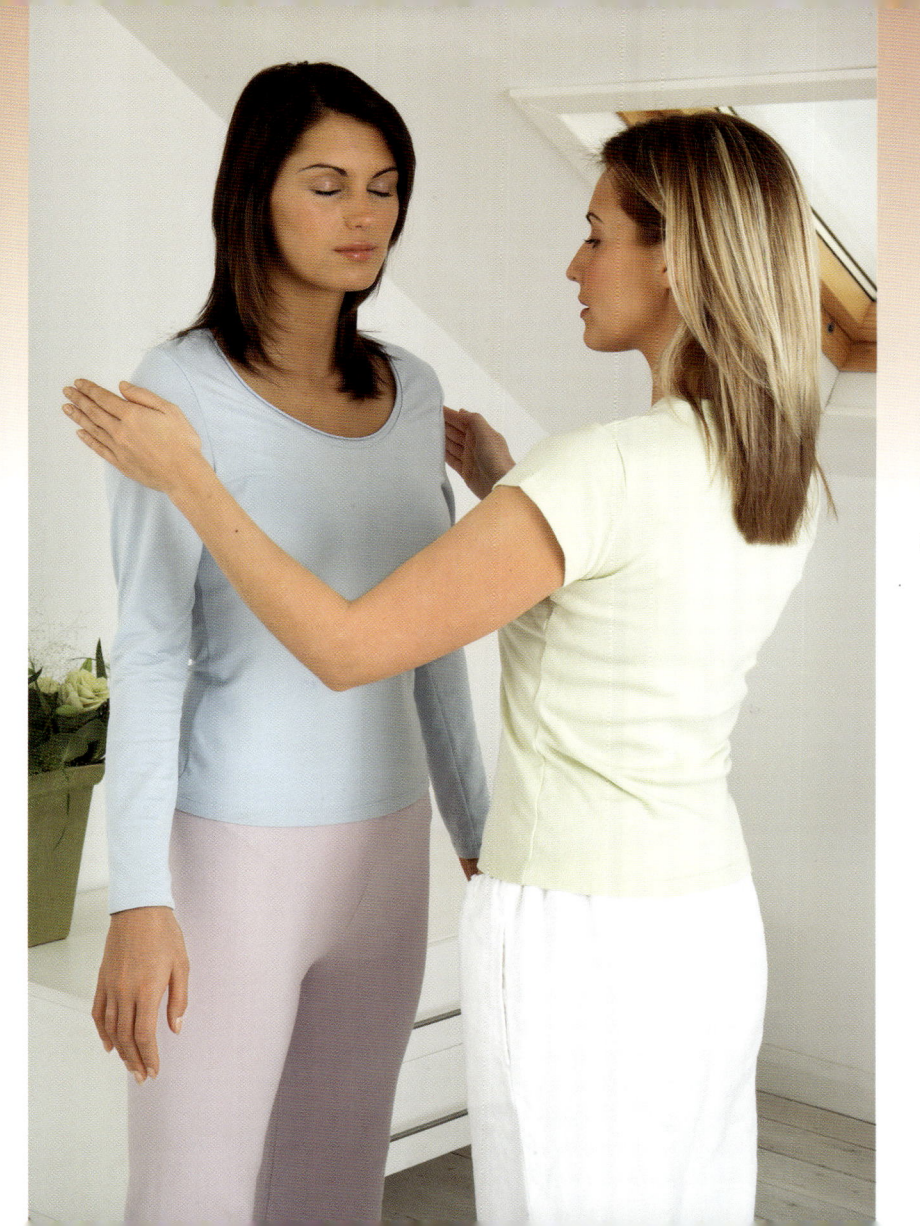

Cura com o espírito

Limpeza do seu espaço de cura

As cerimônias têm sido consideradas uma parte essencial da vida desde o alvorecer da humanidade, e são um bom método de invocar uma força poderosa, de modo que possam ser compreendidas pelas pessoas de todas as culturas, falem elas ou não a mesma língua.

A limpeza energética do seu espaço é parte importante da cerimônia de cura. Em primeiro lugar, você deve garantir que quaisquer cristais que pretender usar tenham sido limpos (ver p. 68). Em seguida, limpe a sua própria aura (e a da outra pessoa). Um modo tradicional de fazer isso é com incensos ou, na tradição americana nativa, com feixes de ervas secas chamados de "varas de defumação". As ervas queimadas como purificadores são geralmente a sálvia branca, o cedro e a grama doce (*Hierochloe odorata*). Você então estará pronto para dedicar o seu espaço de cura, faça uma prece e acenda, de forma cerimonial, uma vela especial antes de iniciar o trabalho de cura.

COMO FAZER O SEU PRÓPRIO DEFUMADOR

Se você tiver um arbusto de sálvia em seu jardim, este geralmente se beneficiará com a poda. Guarde todos os galhos cortados e seque-os num peitoril ensolarado de janela até ficarem desidratados e quebradiços (você pode fazer o mesmo com o alecrim, o tomilho e o cedro). Quando já tiver suficiente material seco, pegue pedaços ramosos de cerca de 20-25 cm de comprimento com folhas aderidas e faça um feixe com eles, com algumas folhas soltas no centro. Tradicionalmente, o feixe é amarrado apertado com fio de algodão vermelho, mas você pode usar qualquer cor. Apare todos os talos do mesmo comprimento para criar um cabo de segurar e o seu feixe de varas de defumação está pronto para ser aceso.

Defume você mesmo ou uma outra pessoa

Defumar é mais do que apenas purificar – é uma cerimônia também.

1. Abra a janela, ou faça essa cerimônia de defumação fora da casa.
2. Acenda seu incenso/feixe de defumação e tenha por perto um recipiente ou um prato à prova de calor contendo terra ou areia, para fixar o incenso ou as varas.
3. Fique de pé e use uma pena grande para espalhar a fumaça da cabeça aos pés. Isso limpa a aura, afastando os íons positivos prejudiciais do campo áurico bioeletromagnético. Eles se unem eletricamente com a fumaça aromática e flutuam para longe, sendo substituídos pelos íons negativos benéficos.
4. Faça uma prece para indicar que você terminou. A aura agora se mostrará mais limpa para alguém que seja clarividente, e o receptor sentirá o corpo um pouco mais leve.
5. Apague o incenso ou as varas de defumação que estiverem acesos.

Preparação para curar

O estágio seguinte é alinhar a si mesmo com as energias curativas. Certifique-se de que não será incomodado e prepare seu espaço de cura com muito cuidado: flores e cristais são particularmente apropriados.

Lave as mãos e relaxe completamente fazendo os exercícios de respiração mostrados a seguir. Peça a orientação aos Seres de Luz, anjos da cura, mestres do Reiki ou outros que lhe inspirem. Então, faça uma prece para alinhar a si mesmo com sua própria tradição de cura. Finalmente, fique perto da pessoa a quem você pretende canalizar a cura.

Respiração com a barriga

Isso eleva a sua consciência e envolve mais do seu corpo na respiração do que simplesmente os seus pulmões. A respiração básica do yoga ensina a importância de inspirar pelas narinas e encher os pulmões de maneira lenta e completa. O efeito disso é um movimento de onda que primeiro faz o abdômen expandir e depois contrair, à medida que mais ar entra nos pulmões e na parte superior do peito. Dessa maneira, é possível inalar maior quantidade de oxigênio. O ar deve ser expelido vagarosamente pelas narinas.

ÉTICA

- O curador não precisa conhecer a doença, mas pode ajudar o outro a descobrir a causa de sua enfermidade.
- O curador trabalha com energia positiva – não com a doença – e deve explicar desde o início que a cura (*healing*) é uma experiência muito diferente da cura (remissão dos sintomas).
- O curador não utiliza seu próprio prana/energia pessoal, mas pede para tornar-se um canal de energia de cura.
- O cliente é aconselhado a remover padrões repetitivos de comportamento e marcas negativas nos chakras e a atingir altos níveis de energia em seu próprio corpo.
- A ação mais importante tanto para o curador como para o cliente é enviar amor incondicional para o local da doença.

Respiração em quatro etapas

O Yoga também ensina que a respiração é a chave para o relaxamento e a meditação – estados necessários para conseguir usar os cristais de maneira eficaz e trabalhar com os chakras. Usando a respiração constante e lenta descrita anteriormente, comece a contar silenciosamente enquanto você: a) inspira; b) segura o ar; c) expira; d) mantém o ar fora. Você pode fazer isso numa proporção 2:1, contando até dez para a, cinco para b, dez para c e cinco para d. Nunca force o seu padrão respiratório, porque isso anulará quaisquer efeitos benéficos.

Velas, flores e objetos sagrados atraem energias de cura para o aposento.

Esquadrinhar os chakras e canalizar a energia

Antes de pôr as mãos no corpo de um cliente ou trabalhar em seu campo áurico, esquadrinhe o corpo com suas mãos. Isso permite sentir diferenças muito pequenas no campo áurico de energia. Por exemplo, deveria haver uma sensação de fluxo, mas, em vez disso, pode existir um "buraco", calor ou frio, ou uma atividade elétrica que indica o grau de desequilíbrio dos chakras ou qual parte do corpo necessita de cura.

Aja como um canal limpo

Os curadores falam de transmitir energia, fazer correr a energia ou canalizar a energia, tudo isso se refere ao mesmo processo. Isso significa que você não faz julgamentos durante a sessão de cura, mas deve ser um canal claro pelo qual a energia pode fluir. Imagine o canal como um jarro no qual foi entornado leite e a partir do qual você despeja o leite para fora por meio de suas mãos. Os curadores devem sentir-se energizados após o trabalho (não drenados), pois um pouco da nata do leite permanece no jarro!

Quando um curador começa a transmitir energia prânica ao doente, ele constrói campos bioelétricos e bioeletromagnéticos. Estudos científicos confirmam que esses campos de força afetam os elétrons próximos e as células do corpo físico. Dessa maneira, as emanações áuricas tanto do curador quanto do doente são visivelmente intensificadas. O ideal é o curador canalizar a "vibração" específica necessária para o doente. Existem dois modos principais de cura:

- Oferecer o método de cura para a criação (por meio de mestres, guias, anjos, Deus).
- Canalizar luz, cor, cristais ou som específicos, ou usar outros recursos.

Sintonia fina da técnica

A prática leva à perfeição! Na cura pelas cores, por exemplo, um novo curador tentará visualizar a cor necessária, mas acontece muitas vezes que a cor púrpura é a frequência que eles manifestam. Os novos curadores que pretendem canalizar cores devem praticar para identificar as frequências de uma gama de cores que são benéficas para os clientes: usando cristais, luzes, sedas, frequências de som ou óleos essenciais da cor desejada podem conseguir essa sintonização fina. Aprender sobre isso pode ser difícil para muitas pessoas; assim, muitos curadores, em vez disso, usam luz branca como a cor de canalização. Entretanto, isso pode propiciar a um corpo já exaurido de energia um trabalho extra, pois você poderá por enganc estar oferecendo um arco-íris de cores; e o corpo do paciente precisará então filtrar as outras cores constituintes a partir do espectro de luz branca.

Ao esquadrinhar o corpo de um paciente, o curador pode sentir áreas que precisam de atenção.

Exame dos chakras com pêndulo (radiestesia)

Usar um pêndulo (radiestesia) é uma maneira confiável de determinar as forças e fraquezas dos chakras. Em primeiro lugar, você deve desenvolver uma empatia pelo seu pêndulo (de preferência, não deixe ninguém mais usá-lo); se você tiver comprado um pêndulo novo, trate-o como faria com qualquer cristal, lavando-o e fazendo uma dedicação.

Como usar um pêndulo
O modo mais simples de usar um pêndulo é com respostas "Sim" e "Não".

1. Descubra a direção em que o pêndulo se move quando você faz uma pergunta cuja resposta é "Sim". Por exemplo: "O meu nome é... [dê o seu nome]?" Depois, leve o pêndulo a uma posição de descanso.

Nota: Quando estiver usando um pêndulo de cristal, nunca o segure exatamente sobre um chakra, pois ele não fará uma leitura correta. Isso acontece porque os chakras entram em imediata ressonância com as energias cristalinas do pêndulo quando são estimulados por ele.

2. Da mesma maneira, descubra a resposta "Não" do pêndulo. Por exemplo, pergunte: "O meu cabelo é azul?" (ou qualquer coisa que seja falsa). Pratique as perguntas até que as respostas do pêndulo sejam confiáveis.

3. Agora, segurando o pêndulo em uma mão, use a outra mão para apontar o dedo para um chakra e faça perguntas como "Esse chakra está equilibrado?", "Ele está com baixa atividade?" ou "Está com excesso de atividade?". Dessa maneira você poderá desenvolver um quadro de suas próprias energias observando as respostas do pêndulo. Quando estiver confiante com esta técnica, você poderá usá-la nas outras pessoas.

Verificação do fluxo dos chakras com um pêndulo
Se estiver trabalhando com outra pessoa, peça para que ela se deite de costas. Coloque o dedo médio de sua mão não dominante sobre a posição do chakra relevante e mantenha a sua outra mão (que está segurando o pêndulo) tão longe quanto possível do campo áurico da pessoa. Relaxe e observe o pêndulo enquanto recebe respostas para as suas questões silenciosas. Lembre-se de que a frente do corpo de uma pessoa é mais sensível e vul-

nerável e, provavelmente, vai propiciar uma leitura mais clara do que os chakras da região da coluna. Mantenha um registro em um pequeno quadro do que você descobriu sobre cada chakra. Você agora está pronto para equilibrar os chakras (ou realizar qualquer outra cura apropriada), mas certifique-se de que você só trabalha *num chakra de cada vez*. Verifique os resultados posteriormente com o pêndulo.

Quando utilizar um pêndulo, permaneça calmo(a), com a mente imparcial em relação às respostas.

Aplicação da cura nos chakras

Depois de determinar o estado e o fluxo energético dos chakras de uma pessoa, faça a leitura da aura. A pesquisa moderna confirma que os chakras revelam as cores do arco-íris, do vermelho até o magenta, embora às vezes eles possam manifestar outras cores, especialmente se existirem desequilíbrios importantes.

Cores da aura

Por exemplo, o Chakra da Base às vezes é marrom ou embotado; outros chakras podem ser vistos como formas pequenas, desiguais com uma mistura de cores primárias pesadas ou escuras. Mas após sessões iniciais de cura, o campo áurico geralmente muda e os curadores começam a ver uma variação de cores mais brilhantes. Qualidades específicas estão associadas a cores áuricas específicas:

- A raiva ou a dor aparecem como lampejos vermelhos na aura.
- A depressão manifesta-se com cores pesadas, escuras – por exemplo, como uma nuvem depressiva acima dos chakras superiores.
- A realização espiritual se mostra como plumas de luz branca acima da cabeça, ou como um halo dourado.
- A cura geralmente se manifesta em azul, emanando das mãos do curador.

Leitura da aura

Para receber a visão áurica, não limite a si mesmo, pois você *pode* ir mais fundo em outros mundos e subir às alturas da "superconsciência". Abra mão de tudo o que for imediato; entre em sintonia com o pulsar de sua vida – respire – ouça a batida de seu coração – respire novamente. Olhe e você começará a ver realmente o que é e o que está além.

Comece fazendo um contato muito suave por meio da aura da outra pessoa, de modo a não assustá-la.

Técnica de cura dos chakras

As maneiras de ministrar a cura são tão variadas como as pessoas. Eis uma simples técnica de cura de chakras.

1 Passe suavemente as mãos pelo campo áurico do paciente, e com as palmas de suas mãos permita um leve contato com a coroa da cabeça dele.

2 Sustente essa posição enquanto você pede que a energia flua da coroa da sua cabeça até as suas mãos e a seguir para dentro da cabeça do paciente.

3 Pouse as suas mãos nos ombros dele e espere até que o padrão respiratório dele se estabilize e aprofunde.

4 Agora, canalize a cura para os chakras necessários por meio de suas mãos (ou use cristais, cores e assim por diante). Para técnicas mais avançadas, veja as pp. 382-83.

5 Conduza o campo energético do paciente para um nível equilibrado, fechando-o e protegendo-o.

6 Encerre a sessão com uma prece pessoal ou palavras de agradecimento.

7 Ajude o paciente a sentar-se e a ligar-se com a Terra, e ofereça a ele um copo de água.

8 Lave as mãos e limpe o seu próprio campo áurico.

Realinhamento das energias deslocadas dos chakras

Lembre-se de que não estamos falando de cura (no sentido da mera remissão dos sintomas), e que nem você nem o paciente devem nutrir expectativas específicas. Não é necessário ter um treinamento médico para aplicar a cura, mas um conhecimento básico de anatomia e fisiologia são importantes. Quando trabalhar com os chakras, você precisa determinar quais devem ser tratados. Você faz isso por meio de uma combinação de intuição, orientação divina e treinamento. Normalmente, é melhor começar realinhando primeiro o chakra desequilibrado mais baixo.

Muitas pessoas sofrem de uma diminuição de energia e disfunção do primeiro chakra. Ele reverbera com a luz vermelha, então essa é uma cor apropriada para canalizar através dos pontos de entrada de energia nos pés, joelhos, quadris, ombros e cóccix. Outro ponto de partida é compreender os estados mentais "negativos" e "positivos" típicos, que são facilmente observáveis na personalidade e linguagem corporal de uma pessoa. A sessão começa assim que o paciente entra na sala e você começa a obter indicações sobre seus níveis de energia. Mas nem todo curador consegue ver imediatamente campos áuricos em tecnicolor!

Uma curadora canaliza energia para realinhar os chakras.

ESTADOS MENTAIS E OS CHAKRAS

Chakra da Base
Negativo tipicamente grosseiro, violento, raivoso; ávido e autocentrado; destrutivo, impaciente, competitivo.
Positivo natural, ousado, transparente, corajoso; direto, dinâmico, espontâneo, autoconfiante.

Chakra do Sacro
Negativo excessivamente tolerante; materialista, mal-humorado, possessivo; preguiçoso, ciumento, invejoso.
Positivo gentil, receptivo, tolerante, criativo, respeitoso, suave e íntimo, trabalha positivamente.

Chakra do Plexo Solar
Negativo arrogante, hipócrita, incompetente, inflexível; interessado em poder e fama; incapaz de terminar as coisas; basicamente egoísta.
Positivo determinado e inteligente; um líder mostrando calor e humor, mas calmo, assertivo quando necessário; autoestima positiva.

Chakra do Coração
Negativo emocionalmente instável, acomodado e sentimental, ciumento e luxurioso, procrastinador e indeciso.
Positivo compassivo, aberto e cooperativo, oferece amor incondicional que leva ao contentamento, harmonia, equilíbrio e graça.

Chakra da Garganta
Negativo cheio de energias dispersas; excesso de otimismo, exagerado, usa palavras e ações para ferir os outros; pobre comunicador; depressivo, sem alegria.
Positivo um aventureiro educado que sempre é bem-sucedido; usa a voz para louvar, cantar e falar a verdade.

Chakra da Testa
Negativo falta de concentração e imaginação; teme o desconhecido; tenso, cínico, duro, triste; possivelmente fóbico e desinteressado do mundo.
Positivo com autoridade, organização, paciência, mostra integridade; confiável, clarividente.

Chakra da Coroa
Negativo confuso, depressivo, alienado e temeroso da morte/suicida.
Positivo compassivo, gentil, inspirado, intuitivo; espiritual/místico/sensitivo.

Cura pelo som

O som é uma energia vibracional que se propaga pelo ar, seja de vozes ou de instrumentos. Não apenas ele é recebido pelo ouvido, mas também penetra no corpo e fica gravado em nosso sangue.

Instrumentos específicos são particularmente benéficos quando se usa sons na cura, tais como a flauta e a harpa ao comunicarem a "natureza interna" da vibração dos sons. Os sinos ("tigelas cantantes") tibetanos são populares entre os praticantes de cura; de fato, o seu uso é tão antigo que sabemos que os xamãs Bon tibetanos os usavam antes de o Budismo chegar.

Os sinos tibetanos ("tigelas cantantes")

Curadores realizados que usam o som podem usar diversos sinos; assim, para começar, dedicamos algumas palavras sobre como escolhê-los. Certifique-se de escolher entre um sortimento de sinos – o maior não é necessariamente o melhor. Olhe cuidadosamente para a borda: se for fina, é Yin por natureza (ver pp. 16-7); se for grossa, é Yang. Há quaisquer saliências, marcas ou preenchimentos? Você também precisa de um bastão para tocá-lo. Dê uma batida suave na borda com o bastão e mova-o consistentemente em torno da borda no mesmo ângulo. Uma nota musical deve surgir. Como você se sente em relação ao som? Tente outro, até você encontrar o sino que lhe dê a maior satisfação.

Não limpe demasiadamente o seu sino, mas cuide dele e familiarize-se com ele. Coloque água nele até a metade e segure-o em uma mão, movendo-o gentilmente enquanto você toca. A nota pode soar um som assombroso. O seu sino foi originalmente feito à mão com diversas quantidades de sete metais, representando os planetas internos, e ele terá uma nota musical que corresponde a (ou quase) uma das notas de um teclado de piano.

Como usar um sino tibetano

O seu paciente deve estar deitado ou sentado; leve-o a relaxar.

1 Gradualmente, a cerca de 1 m de distância do paciente, apresente-lhe o som do seu sino.

2 Enquanto toca, deixe-se guiar para levar o sino até uma parte do corpo do paciente ou um chakra específico.

3 Mantenha o foco nesse ponto. O sino pode estar pousado no corpo dele ou você pode mantê-lo em seu campo áurico.

4 Gentilmente afaste o sino quando sentir que a ressonância do som fez seu trabalho.

5 Coloque o sino de lado e agradeça, sabendo que suas vibrações serão absorvidas por algum tempo.

Utilizar a tigela tibetana não requer habilidades místicas especiais – apenas um "ouvido" para belos sons.

Técnicas avançadas de cura

Ao ministrar a cura, você está mudando o corpo de outra pessoa e as frequências do campo áurico dela. É provável que você faça isso de maneira intuitiva, ou seja, guiado de diferentes maneiras. Lembre-se de proteger o seu próprio campo áurico e estabelecer um espaço sagrado se você for aplicar a cura. Para ajudar o paciente, você pode usar os seguintes estágios e técnicas avançadas durante a sua sessão de cura:

1. Peça orientação e avalie o que é necessário durante a terapia: por exemplo, a leitura da aura, o exame com um pêndulo, o teste muscular, o esquadrinhamento e assim por diante.
2. Equilibre o chakra e peça para canalizar a cura.
3. Coloque os cristais ou outros objetos sagrados, se for usá-los.
4. Ilumine – aumente drasticamente a vibração de energia.
5. Ponha a energia em movimento à medida que você é guiado, extraindo da Terra e dos reinos cósmicos para beneficiar o paciente.
6. Permita – tudo o que precisar se manifestar.
7. Sele as codificações da cura e proteja o campo áurico do cliente.
8. Reconheça e agradeça tanto à sua orientação como aos cristais ou outros objetos sagrados que você tenha usado.
9. Estabilize as energias corporais e os fluxos sutis de energia, tanto os seus como os do paciente cliente, depois certifique-se de que os chakras estejam equilibrados num nível apropriado.

Tenha em mente que após terminar a cura, tanto você quanto seu paciente devem ligar-se à Terra, imaginando raízes que saem das solas de seus pés até o centro da Terra (ver p. 108). Talvez você possa pedir ao paciente para visualizar um manto azul curativo e protetor, enrolado em torno dele. A seguir, é essencial que você lave as suas mãos em água fria, enquanto o paciente que recebeu a cura relaxa após a sessão. Vocês dois devem beber um pouco de água pura; isso não apenas limpa as toxinas do corpo, mas também provê o meio para que a bioenergia viva e a energia prânica fluam por todos os chakras e todo o complexo mente-corpo-espírito.

O paciente normalmente sente um profundo relaxamento durante a sessão de cura.

Técnicas avançadas de cura

Cura a distância

Eu sou minha própria limitação – sem minha própria limitação, eu sou.
Anon

Como "Tudo é um", para ministrar a cura a distância (a alguém que não esteja fisicamente presente), você deve se preparar da mesma maneira que faria se a pessoa estivesse à sua frente. Isso significa que você deve limpar e preparar a si mesmo, sua sala e quaisquer cristais ou objetos sagrados que você usará. Os curadores geralmente usam uma "testemunha" para a cura distante – alguma coisa que mantenha ou represente o campo energético da pessoa: pode ser uma fotografia recente (de corpo inteiro, sem nenhuma outra pessoa na foto), algumas gotas de seu sangue, um pouco de cabelo, uma assinatura ou uma carta escrita à mão pela pessoa.

É tanto ético quanto apropriado pedir permissão para fazer a cura e informar a pessoa sobre a hora e o dia em que você irá "transmitir", para que ela possa se sentar em silêncio e participar plenamente de sua própria cura. Recomenda-se o envio da cura a distância por pelo menos três dias seguidos. *Nunca* aplique a cura se você estiver se sentindo perturbado ou zangado.

Regras de ouro

Nome, rosto e lugar são as três regras de ouro para enviar a cura a distância de maneira eficaz:

- **Nome** de preferência use o nome original da pessoa (nome de nascimento).
- **Rosto** Olhe para a fotografia ou, na ausência de uma, visualize a pessoa bem e feliz.
- **Lugar** Visualize onde ela está realmente no momento da cura a distância.

Se estiver usando uma fotografia para a cura a distância, você pode facilmente colocar pequenos cristais sobre ela nas posições dos chakras e focar as suas intenções de cura nesses locais.

Outras possibilidades

Do mesmo modo, você pode aplicar cura a distância em si mesmo quando criança; no futuro ou no presente, para alguém que não está mais num corpo físico, para o espaço entre as pessoas (seus relacionamentos), um lugar ou uma nação, uma situação pessoal ou global, ou um desastre. Com alguns desses exemplos, você dirige a energia de cura a lugares ou situações em vez de chakras. Nunca subestime o poder da cura!

OM Shanti, Shanti, Shanti, OM.

Uma mente concentrada e focada atravessa o tempo e o espaço, porque somos parte de um campo de energia unificado, universal.

Glossário

Adstringente que contrai os tecidos do corpo e detém o fluxo de sangue ou de outras secreções.

Afirmação sentença repetida em silêncio por nós mesmos que nos faz lembrar de nosso caminho espiritual.

Akasha o éter, ou poder espiritual, que permeia o universo; no ensinamento do Yoga, o quinto elemento que abarca os outros quatro – Terra, Água, Fogo e Ar.

Antipirético que reduz a febre.

Antisseborreico que ajuda a controlar a produção de sebo, a secreção oleosa das glândulas sudoríparas.

Asanas posturas básicas de sentar, ficar de pé e reclinar no Hatha Yoga.

Aura arco-íris de luz – o campo de energia sutil externo ao corpo.

Bandha fecho corporal no yoga – uma combinação de músculos específicos que são contraídos e observados para se alterar os fluxos de energia sutil.

Bhagavad Gita antigo texto sânscrito que compõe os 700 versos do *Mahabharata*, abrangendo a filosofia hindu e reverenciado como sagrado pela maioria dos hindus e, especialmente, pelos seguidores de Krishna.

Brahanas comentários das quatro primeiras escrituras hindus, os Vedas.

Budismo Vajrayana forma de Budismo que almeja assistir o discípulo na realização da plena iluminação ou Budeidade, talvez numa única vida.

Carminativo que ajuda a expelir gases do estômago e dos intestinos.

Chakra (literalmente, rodas de luz) centros focais pulsantes de energia sutil no campo de energia áurico luminoso.

Ch'i (qi) termo chinês que se refere à substância energética que flui desde o ambiente até o corpo, considerada idêntica a Prana e Ki.

Cinesiologia método aplicado de diagnóstico da saúde corporal por meio do teste muscular.

Diurético que aumenta ou facilita a secreção da urina.

Emenagogo que acelera ou induz o fluxo menstrual.

Expectorante que promove a remoção do muco dos pulmões.

Fotografia Kirlian tipo de fotografia por meio da qual, quando um objeto numa chapa fotográfica é sujeito a um forte campo elétrico, uma imagem é criada na chapa.

Granthi no Yoga é um bloqueio de energia ou barreira psíquica dentro do campo áurico; no Sikhismo, alguém que lê de um livro sagrado.

Gunas uma qualidade, um ingrediente ou constituinte da natureza; as três qualidades (tamas, rajas, sattvas) dos alimentos na prática indiana ayurvédica.

Hatha Yoga o sistema de yoga baseado nos Oito Ramos de Patanjali (sutras), que incluem posturas físicas, exercícios respiratórios, purificação, atenção consciente e meditação.

Hepático que ajuda e estimula a função do fígado.

Karma lei de causa e efeito, o resultado total das ações de uma pessoa durante as sucessivas fases de sua existência, que supostamente determinam o seu destino.

Ki termo japonês para energia de força vital, idêntica a prana e ch'i.

Kundalini energia que foi liberada durante a criação do mundo, cujo pleno poder jaz dormente no Chakra da Base, e pode ser aumentada por meio de práticas tântricas com o objetivo de união com a fonte Divina da criação.

Mandala símbolo que representa o eu e a harmonia interna.

Mantra sílaba ou cântico místico (tal como OM); hino poético, encantamento ou oração repetida muitas vezes.

Meridiano linha de energia dentro do corpo e em sua superfície, usada terapeuticamente na acupuntura.

Mudra gesto simbólico de mãos usado na dança hindu e na meditação.

Nadi canal para a força vital ou prana; existe uma nadi central (nadi sushumna) e duas secundárias de cada lado: nadi ida e nadi pingala.

Nervino que estimula e fortalece o sistema nervoso.

Prana termo sânscrito que se refere à substância energética que flui desde o ambiente até o corpo; a respiração vital; bioenergia.

Pranayama controle da energia (prana) por meio da respiração. Desenvolvido como uma respiração correta combinada com a aplicação da bandhas e mudras na prática de yoga.

Radiônica método de diagnose e tratamento a distância que usa instrumentos especialmente projetados com os quais um praticantes pode determinar as causas subjacentes de doenças num sistema vivo.

Reflexologia antiga técnica chinesa de terapia que usa a massagem de pressão nos pontos (geralmente nos pés, mas também nas mãos e orelhas) para restaurar o fluxo de energia pelo corpo.

Reiki caminho espiritual; uma forma de terapia espiritual, redescoberta no Japão que se concentra no Ki por meio das mãos para beneficiar outra pessoa ou forma de vida.

Samadhi estado de bem-aventurança, em que o espírito é libertado e se junta ao Espírito Universal.

Sannyasin monge ou monja que renunciou às posses materiais para trilhar um caminho de integração no mundo espiritual.

Sânscrito a língua clássica e literária dos hindus na Índia.

Shaktismo denominação do hinduísmo que venera a Shakti/Devi Mata, a Grande Mãe Divina em todas as suas formas. Também o caminho espiritual que descreve os sete chakras principais que conhecemos hoje.

Siddhis oito poderes paranormais tentadores que podem ser atingidos por meio do desenvolvimento yogue.

Sruit conhecimento que foi revelado aos grandes videntes; termo usado para se referir às quatro coleções que compõem os Vedas.

Tantras escrituras antigas hindus ou budistas escritas em sânscrito e que dizem respeito a atos rituais do corpo, da fala e da mente.

Tao filosofia chinesa do Caminho da Longa Vida; caractere chinês que significa "caminho", estrada ou via; relaciona-se ao taoismo.

Teosofia escola filosófica mística estabelecida por Madame Blavatsky em 1875, que incorpora ensinamentos budistas e bramânicos.

Trimurti trindade hindu que consiste no Brahma, o Criador; Vishnu, o Preservador e Shiva, o Destruidor, que representa as três formas do ser supremo.

Upanishads (literalmente "aqueles que sentam perto") escritos filosóficos sagrados hindus que se desenvolveram a partir dos Vedas mais antigos, na forma de contemplações místicas ou espirituais. Compostos no decorrer de diversos séculos, desde o século VIII a.C., existem 108 Upanishads, embora apenas 13 sejam considerados textos-chave.

Uterino que ajuda e estimula o útero.

Vedas (literalmente "conhecimento") um termo *coletivo* para as mais antigas e mais conceituadas das escrituras hindus, escritas em sânscrito e que incluem quatro coleções: Rigveda, Samaveda, Yajurveda e Atharvaveda.

Yantra padrão geométrico usado como auxílio para a meditação; um símbolo visual de conceitos espirituais complexos.

Yoga um dos seis sistemas clássicos da filosofia indiana, diz respeito à união do indivíduo com a consciência universal; sistema de controle corporal que leva à unidade com o ser supremo.

Yoga Sutras textos antigos hindus breves, mas influentes, escritos em sânscrito pelo sábio Patanjali, que descreve a filosofia e as práticas do yoga.

Yogin mestre de yoga que atingiu um alto nível de visão espiritual; discípulo de um guru.

Índice remissivo

Os números em *itálico* referem-se às legendas.

acupuntura 16, *16*
adho mukha avanasana (postura do cão olhando para baixo) 294-95
água marinha 152, *153*
Ajna 282-83
alecrim 252, *253*
alimento
  rajásico 49
  sátvico 49
  tamásico 49
alimentos 46-9
altar, criando um 108, *108*
ametista 321, *321*
amizade 134, *134*
Anahata 210-11
ananda yoga 64
animais de poder 358-59
annamayakosha (sono profundo) 119
arco-íris 10, *10*, 332
ardha matsyendrasana 1 (torção espinhal sentada) 192-93
aromaterapia 56-9
  e Ajna 292-93
  e Anahata 222-23
  e Manipura 188-89
  e Muladhara 116-17
  e Sahasrara 322-23
  e Svadisthana 156-57
  e Vishuddha 252-53
artes marciais 345
árvores: campo de energia 10-1, 280, *280*

asanas 65-7, 81, 99, 100 *ver também* yoga
ashtanga (astanga/power) yoga 64
astrologia indiana 84-5
aura *8*, 341
  cores 376-77
  na história 12
  percebendo a aura humana 10-1
  qualidades áuricas 15
  sentindo com varinha de radiestesia 278, *279*
  sete camadas 14, *15*
aventurina 218, *219*
Ayurvédica, prática 49, 84

Bailey, Alice 19
bakasana (postura do guindaste) 326-27
bandhas 100-01
banhos aromáticos 157
Bhagwan Shree Rajneesh (Osho) 142
bhakti yoga 65
bhujangasana (cobra) 224
"bija" mantras 80-1, 104, 144, 178, 210, 256, 312
  e yoga 81
Blavatsky, Madame 26
Bohm, David 32
Brahma 82, *103*, 106, 266
Buda, compaixão do 204, *204*
bhujangasana erguida (serpente erguida) 225
Budismo
  tibetano 132, 198
  Vajrayana 22

Cabala 347-50
calcita 148, *148*
camomila 252, *253*
campo de energia sutil 8, 10
campos bioeletromagnéticos 366, *366*
cedro 116
celestita 316, *316*, 337, *337*
campos áuricos 10, 12, 32-3, 35, 38-9, 276, 366, 376-78
campo de energia sutil 8, 10
capacidades psíquicas 270-71
chakras
  consciência plena 36
  como eles afetam o corpo físico 38-9
  como parte da matriz da vida 32
  como um esquema 11
  definido 8
  equilíbrio 34-5
  principais 28, *29*, 340
  qualidades 34
  reação às emoções 42-3
  recentemente descobertos 332, *333*
  secundários 30, *31*, 340
  vórtices de energia 27, 35, 332
chakras, esquadrinhando os 372, *373*
Chakra Alta Maior 30, *31*, 337, 340
chakra do baço 30, *31*
Chakra da Base (Muladhara) 28, *29*, 88-123, 360
  aromaterapia 116-17
  bandhas 100-01
  criando um altar 108, *108*
  cristais para equilibrar o Muladhara 112-13
  cristais para acalmar o Muladhara 110-11
  divindades 106-07
  energia da kundalini 96-7, *97*
  energia da kundalini e as nadis 98-9
  entoação 254-55
  estados mentais 379
  funções e características 90-1
  granthis 102-03
  questões de saúde 92-3
  questões mentais, emocionais e espirituais 94-5
  yantra Muladhara 104-05
  visualização usando cristais 114, *114*, 115
  yoga, posturas de 118-23
Chakra Causal 332, *333*, 336-37, *337*
Chakras da clavícula 30-1
Chakra do Coração (Anahata) 28, *29*, 196-229, 361
  aromaterapia 222-23
  atração e compaixão 204-05
  chakra do timo 208-09
  cristais para acalmar o Anahata 216-17
  cristais para ativar o Anahata 214-15
  cristais para equilibrar o Anahata 218-19
  divindades 212-13
  estados mentais 379
  funções e características 198-99
  healing para o chakra do coração 206-07
  massagem com cristais 220, *220*
  posturas de yoga 224-29
  questões de saúde 200-01
  questões emocionais 202, *203*
  yantra 210-11
Chakra da Coroa (Sahasrara) 28, *29*, 300-329, 338, 361

aromaterapia 322-23
cristais para ativar o Sahasrara 316-17
cristais para equilibrar o Sahasrara 320-21
cristais para acalmar o Sahasrara 318-19
divindades 314-15
funções e características 302-03
estados mentais 379
estágios de meditação 306-07
posturas de yoga 324-29
questões de saúde 304-05
usando o poder da luz 308-11
yantra 312-13
chakras cósmicos 340
chakra do estômago 30, *31*
Chakra Estrela da Terra 332, *333*, 334-35
chakra do fígado 30-1
Chakra da Garganta (Vishuddha) 28, *29*, 230-63, 361
aromatherapia 252-53
cristais para acalmar o Vishuddha 248-49
cristais para ativar o Vishuddha 246-47
cristais para equilibrar o Vishuddha 250-51
divindades 244-45
estados mentais 379
funções e características 232-33
mantras 256-57
posturas de yoga 258-63
prana: a respiração da vida 236-37
questões de saúde 234-35
questões emocionais 238-39
questões espirituais 240, *240*
som 254-55
yantra 242-43
chakras das gônadas 30, *31*

chacra do Hara/umbigo 332, *333*, 336, *336*
chakras dos joelhos 30-1
chakras lunares 340
chakras das palmas 30-1
Chakras dos olhos 30, *31*
chakras planetários 362-63
Chakra do Plexo Solar (Manipura) 28, *29*, 164-95, 360
aromaterapia 188-89
aumentando o fluxo de energia através dos chakras 174-75
cristais para acalmar o Manipura 184-85
cristais para ativar o Manipura 182-83
cristais para equilibrar o Manipura 186-87
divindades 180-81
estados mentais 379
funções e características 166-67
posturas de yoga 190-95
questões de saúde 168-69
questões emocionais 172, *173*
questões espirituais 176, *176*
stress 170-71
yantra de Manipura 178-79
Chakra do Sacro (Svadisthana) 28, *29*, 124-63, 336-37, 360
a sabedoria de Svadisthana 142, *142*
aromaterapia 156-57
ativando o seu prana *131*,132
criatividade 136, *137*
cristais para acalmar o Svadisthana 150-51
cristais para ativar o Svadisthana 148-49
cristais para equilibrar o Svadisthana 152-53
dança 138-39, *138*
divindades 146-47

despertando seus chakras por meio da dança 140, *140*
estados mentais 379
exercício de respiração 154, *155*
fazendo amigos 134, *134*
funções e características 126-27
posturas de yoga 158-63
questões de saúde 128-29
questões emocionais 130, *131*
yantra de Svadisthana 144-45
Chakras da Terra 360-61
Chakra da Testa (Ajna) 28, *29*, 264-99, 361
  aromaterapia 292-93
  capacidades psíquicas 272-73
  cristais para ativar o Ajna 286-87
  cristais para equilibrar o Ajna 290-91
  cristais para acalmar o Ajna 288-89
  divindades 284-85
  desequilíbrios endócrinos 270-71
  estados mentais 379
  funções e características 266-67
  meditação da vela para despertar a visão interna 276-77
  poder dos siddhis 274, *275*
  posturas de yoga 294-99
  questões de saúde 268-69
  sentindo energias 278-79
  vendo energias 280, *280*
  yantra 282-83
chakras das solas dos pés 30, *31*
chakras das têmporas 30-1
chakra do timo 30, *31*, 208-09
chakras dos seios 30, *31*
chakras solares 340

chakras transpessoais, 332-33
cianita 337, *337*
ciclos de sete anos 86-7, *86*
cinesiologia 54-5, *54*
citrina 186-87, *186*
champaca 156
charoíta 318-19, *319*
ch'i (qi) 16, 344-45
clariaudiência, 272-73
clarividentes, *8*, 42
cornalina *112*, 113, *113*, 149, *149*, 336, *336*
Corpo
  causal 14-5
  emocional 14-5
  etérico 14-5
  ketérico 14-5
  mental 14-5
  espiritual 14-5
Corpo Mental Superior 14-5
corpos de energia 14-5, 332
cosmovisão 339
criatividade 136, *137*
crisocola 250, *251*
cristais 18-9, 68-71
  escolhendo 68
  limpando 68
  terapia pelo cristal 319
  massagem com 220, *220*
  e os três chakras celestiais 336-39
  para ativar o Ajna 286-87
  para ativar o Anahata 214-15
  para ativar o Manipura 182-83
  para ativar o Sahasrara 316-17
  para ativar o Svadisthana 148-49

para ativar o Vishuddha 246-47
para equilibrar o Ajna 290-91
para equilibrar o Anahata 218-19
para equilibrar o Manipura 186-87
para equilibrar o Muladhara 112-13
para equilibrar o Sahasrara 320-21
para equilibrar o Svadisthana 152-53
para equilibrar o Vishuddha 250-51
para acalmar o Ajna 288-89
para acalmar o Anahata 216-17
para acalmar o Manipura 184-85
para acalmar o Muladhara 110-11
para acalmar o Sahasrara 318-19
para acalmar o Svadisthana 152-53
para acalmar o Vishuddha 248-49
usando a visualização 114, *114*, 115

cura
cura a distância 384, *385*
cura com o espírito, 366-67
cura com som 380, *381*
cura por meio dos chakras 376-77
cura vibracional 308
escaneando os chakras e canalizando energia 372-73
mudras para a cura 22
pêndulo de radiestesia nos chakras 374-75
preparando-se para ministrar a cura 370-71
purificando seu espaço de cura 368-69
realinhando energias deslocadas de chakras 378-79
técnicas avançadas de cura 382, *382*

cura vibracional 308

Dakini 107
dança 138-39, *138*
defumação 368-69
divindades
  hindus 82-3
  solares 166
depressão sazonal 271
  e Manipura 176, *176*
  e Vishuddha 240, *240*
dervixes rodopiantes 354-55
desequilíbrios endócrinos 270-71
desperte os seus chakras pela dança 140, *140*
dhanurasana (postura do arco) 258-59
dharana 99, 306
dhyana 99, 306
diamante de Herkimer 287, *287*
diamantes 286, *286*, 319
difusores de óleo 59, *59*, 188, *188*
distúrbios do sono 270-71
Durga *ver* Shakti

eletronografia 32
elefante 104
elixir de pedra preciosa 152-53, 249
energia
  aumentando o fluxo de energia 174-75
  boa 8
  canalizando 372-73
  enviando para um amigo 278-79
  espírito 346
  feminina 346
  focada 11

generativa 346
masculina 345
não desejada 8
vital 346
emoções 42-3
energia da kundalini 23, 24, 67, 96-7, *97*, 98, 102, 110
energia prânica 49, 50, *68*, 100
entoação 254-55
ensinamentos dos maias 356-57, *356*
equilíbrio, importância do 32-3, 46, 49
esclareia 189
esmeralda 110-11, *111*, 150-51, *150*, *184*, 185, 288, *288*, 289, *289*
espectro da luz 12
essências florais 19, *19*
Estrela da Alma 332, *333*, 336, 338

Farrer-Halls, Gill 56
flor de limão *322*, 323
flor de tília 323
frankincenso *292*, 293

Ganesha 83
Garudasana (águia) 122-23
Gattefosse, Rene Maurice 117
gerânio 189
Ghadiali, Dinshah 308
Gimbel, Theophilus 27, 72
glândula
  adrenal 40-1, 128-29
  do timo *40*, 41, 200, *201*
  pineal *40*, 41, 268, *269*, 272, 274, 276, 304, *305*
  pituitária *40*, 41, 268, *269*, 270, 272, 304, *305*
  tireoide (e paratireoides) *40*, 41, 234, *235*
glândulas endócrinas 8, 11, 27, 28, 40, *41*, 92-93, 128, *129*, 168, *169*, 200, *201*, 234, *235*, 268, *269*, 304, *305*
gomukasana (postura da vaca) 190-91
gônadas *40*, 41
granthi
  de Brahma 102
  de Vishnu 102

hipótese de Gaia 362
Hahnemann, Samuel 18
halasana (postura do arado) *67*, 298-99
halo *13*
HAM 81, 242
Hatha yoga 64-5, 97, 308
Hinduísmo 20, 78, 82
Hipertireoidismo 270
Hipotireoidismo 270
homeopatia 18, *18*
Huang Di, Imperador 345
Hunt, Dra. Valerie 366

Ilhotas de Langerhans *40*, 41, 168-69
iluminação 20, 274, *274*
inalação de vapor 253
Incas, ensinamentos 356-57
inconsciente, 24
íons
  negativos 38
  positivos 38
Ishvara 212
Iyengar yoga 64

jalandhara bandha (fecho do pescoço) 100, *100*
janusirsasana (postura da cabeça no joelho) 226-27
jasmim 156
jnana yoga 65
Jung, Carl 24, *25*
junípero 189

Kakini 213
Kali 83
karma 20
karma yoga 65
ki 60
ki divino 60
Kirlian, Semyon 32
Kirlian, fotografia *8*, 32, *33*
Krishnamurti, Jiddu 27, *27*
kundalini yoga 24, 67, 126
kunzita *216*, 217

Lakini 181
LAM 81, 104
lápis-lazúli 290-91, *290*
Lataif, sete 352-53
lavanda 252, *253*
Leadbeater, C. W. 26-7
ligação
 com a luz cósmica 310
 com a terra *310*
Linha Sushumna/Hara 38
lobélia 322
lótus 312, 323
Lovelock, James 362

Lua 340, *340*
luz da criação 341

maha bandha (grande fecho) 101
mandalas 22, 24
manjericão 293
manjericão sagrado 293
mantra yoga 65
mantras 21-2, 78, 256-57, *256*, 308
massagem 56-7, 117
 com cristal 220, *220*
matsyasana (postura do peixe) 228-29
Medicina Tradicional Chinesa 16
meditação 20, 22, 80, 82, 306-07, 371
melissa 222
memória 30
meridianos 16, *16*, 54, 97
miasmas 19
moldavita 339, *339*
mudra de yoga em padmasana 296-97
mula bandha (fecho da raiz) 100-01, *100*
músculo, teste do 54-5, *54*
mirra 116

nadis 23, *23*, 65, 97, 98, 188
nadi
 ida *22*, 23, 98, *98*
 pingala *22*, 23, 98, *98*
 sushumna *22*, 23, 98, *98*, 102
natarajasana (postura de Shiva) 162-63
natya 139
Navagraha 84
nenúfar 323
néroli 222

novos chakras 330-41
niyamas 99
nritta 138
nritya 138

óleo de rosa 156, 222
óleos essenciais 58, 116-17, 156, 189, 222
óleos para massagem 59
Olho 256
olho de tigre 336, *336*
OM (AUM) 78, *79*, 81, 232, 282, 312
OM sagrado 78-9
opala de fogo 148-49, *149*
ovários, 92-3

Padmasana (postura do lótus), 118
pâncreas 168, *169*
parivrtta trikonasana (triângulo torcido) 158-59
paschimottanasana (postura da pinça) 262-63
Patanjali 166, 178
Patanjali, oito ramos de 99, 100, 178
patchouli 116
pau-rosa 323
pedra da lua 152-53, *152*, 337, *337*
pêndulo 68, 374-75, *375*
peridoto 214-15, *214*, *215*
Portal Estelar 332, *333*, 336, 339
postura do lótus 99, 118
prana 20, 23, 65, 67, 132, *133*, 236-37, 344
Pranamasana (postura da prece) 118
pranayama 81, 98-9, *99*, 100, 154, *155*
prática tântrica 22-4
pratyahara 99, *99*

pedras de Callanish, Hébridas 361
pontos *16*, 319
posturas de yoga
 para Ajna 294-99
 para Anahata 224-29
 para Manipura 190-95
 para Muladhara 118-21
 para Sahasrara 324-29
 para Svadisthana 158-63
 para Vishuddha 258-63
postura de lótus 99, 118
princípios macrobióticos 49
problemas sexuais 130-31

quartzo 249, *249*, 319, 320, *320*
 cristais 247, *247*
quartzo rosa 219, *219*
questões emocionais
 e Anahata 202, *203*
 e Manipura 172, *172*
 e Svadisthana 130, *131*
 e Vishuddha 238-39
questões espirituais
 e Manipura, 176, *176*
 e Vishuddha, 240, *240*

radiestesia 68, 278, *279*, 374-75
radiônica 19
raja yoga 65
Rakini 147
RAM 81, 178
Raphaell, Katrina 332
reencarnação 20
reflexologia 50-3, 334

Reich, Dr. Wilhelm 12, 308
reiki 60-3
relaxamento 44-5, 371
respiração
    controle respiratório 22
    com sua barriga 370
    cores 144, 251
    exercício 154, *155*
    quatro partes 371
respiração das cores 144, 251
Rife, Royal R. 308
roda das cores 75
rodas medicinais, 358-59, *358*
rodocrosita 219, *219*
rodonita 217, *217*
rosas 207, *207*
Rudra 180

sábio 252
Sadasiva 244
sadhus *142*
Shivaísmo 82
safira *110*, 185, *185*, 248, *248*, 288-89, *289*, 316-17, *316*, 328-29
Sakini 245
salamba sarvangasana 1 (postura de inversão sobre os ombros) 328-29
salamba sirhasana 1 (postura sobre a cabeça) 324-25
samadhi 99, 306-07
sândalo 156
sannyasins 142, *142*
Savasana (postura do cadáver/relaxamento) 118

selenita 338, *338*
sentindo energias 278-79
seratonina 271, *271*
serpente da Terra 362-63
serpente Kundalini 92
Shakti (Parvati/Durga) 83, *84*, 315
Shakti Hakini 285
Shaktismo 22-3, 82, 90, 97
Shiva 82, 83, 97, 266, 284, 314
Shri (Lakshmi) 82
Siddhasana 118
siddhis 274
sílica de pedra preciosa 250
simhasana (postura do leão) 260-61
Sirhasana 118
sistema linfático 8, 30
sivananda yoga 65
Skanda 83
Smartismo 82
sistema nervoso simpático 27
Sol 340-41, *341*
som 78, *79*
    curando com 380, *381*
    e Vishuddha 254-55
sruit 20
stress 36, *36*, 130, *131*, 168, 170-71
Sufismo 351-55
sugilite/luvulite 318, *318*
sutratma 274

taças tibetanas 380, *381*
Tantras 22
Taoismo 344-46
Teoria dos Cinco Elementos 16

Teosofia 26-7, 332
terapia da luz 308-09, *309*
terapia das cores 72-5
Terceiro Olho 274, *274*, 276
testículos 92, *93*
tomilho 208-09, *208*, 252
topázio 148, *148*, 182, *182*, 216, 246-47, *246*
toque 207
Tot 80
três chakras celestiais 340-41
   cristais e 336-39
Trikonasana (triângulo) 120-21
trimurti 82
turmalina 114, *115*, 182, *182*
turmalina melancia 218, *218*
turquesa 250-51, *250*

uddiyana bandha (fecho do diafragma) 100
Upanishads 20-2, 78
ustrasana (postura do camelo) 194-95
Usui, Dr. Mikao 60
utthita parsvakonasana (postura do ângulo estendido para o lado) 160-61

Vaishnavismo 82
Valnet, Dr. Jean 117
VAM 81, 144
Vedas 20, *21*
vendo energias 280, *280*
viagem astral 272
Virabhadrasana 1 (guerreiro) 118-19
visão áurica 344

visão interna 276-77
Vishnu 82, 146, 266
visualização 81, 207
   usando cristais 114, *114*

Woodroffe, Sir John ("Arthur Avalon") 23-4

xamanismo 344, 357, 358-59, *358*

YAM 81, 210
yamas 99
yantras 24, 76, *77*
   Ajna 282-83
   Anahata 210-11
   Manipura 178-79
   Muladhara 104-05
   Sahasrara 312-13
   Svadisthana 144-45
   Vishuddha 242-43
Yin e Yang 16, 49, *49*, 344, 345-46
ylang-ylang 156, 323
yoga 64-9
   "bija" mantras e 81
yoga mudra em padmasana 296-97
Yoga Sutras 64
yoga tântrico 92, 94, 95, 97, 266
yogin 23, 49

Zhang Zhongjing, Dr. 344

Agradecimentos

Agradecimentos do autor: Gostaria de agradecer a todos os meus professores e alunos que contribuíram para meu conhecimento profissional e aos anciãos maias que me iniciaram na sabedoria antiga e nas presenças invisíveis. Além disso, todos os editores e desenhistas em Godsfield recebem meu sincero agradecimento. Finalmente, mas não menos importante, meu marido, um terapeuta que trabalha com sons, foi meu consultor em seções relevantes desse livro, bem como um pesquisador paciente e leitor do manuscrito – meu agradecimento amoroso.

Ilustrações KJA Artists
Picture Researcher Sophie Delpech

Fotos Especiais: © Octopus Publishing Group/Ruth Jenkinson

Outras fotos: Alamy 360-361; /Dinodia Images 84; /Mary Evans Picture Library 347; /mediacolor's 55;/WoodyStock 292 esquerda; **ArkReligion.com**/Dinodia Photo Library 21; **Corbis UK Ltd** 17, 26, 56, 171; /Peter Adams 138-139; /Arquivo Iconográfico, SA 355; /Bettmann 25; /Radhika Chalasani 143; /Lindsay Hebberd 103; /KG-Photography/zefa 39; /Helen King 351; /SIE Productions/zefa 311; /Ted Streshinsky 83; /Robin Williams 208; **DigitalVision** 58; **Getty Images** 37, 86; /Kevin Cooley 96-7; /Elizabeth Simpson 18; **Image Source** 43, 131, 202-03, 205, 256; **Octopus Publishing Group Limited** 47, 79, 95, 110 centro, 110 parte inferior, 111 topo, 111 centro, 111 parte inferior, 112, 113 topo, 113 centro, 148 esquerda, 148 direita, 149 topo, 149 centro, 149 parte inferior, 150, 152-53 esquerda, 153 direita, 153 centro, 157, 177, 184-85 topo, 185 centro, 185 parte inferior, 186 esquerda, 186 direita, 206, 214 centro esquerda, 214 parte inferior direita, 214 parte inferior esquerda, 216 topo, 216 parte inferior, 217-19 topo esquerda, 219 centro direita, 219 parte inferior direita, 246, 248 esquerda, 248 direita, 249 esquerda, 249 direita, 250 centro esquerda, 250 parte inferior direita, 251, 286 esquerda, 286 direita, 287, 288 topo, 288 centro, 288 parte inferior, 289 topo, 289 centro, 289 parte inferior, 290 esquerda, 290 direita, 291, 316 esquerda, 316 direita, 318 esquerda, 318 direita, 319 esquerda, 319 direita, 320-21, *321* esquerda, 336 esquerda, 336 direita, 337 topo, 337 centro esquerda, 337 centro direita, 338-39; /Colin Bowling 253 direita, 253 centro, 292 direita, 322; /Stephen Conroy 253 esquerda; /Frazer Cunningham 9, 15, 364, 367, 373;/Jerry Harpur 19; /Ruth Jenkinson 61, 64, 67, 80-1, 100-01, 115, 135, 276-77, 378; /Sandra Lane 49; /Peter Myers 63, 238-39; /Ian Parsons 46; /Mike Prior 69, 70, 117, 383; /Peter Pugh-Cook 223, 345; /Russell Sadur 44-5, 137, 174-75, 188, 215, 241, 271, 273, 307, 369, 371, 375-76, 381, 385; /Unit Photographic 141; /Ian Wallace 48, 52, 59; **Photodisc** 10-1, 13, 187, 281, 340-41, 356; **Science Photo Library**/Garion Hutchings 33; **TopFoto**/Dinodia 275.